D1367789

LES DUMAS

Le secret de Monte-Cristo

DU MÊME AUTEUR

MONTE-CRISTO OU L'EXTRAORDINAIRE AVENTURE DES ANCÊTRES DE DUMAS, présentation Alain Decaux, Perrin, 1976.
Mention spéciale Prix Alexandre-Dumas 1976.
Prix des Chercheurs et Curieux 1976.
Prix Franco-Belge 1977.
COMMISSAIRE MAIGRET, QUI ÊTES-VOUS? Plon, 1977.
Mention spéciale Prix Bec et Plume 1978.
Prix Jouvenel Académie Française 1978.
Traduction en japonais.
PROMENADES EN BASSE-NORMANDIE AVEC UN GUIDE NOMMÉ FLAUBERT, Corlet, 1979.
Grand Prix Guides Touristiques J. de Lacretelle 1980.
Prix Bouctot. Académie de Rouen 1980.
L'HISTOIRE DU MONDE C'EST UNE FARCE OU LA VIE DE GUSTAVE FLAUBERT, Corlet, 1980.
Prix Marcel Thiébaut. Société des Gens de Lettres. 1980.
Grand Prix des Écrivains Normands 1980.
Prix Bouctot. Académie de Rouen 1980.
CAEN AU FIL DES ANS, Corlet, 1980. Nouvelle édition 1992.
Prix des Vieilles Maisons Françaises 1981.
Prix Toutain. Académie Française 1981.
PROMENADES DANS LA VILLE DE CAEN, Corlet, 1981. Édition trilingue.
Prix Jean-de-Roany 1982.
LE SECRET DE MONTE-CRISTO, Corlet, 1982.
RECHERCHEZ VOS ANCÊTRES! Corlet, 1982/Club François Beauval 1983, 1989 et 1993.
Hors concours Prix Guides Touristiques 1983.
CARTOUCHE, Tallandier, 1984/Club Historique 1985.
LE MONT SAINT-MICHEL ET SA BAIE, Solar-Minerva, 1984. Édition trilingue.
Palme du Guide de Tourisme architectural 1984 (Français).
Palme du Guide de Tourisme religieux 1984 (Anglais, Allemand).
MALHERBE, GENTILHOMME ET POÈTE, D.N.L., 1984.
Hors concours Guides Touristiques 1985.
Prix Jacques de Lacretelle 1985.
GUILLAUME LE CONQUÉRANT, Corlet, 1986.
RABELAIS, Perrin, 1988. Seconde édition 1994.
Prix spécial Académie Rabelais 1988.
PROMENEZ-VOUS À CAEN, Corlet, 1988.
DICTIONNAIRE DES MOTS QUI ONT UNE HISTOIRE, Tallandier, 1989.
Club Historique 1989.
Club Grand Livre du Mois 1994.
MIRABEAU PÈRE, Tallandier, 1989/Club Historique 1990.
Sélection Bourse Goncourt Biographie 1989.
Sélection Prix Michelet 1990.
LA VÉRITABLE HISTOIRE DU COMMISSAIRE MAIGRET, Corlet, 1990.
GUIDE DE LA GÉNÉALOGIE, M.A. Éditions, 1990.

(suite des œuvres en fin d'ouvrage)

GILLES HENRY

Les Dumas

LE SECRET DE MONTE-CRISTO

ÉDITIONS FRANCE-EMPIRE
13, rue Le Sueur, 75116 Paris
http://www.france-empire.fr

Vous intéresse-t-il d'être tenu au courant des livres publiés par l'éditeur de cet ouvrage?

Envoyez simplement votre carte de visite aux

ÉDITIONS FRANCE-EMPIRE
13, rue Le Sueur, 75116 Paris

ou laissez-nous un message sur notre E-mail
france-empire @ france-empire.fr

et vous recevrez, sans engagement de votre part, notre catalogue qui présente nos différentes collections disponibles chez votre libraire.

Vous pouvez également consulter ce catalogue sur le site internet de France-Empire
http://www.france-empire.fr

ISBN 2-7048-0877-5

IMPRIMÉ EN FRANCE

PRÉFACE

Partager une tasse de thé russe avec Anna Karénine, embarquer sur le baleinier *Péquod* avec Queequeg, « le harponneur divin », aider Cosette à porter son seau ou se persuader qu'on aurait pu rendre Emma Bovary heureuse, pourquoi pas ? La littérature est aussi faite pour ce genre de rêves. Ouvrir un livre, c'est y entrer au sens propre du mot : y croire, c'est s'y croire.

Mais c'est une chose de partager l'intimité du héros et c'en est une autre de s'immiscer dans celle de son auteur. Les lecteurs qui ont le privilège (croient-ils !) d'approcher de près tel ou tel écrivain pour lequel ils éprouvent de la ferveur, courent presque toujours un danger majeur : celui de subir une de ces désillusions dont on se remet mal. Car les enchantements de l'œuvre sont souvent à la mesure des désenchantements de son créateur. Et tel livre peut vous faire toucher du doigt le ciel alors même que son auteur provoquera en vous un sentiment de refus, voire de répulsion. Exemple banal : à treize ans, ayant chipé *Le Voyage au bout de la nuit* dans la bibliothèque familiale, je m'étais pris d'une adoration immodérée pour celui que je croyais être le « bon » docteur Destouches – car le fait que le romancier fût médecin ajoutait encore au respect fondant qu'il m'inspirait. Et l'idylle fut parfaite jusqu'à ce que, trois ans plus tard, découvrant quelle était la vraie nature de Louis-Ferdinand Céline, j'eusse le sentiment d'avoir été floué et trahi de la plus infâme façon. Et il me fallut du temps – un vrai temps de deuil – pour reconnaître que le voyage littéraire supposait que l'on dissociât prudemment les écrivains de leurs écrits.

Sans aller jusqu'à rendre cette dichotomie systématique, j'ai (trop ?) souvent constaté que plus un univers romanesque m'apparaissait vaste et éblouissant, plus son démiurge se révélait limité et étriqué dès lors que je prenais le risque de m'attabler en sa compagnie à la terrasse d'un café.

Il va de soi que je n'échappe évidemment pas à ce principe plus ou moins schizophrénique : je sais bien des gens qui, venus à moi pleins d'indulgence pour mon travail d'écrivain, sont repartis fort déçus de la rencontre avec l'homme.

Or donc, abstenons-nous généralement d'approcher l'écrivain de trop près.

Qu'il soit mort ne change rien à cet appel à la prudence. Car certaines biographies, qui sont au *post mortem* ce que le rendez-vous à la terrasse d'un café est à l'*in vivo*, sont d'autres trappes qui ont vite fait de nous précipiter dans le piège de la connaissance intime – et donc de la grande désillusion possible.

Cela dit, toute règle a ses exceptions.

Et ce livre est l'une d'elles, où Gilles Henry apporte la preuve que les créateurs que furent Dumas père et fils étaient, eux du moins, aussi enthousiasmants que leur création.

A travers cette pluribiographie (car il s'agit ici de décrire l'enchaînement de plusieurs générations de 1775 à nos jours), le propos de Gilles Henry est d'exhumer une pyramide : celle où dort – d'un sommeil relatif, sinon agité – la dynastie dumasienne.

En ouvrant ce livre, vous entrez dans la vallée des rois Dumas.

Ce ne sont pas, de part le monde, les études qui manquent. L'univers des Dumas a été sillonné en tous sens, labouré par toutes les charrues de l'analyse symbolique, esthétique, poétique, rhétorique, sémantique, thématique, stylistique, historique, géographique, etc. Tous les personnages ont été minutieusement recensés (pour la progéniture du seul Dumas père, on en a dénombré la bagatelle de 37 287...) et pour ainsi dire autopsiés, tous les décors décryptés, toutes les actions décodées. On pourrait céder au découragement devant l'apparente impossibilité d'apporter quoi que ce soit de novateur et, parodiant La Bruyère, déplorer que tout soit dit et que l'on vienne trop tard.

Ce livre-ci réserve pourtant son lot de surprises et de révélations Dont la moindre n'est pas l'outil dont se sert Gilles Henry pour ses fouilles : la généalogie.

Outil bien plus sophistiqué que l'image feutrée, fleurant le papier fané et l'encaustique des vieilles bibliothèques, qu'on s'en fait. D'abord en ce qu'il exige une méthode scientifique dans la pleine acception du terme, qui refuse l'extrapolation, qui n'avance que certitude après certitude, document après document – il est d'ailleurs savoureux de faire servir le scrupule historique à un Dumas dont on sait qu'il ne l'étouffait guère. Mais surtout parce que la généalogie ne se résume pas à planter un arbre porteur d'un entrelacs de rameaux secs dessinés avec plus ou moins de bonheur. Cet arbre de la généalogie est vivant et porte des fruits : les actes de leurs conséquences. Parce qu'aucun être n'est indissociable de son sillage, la généalogie ne fait pas que constater une filiation de personnes, elle induit aussi une filiation d'événements.

Que ce soit celui du Déluge ou celui d'Œdipe, on sait que les mythes ne sont pas engendrés « ex nihilo ». En cherchant bien, on leur trouve des racines souvent profondes – que j'appelle plaisamment des antémythes. Dès lors, on peut tirer – précautionneusement s'entend – sur le mythe comme sur une plante jusqu'à retrouver sa touffe originelle.

En même temps que l'une des plus mystérieuses, l'une des plantes les plus fascinantes du vaste jardin dumasien est *Le Comte de Monte-Cristo*. La genèse de l'œuvre a été cent fois contée. Mais cette anecdote d'un fait divers qui aurait séduit Dumas et l'aurait peu à peu conduit à l'élaboration du roman n'explique pas tout. Il faut avoir la vue singulièrement courte pour ne voir dans *Le Comte de Monte-Cristo* que l'extrapolation d'une coupure de presse relatant une erreur judiciaire. De même que Flaubert disait « Madame Bovary, c'est moi ! », de même *Le Comte de Monte-Cristo* est-il sans doute le roman où Dumas père s'est le plus impliqué.

S'il n'y a pas autobiographie comme c'est le cas pour Dumas fils et sa *Dame aux camélias*, il y a une interaction évidente entre l'écrivain et son œuvre.

L'enquête (... généalogique, donc) de Gilles Henry fait ressortir, entre autres démonstrations, que ce n'est pas un hasard si ce roman est d'abord celui de la résurgence d'un passé que tout le monde croyait oublié, enfoui, scellé. Monte-Cristo, nous dit-il, doit au moins autant, sinon davantage, à l'histoire de la famille Dumas qu'aux annales judiciaires. Au point que, même en l'absence du fait divers réputé avoir déclenché sa rédaction, *Le Comte de Monte-Cristo* aurait pu exister par le seul fait que Dumas était un Dumas.

Ce que Gilles Henry met à jour du destin familial des Dumas vaut un roman. De fait, *c'est* un roman. Et des plus palpitants.

Je ne vous en dirai pas plus sur son contenu. Non seulement parce que ce n'est pas le rôle d'un préfacier que de condenser en quelques lignes tout un livre, mais surtout parce que cette saga des Dumas est trop foisonnante, trop folle, trop grandiose, pour tenir dans le hall d'entrée de la préface.

D'ailleurs, le voudrais-je que je ne pourrais jamais résumer ce maelström, ce tohu-bohu de splendeurs et de misères, ces ruines, ces héritages, ces revenants surgis d'on ne sait où, ces menaces, ces mariages, ces désespoirs d'amour, ces voyages épiques dans des pays en proie à toutes les convulsions, ces trahisons, ces procès...

Histoire de vous mettre en appétit, je ne retiendrai qu'une image parmi tant d'autres : Dumas père, lors des émeutes qui devaient renverser Charles X, se lançant au combat revêtu du casque et de la cuirasse de... François Ier, qu'il avait récupérés dans un musée dévasté par les insurgés.

La réalité plus forte que la fiction ? Tous les romanciers le pressentent. Dans les pages que vous allez à présent découvrir, ce pressentiment tourne à la démonstration.

Didier Decoin
de l'Académie Goncourt

AVANT-PROPOS

Alexandre Dumas ! Ses innombrables romans et ses personnages inoubliables nous ont souvent permis de découvrir l'Histoire de France. Quelle flamme dans les récits, quelle dextérité dans l'intrigue ! C'est bien simple, ses effets sont magiques et le lecteur de Dumas est, pour toujours, ensorcelé. Ce qui amène la question : d'où lui viennent ces dons flamboyants ?

Rimbaud avait un grand-père révolutionnaire, Hugo un aïeul fossoyeur hollandais et Flaubert un ancêtre américain. Et Dumas ? Quarteron de naissance, sang mêlé comme Pouchkine, il descend de nobles normands installés à Saint-Domingue au XVIIIe siècle, d'une esclave noire et d'un mulâtre devenu général de la République : aïeux disparates pour un écrivain foisonnant.

Leur écrin est ce trésor découvert par Christophe Colomb et qui se nomme : Monte-Cristo ! Les aventures vécues là-bas déterminent le destin du général Dumas, des écrivains Dumas père et Dumas fils, ainsi que la création d'un des plus grands romans populaires, *Le Comte de Monte-Cristo*. Elles constituent la saga des Dumas, dont elles révèlent le secret.

PREMIÈRE PARTIE

LES NÉGRIERS DE MONTE-CRISTO

Le 4 décembre 1775, la vigie du Havre-de-Grâce signale l'arrivée du seneau *Le Trésorier*, venant du Port-au-Prince, en l'île de Saint-Domingue.

Comme d'habitude, un pilote côtier part aussitôt du port, rase la petite rade et va aborder le navire entre les Hauts de la rade et le grand Placard. Bientôt, les deux unités accostent.

Le capitaine et le pilote, tous deux d'Honfleur, procèdent aux manœuvres et suivent du regard leur unique passager, un certain Antoine Delisle, monté à bord « par permission de M. le commandant en chef par intérim » et qui descend rapidement à quai.

L'homme pénètre dans la ville, loue une chambre, demande à l'hôtelier de lui fournir un repas, puis de quoi écrire. Ayant rapidement mangé, l'homme – la soixantaine alerte et semblant connaître la région – rédige plusieurs lettres qu'il remet au commis pour les faire porter à leurs destinataires, puis monte se coucher.

Deux jours plus tard, l'abbé Bourgeois, curé de la paroisse de Bielleville-en-Caux, décachette son pli, le lit, le relit, écarquille les yeux et reste coi : un certain Antoine Delisle, présentement au Havre, lui fixe un rendez-vous deux jours plus tard pour une communication de la plus haute importance. L'extraordinaire destin des Dumas est scellé...

1 – DU PAYS DE CAUX A L'ELDORADO AMÉRICAIN.

Début XVIIIe : l'écuyer Alexandre Davy, chevalier-seigneur de la Pailleterie, occupe le manoir seigneurial de Bielleville ; ses deux frères se partagent les seigneuries de Mara et de Réneville, sept fermes et divers biens ; leurs trois sœurs ont reçu chacune une rente à la mort du père.

La coutume du Pays de Caux a été respectée, mais a effrité le patrimoine, autant touché par les dépenses liées au partage et aux tracasseries de l'administration fiscale que par un procès depuis des années devant le Parlement de Normandie contre des voisins procéduriers.

Une sentence a jadis été rendue sur les redevances des terres tenues par les Davy ; le parlement a condamné ces derniers, qui ont contesté et refusé de payer ; un accord est enfin signé, bien qu'un acte d'où les Davy tirent leurs prérogatives et leur noblesse reste en question ; on bataille ferme : chicane toute normande.

La santé d'Alexandre s'est altérée, car les procès causent des soucis et réclament de l'argent. Seule solution : vendre des terres, ce qui n'arrange pas les rapports familiaux ; les filles n'étant pas mariées, le nom de Davy serait menacé si la femme d'Alexandre ne lui avait donné trois fils – trois aigles comme ceux de leurs armoiries, d'or sur fond d'azur.

Mais il faut établir ces trois garçons, Alexandre Antoine, né en 1714, Charles Anne Édouard, né en 1716 et Louis François, né en 1718 ; aucun ne veut entrer dans les ordres, mais l'armée les intéresse : Charles s'engage en 1732, suivi par Alexandre et Louis qui entrent dans l'artillerie. Mais Charles, voulant faire fortune, intègre un régiment en partance pour Saint-Domingue, où il débarque comme « cadet ». Pourquoi cette île ?

Les Normands sont des navigateurs : il est probable qu'ils ont découvert l'Amérique, il est certain qu'ils ont défriché la Nouvelle France. Maintenant, ils lorgnent sur Saint-Domingue.

Ils ne sont pas les seuls : Saintongeais et Tourangeaux, Bretons et Parisiens s'expatrient pour aller pratiquer leur métier – charpentier, maçon, laboureur, chirurgien, marchand... ou aventurier – et trouver la fortune qui les a fuis jusqu'alors. Ne dit-on pas que la perle des Antilles est « une oasis de prospérité, d'enrichissement rapide, de facilité pour les Blancs, attirés par le désir de l'aventure, et aussi par le souci d'une carrière sans heurts, dans une contrée édénique » ?

Officiers ou marchands cauchois partent aux îles pour devenir planteurs, suivant les traces de Belain d'Esnambuc, le découvreur de Saint-Christophe et de la Martinique.

Une fois sur place, il s'agit de concrétiser son rêve et d'engranger les bénéfices qu'apporte le négoce du sucre, du café, de l'indigo, du tabac et du coton. On veut *faire du revenu* et certains reviennent fortune faite... parfois.

Les Davy de la Pailleterie connaissent bien ces « colons » – parfois ils leur sont alliés ; tous sont habitués au vent qui plie les arbres délimitant les tenures cauchoises et connaissent les dernières nouvelles : un ancien voisin est en cette année 1732 lieutenant d'une compagnie à Saint-Domingue et un parent, enseigne pendant dix-huit ans, vient de rentrer, montrant des objets, racontant des anecdotes, suscitant peut-être le projet de Charles Davy : s'installer à Saint-Domingue. L'aventure commence.

Charles sert comme cadet pendant quatre ans avant de solliciter une promotion en mai 1736 – il va avoir vingt ans. Le gouverneur de l'île note : « Le chevalier de la Pailleterie demande une enseigne dans les troupes en considération de ses services et ceux de sa famille. » Comme on a « de bons témoignages de sa conduite », on l'inscrit pour la prochaine expectative.

Charles est nommé enseigne en pied l'année suivante et refuse un rôle subalterne bien que ses possibilités financières ne lui permettent pas de grands projets ; chaque jour il enrage de voir les colons négocier avec la métropole des envois de sucre générateurs de profits. Seul un mariage avec une créole lui permettrait quelque ambition.

Charles fréquente depuis son arrivée la société du Cap Français, agréablement fournie en jeunes femmes « propriétaires » et remarque Marie Anne Tuffé, orpheline de père qui possède des biens appréciables et vit chez sa mère, en la paroisse Saint-Jean-Baptiste du Trou, située au sud de Fort Dauphin.

Charles mène sa cour tambour battant et demande bientôt une main que l'on accorde volontiers : le 17 février 1738, Marie – à peine quinze ans – et Charles – vingt-deux ans – signent leur contrat de mariage chez un notaire de Fort Dauphin. Charles est officier d'une compagnie détachée de la marine et Marie possède une « habitation », comportant une sucrerie complète, avec ustensiles, nègres et meubles. Le contrat suit la coutume de Paris et Charles garantit un douaire de 60 000 livres.

Les jeunes mariés s'installent sur « l'habitation Tuffé » et Charles, déjà moins soldat que propriétaire, veut se consacrer entièrement au négoce ; sa vocation militaire s'émousse, il est décidé à quitter l'armée à la première occasion.

Un événement survient avec l'arrivée surprise d'Alexandre Antoine Davy, le frère aîné, qui débarque et s'installe auprès du jeune couple en 1738. Ses raisons ? Officier d'artillerie à Besançon, il a appris l'année précédente que son père, tracassé par le fisc, a vendu quelques biens, continuant d'éroder le patrimoine. En tant qu'aîné, Alexandre a « clamé », procédure normande permettant à un seigneur de se réapproprier un bien vendu à condition de rembourser et dédommager l'acquéreur.

Alexandre a négocié avec le procureur fiscal, adversaire acharné des Davy, subissant une entrevue pitoyable avec le vieux père « paralysé, mais sain d'esprit, d'entendement et de jugement, avec la liberté de parole ». Ayant montré qu'il entend préserver le domaine et apprenant le mariage de son cadet aux Antilles, Alexandre Antoine a décidé d'y aller, lui aussi, chercher la fortune.

Il débarque à Port-au-Prince, voulant s'installer chez son frère puis se mettre à son compte, mais après les retrouvailles, Charles propose à Alexandre de l'aider : désormais, les deux jeunes Normands – vingt-deux et vingt-quatre ans – vivent aux Isles en propriétaires.

En 1739, Charles agrandit sa propriété en achetant un terrain puis emprunte auprès de la Compagnie des Indes, qui veut tirer de l'étranger, par privilège exclusif sur l'île, pendant quinze ans, trente mille nègres pour les vendre à Saint-Domingue. Après de nouveaux emprunts et des chicanes avec des propriétaires qui entraînent des procès, Charles – huit ans de service – quitte l'armée en octobre 1740 ; un heureux événement marque ce changement, son épouse donnant naissance à une petite Marie-Anne Charlotte.

Dorénavant pleinement propriétaire, Charles prend un net ascendant sur son aîné. Peu à peu, Alexandre tombe dans l'oisiveté, laissant son cadet s'occuper des affaires et devenir le chevalier de la Pailleterie, un homme d'affaires.

Charles emprunte à la Compagnie des Indes, d'abord pour secourir le père qui, en Normandie, est toujours en butte à l'administration et pour aider des habitants de l'île qui apprécient ses démarches ; ainsi, sa belle-mère et des parents lui cèdent-ils leurs droits sur « l'habitation Letellier », transaction nécessitant un nouvel emprunt, dont Charles distraie 800 piastres pour soulager ses vieux parents.

Ces derniers déclarent devant notaire que Charles « reprendra cet argent par préférence et avant tout partage, après le décès du dernier mourant ». Cela vexe l'ombrageux Alexandre : un antagonisme naît entre les deux frères, qui va aller croissant.

Alexandre vit de plus en plus à la mode créole, tandis que Charles travaille pour « faire du revenu » : il approfondit des contacts avec la métropole, cherchant une occasion pour retourner en France ; un parent devant se rendre à Bordeaux pour éclaircir une succession embrouillée, confie la mission à Charles qui quitte Saint-Domingue après un séjour de douze ans.

2 – DEUX EXPLICATIONS ORAGEUSES.

En juin 1744, Charles retrouve le château familial avec joie, malgré les problèmes d'argent. Les vieux parents, toujours tracassés par le fisc, parviennent à lui prêter 1500 livres, pour remplir la « mission Normanville » à Bordeaux.

Chez son ami le comte d'Ossemont, le chevalier de la Pailleterie, écuyer, ancien lieutenant des troupes entretenues à Saint-Domingue, rencontre un négociant, dépositaire des documents successoraux. Entrevue cordiale : Charles reçoit – pour revenir aux Normanville – la somme de 8 000 livres. La mission est terminée, plus rapidement qu'il ne s'y attendait.

En compagnie d'Ossemont, Charles admire sur le port les voilures et les mâts en grand nombre : la puissance économique de Saint-Domingue lui apparaît, avec l'accumulation des marchandises. Soudain, il s'anime ; avec son esprit d'entreprise, pourquoi attendrait-il ? Il signe aussitôt avec son ami un contrat d'association pour l'achat d'un navire d'occasion, *Le Vainqueur*, intéressant bien que d'un prix élevé : 50 000 livres. Qu'à cela ne tienne, il suffit d'emprunter !

Huit mois plus tard – en mai 1745 – les deux hommes prennent possession du navire après un paiement comptant, une lettre de change de 12 000 livres... et une montagne de dettes. Mais les tonnes de sucre et d'indigo faciliteront les remboursements. Il n'y a plus qu'à rejoindre la Perle des Antilles.

Charles Davy de la Pailleterie retrouve le sol dominicain en 1746, fêté par ses amis, puis reprend ses affaires en main, à Fort Dauphin et au Trou, après avoir rendu compte de sa mission aux Normanville, qui « oublient » qu'une partie des crédits a servi pour acheter un navire ; mais le remboursement – c'est promis ! – se fera rapidement.

Charles, intéressé, visite « l'habitation Normanville » : une grande case avec une aile sur le côté, en bois rouge, couverte de paille, comportant deux chambres et deux cabinets ; une case à moulin ronde, un moulin à bœufs ou à chevaux, une sucrerie à trois chaudières, une purgerie, deux cases à bagasse, huit mauvaises cases à nègres, plus trente-deux carrés de cannes, cinq de patates et de petit mil, cinq en savane.

Sans être en excellent état, l'habitation jouxte les biens de Charles, qui voit l'occasion d'arrondir sa propriété ; mais au moment où il va faire son offre, on apprend qu'une des lettres de change signées à Bordeaux n'est pas honorée et que la cour de Guyenne a lancé une contrainte par corps contre les acheteurs du navire ! Les Normanville rompent brutalement, plus question d'acheter.

Fin 1747, les nouvelles de Normandie attristent Charles : sa tante, veuve, craint d'être évincée de la succession et ses rapports avec Alexandre père s'enveniment ; ce dernier – soixante-treize ans – exige un inventaire interminable, émaillé d'incidents. La veuve affirme : « Meubles et effets m'appartiennent. » Alexandre père rétorque : « Il ne suffit pas de se dire légataire universel, il faut en justifier. »

La chicane se développe devant le notaire : « Ayant regardé dans une paillasse quelque chose de résistant, j'ai trouvé une petite caisse fermée d'un cadenas qui contenait, en écus, la somme de 594 livres ; lui demandant si elle avait gardé des espèces, elle a répondu non, mais s'est mise à terre en criant et on a été obligé de lutter ; la dame frappait, mordant un témoin ; le petit sac cousu sur tous ses bords contenait des louis et des pièces pour un total de 4 680 livres. »

Dans la galerie, les scellés d'un coffre en chêne sont brisés : la dame de Normanville prétend qu'ils l'ont été par sa servante, avec son balai. Quant à l'administration, elle note qu'Alexandre Davy, seigneur de Bielleville, connaît des ennuis de santé, que sa femme est pratiquement aveugle, que leurs trois enfants sont au service du roi et que son seul bien, la Pailleterie, lui rapporte environ 2 500 livres ; il ruine quasiment sa belle-sœur très âgée, très infirme, sans autre bien que 18 sols de douaire et mise en pension chez le curé d'Équimbosc. Conclusion : « tout bien pesé, ils ne passent pas pour être aisés. »

A Saint-Domingue aussi, la tension monte et un drame se noue. Depuis dix ans, Charles entretient son aîné ; il en a assez, d'autant qu'Alexandre, futur marquis, se laisse gagner par la langueur créole, affichant une conception très libre des rapports avec les Noirs de l'habitation, à la limite du supportable. Et l'on murmure qu'il a une dette de 7 000 livres auprès d'un négociant de Léogane.

Les querelles se font de plus en plus fréquentes pour éclater un jour de 1748. Lors d'une grave altercation, Charles est sur le point d'infliger un tel « traitement » à Alexandre Antoine que ce dernier s'enfuit, mais dans quelles conditions !

Alexandre enlève de force une négresse nommée Catin et deux nègres cabroutiers, Rodrigue et Cupidon ; les trois esclaves, à la fois otages et gardes du corps, se déplacent facilement dans la nature luxuriante de l'île. Tout de même, un noble blanc, frère d'un important propriétaire du nord de Saint-Domingue, s'enfuir comme « marron », quel scandale !

Charles, furieux, pense à la réprobation publique. Pour la disparition proprement dite, cela l'arrangerait plutôt, mais l'honneur est en jeu. Sans perdre de temps, Charles lance des hommes à la poursuite des fuyards ; la trace est fraîche, sans doute facile à suivre. Erreur ! Rodrigue, Cupidon et Catin connaissent la région et se sont volatilisés.

Il informe les autorités qui ouvrent une enquête, sans résultat. Charles est inquiet pour la succession : le père est âgé et, lorsqu'il mourra, Alexandre deviendra le successeur des biens... et du titre, mais le processus sera suspendu si la disparition dure. Les recherches sont menées jusque dans les îles avoisinantes. Les fugitifs sont introuvables.

3 – CHARLES DAVY, PLANTEUR... ET NÉGRIER.

Le scandale s'apaise et Charles retourne à ses affaires. Reverra-t-il jamais son frère ? Qu'importe, il faut travailler.

A la fin de 1749, il acquiert pour 110 000 livres la Mare à l'Oye, située à Jaquezy, composée de 297 carreaux lui donnant une propriété comparable aux grandes habitations, Cottineau au Terrier Rouge et Foache, à Jean-Rabel. Faisons le tour du propriétaire :

La sucrerie est en maçonnerie, avec deux ailes de purgerie, une étuve, deux moulins montés en fer, trois cases à bagasse, vingt et une cases à nègres, une cuisine, un clapier, une réserve, une case pour le charron et une pour le forgeron, ainsi que l'habituelle cloche de fonte qui sert à régler les divers temps. Parmi les bâtiments annexes, un hôpital, un parc à bœufs, un puits installé près de la Grande Case : bâtie sur feuillage palissadé en travers, couverte de paille, distribuée en trois pièces avec battants et fenêtres à serrures et crochets, il faut y ajouter la traditionnelle galerie à colonnes courant le long de la façade.

Un inventaire dénombre 114 nègres, dont le commandeur Baptiste, qui a sous ses ordres Sans Soucy, Brisefer et La Tulipe ; 59 négresses parmi lesquelles Fanchon la Rouge et Jeanneton ; 18 négrillons et négrittes, dont Jean-Baptiste et Marie-Anne et Marie-Catherine à Olive.

L'homme de loi ne fait pas de différence avec les animaux, dont les noms ressemblent à ceux des hommes : Champignon, Frangipane, La Paix, Muscadin parmi les 78 mulets ; Javotte ou Mademoiselle parmi les 16 cavales ; Létourdy ou Fanfaron parmi les 30 chevaux et les 20 bourriquets ; Commandeur et Dos Cassé, parmi les 77 bœufs et 27 vaches.

Charles possède désormais 191 esclaves et 248 animaux ; une force économique qu'il utilise selon des préceptes sains : « Pour réduire l'argent de ce pays en argent de France, il faut prendre le tiers de la somme et faire la soustraction : 36 000 livres de Saint-Domingue valent 24 000 livres de France... L'arpent de Paris vaut deux carreaux de l'île... La règle la plus sûre pour les assurances est d'agir promptement en hiver et de hasarder quelquefois dans les belles saisons, la traversée du Cap aux côtes de France devant être calculée sur cinquante-cinq jours. »

Autre règle pour la canne à sucre : « Lorsqu'on commence à couper des cannes, on ne peut assurer le moment où on complétera cette étuvée. Mais chaque région de Saint-Domingue possède sa façon de “ rouler ”. On fixe ordinairement au Trou l'âge de la roulaison des grandes cannes à dix-huit mois et celui des rejetons à quatorze. »

Ensuite, vient la fabrication : « Quand on est prêt à écraser les cannes coupées en morceaux, on les transporte au moulin à l'aide de cabrouets. Les cannes, placées par des esclaves entre deux ou trois cylindres tournant en sens inverse, sont ainsi broyées et vidées de leur suc ; une rigole en bois conduit ce suc – le vesou – à la purgerie où il s'épure en passant successivement dans les cinq chaudières que des esclaves écument sans cesse et qu'ils chauffent avec des cannes séchées, les bagasses. Le vesou épuré est transporté à l'étuve où il refroidit et se cristallise dans de grands récipients coniques, les " formes " (sorte de cornues en terre cuite) d'où s'écoule le sirop qui, distillé, donne le tafia. Une fois sec et pilé, le sucre brut – ou sucre brun – est prêt pour l'exportation. »

Charles prend la direction des opérations et attend le sucre à la sortie de l'étuve. Le 4 juin 1752 – première étuvée –, il décompte 1 444 formes. Un an plus tard, dix étuvées totalisent 123 838 formes vendues, Charles ayant préalablement trouvé les débouchés. Les 34 premières barriques de sucre sont réparties entre trois capitaines et rapportent 21 000 livres, le premier exercice produisant au total la somme de 200 000 livres. Charles Davy, heureux propriétaire, rembourse la Compagnie des Indes par anticipation.

Avec ce résultat, Charles ne songe plus qu'à *faire du revenu*. Mais hélas, alors que tout lui sourit, il ressent (à trente-six ans) des crises de goutte et son médecin déconseille le climat des Iles. A terme, il faudra partir... malgré la réussite.

Charles ne se décourage pas, espérant un répit de sa maladie, mais prépare son départ, recrute un gérant, forme un procureur intègre – problème de tout colon rentrant en France – et s'assure la meilleure rentabilité en France.

Les crises de goutte se multipliant, le départ est fixé à juillet 1753 ; prudent, Charles rédige son testament et nomme pour tuteur à Saint-Domingue le sénéchal de Fort Dauphin et en France, son frère Louis ; à défaut, l'ancien procureur de l'île ou son frère Louis, s'il « passe » à Saint-Domingue, auquel il lègue 50 000 livres ; puis il fait un don à son église natale de Bielleville « pour faire dire une messe tous les jours et quatre services par an », et un autre de 10 louis à une « vieille femme demeurant à Rouen, qui m'a élevé ».

Enfin, il numérote ses titres de propriété et remet 83 liasses à son notaire : en homme satisfait du travail accompli, Charles s'apprête à quitter Saint-Domingue après vingt et un ans de présence – hormis la courte absence de 1744 ; le jeune soldat ambitieux est devenu un important « propriétaire américain ». Certes, il préférerait rester, d'autant qu'une question le tarabuste : qu'est devenu Alexandre Antoine ? Est-il mort ? Personne n'en a plus entendu parler. Qu'est-il devenu ?

On le saura bien assez tôt ! Charles, sur le pont du bateau qui s'éloigne des côtes, balaie ses pensées pessimistes et imagine sa vie en France, résidant noblement sur ses terres, attendant qu'on lui envoie du sucre... et de l'argent.

A la descente du bateau, Charles se rend au manoir seigneurial toujours occupé par ses vieux parents, apprenant leurs déboires administratifs et le mariage du dernier des garçons.

Il connaît peu ce frère, ex-officier pointeur au régiment royal d'artillerie de l'armée d'Italie et désormais commissaire ordinaire à Dieppe, chevalier de l'Ordre de Saint-Louis : il a participé aux sièges de Freystatt, Prague, Fribourg, Anvers, Namur et ses blessures montrent sa bravoure.

Est-ce mimétisme ou l'influence de Charles ? L'épousée est de Saint-Domingue : Anne Françoise du Cestre, veuve sans enfants, quarante ans, est née... au Trou, où elle possède les biens de son premier mari ; le puîné est devenu « propriétaire américain » car Anne du Cestre apporte la moitié d'une habitation, en société avec un neveu établi à Fécamp, au total 800 000 livres ; le contrat de mariage stipule que la « future épouse fait aussi réserve de deux négresses créoles nommées Marguerite et Louison ». Décidément, les Davy se sont bien adaptés aux « Isles ».

Mais Charles s'ennuie dans le manoir familial où le père entend rester le maître. Certes, le temps de la succession approche, mais il vaut mieux partir. Il quitte la Pailleterie non sans avoir gravé son nom sur une pierre du grenier, le cœur lourd, car il aime ce domaine dont le nom évoque à la fois la paille de la ferme et les paillettes de l'Eldorado ; peut-être passe-t-il par la Touraine, à Semblançay, où se trouve une autre Pailleterie ? Quoi qu'il en soit, il s'installe provisoirement à Paris, en l'hôtel de Hollande, en peinant, car sa goutte le fait souffrir.

En juillet 1754, pour 36 000 livres, Charles acquiert d'un avocat au parlement le domaine du Chesnoy, à Amilly, aux portes de Montargis, un grand corps de logis entre cour et jardin flanqué de deux pavillons parallèles, avec volière, cour en demi-lune, remises, bûcher, grenier, bergerie, grange, étables à bœufs et à vaches, logement de fermier, verger, cave voûtée, cellier, viviers. En dépendent des fiefs, des fermes, des manœuvreries – dont celle de Maison Rouge –, un moulin, des prés, des bois et des vignes.

Charles – ou plutôt le chevalier seigneur de la Pailleterie – rencontre ses paroissiens à l'occasion d'un baptême dont la marraine est Anne du Cestre, venue visiter le domaine que Charles baptise... La Pailleterie.

Là, le nouveau propriétaire reçoit une lettre de son gérant de Saint-Domingue : « Votre maison est comme si vous y étiez, le nombre de formes n'est pas mauvais. » Puis le ton change : « Vous ne me donnez aucune instruction et ne dites pas un mot ; je tâche autant que je le puis, suppléer à votre silence par mes informations. » Enfin, le gérant espace ses rapports.

Le chevalier de la Pailleterie, désirant valoriser son titre puisque son frère est disparu, s'adresse au généalogiste Clairambault, qui étudie les documents de famille et les chartriers, notant : Davy vient de David, la Pailleterie se prononce « Paltrie ». Mais quelle en est l'origine ?

L'ancêtre, Isambard Davy, vivait vers 1440 ; le premier acte, en mars 1460, est passé par son fils Olivier chez un tabellion de Tancarville. Les Davy ont si longtemps vécu sur les terres de la Pailleterie qu'ils en ont pris le nom, mais ils possèdent d'autres seigneuries et plusieurs branches se constituent dans diverses régions de France : les Davy de la Pailleterie possèdent un bel arbre généalogique, avec des armoiries.

Ils revendiquent un gentilhomme de la maison de la duchesse de Longueville, ambassadeur en Suisse en 1590, un inspecteur général des galères chevalier de Malte et un chevalier de Saint-Jean de Jérusalem au siècle suivant. La religion a aussi divisé la famille entre catholiques et protestants : une branche vit en Champagne et s'allie aux du Bellay, une autre vit en Alsace, unie aux Ratzamhausen.

Les femmes sont dynamiques : Suzanne Davy de la Pailleterie, postulante à Port Royal des Champs, partage les démarches de Jacqueline Pascal, maîtresse des novices en 1661 et future religieuse professe.

Catherine, bénédictine au monastère de Poussay, est en butte à sa supérieure qui l'accuse de « recèlement de grossesse et d'infanticide » en 1677, devant les cours de Metz, Toul et Nancy, qui la laveront de tout soupçon.

Quant à Polixène, elle épouse le seigneur de la Brosse, qui la fait enfermer en 1703 au couvent de La Flèche ; devenue veuve, elle mène à Paris une existence libertine dans la chambre « d'une vieille femme de très mauvaise réputation », avant qu'une lettre de cachet ne la reconduise à La Flèche.

Marie-Louise de Ratzamhausen, épouse d'Anne Pierre, vit à Strasbourg, perd la tête et se retrouve interdite civile, léguant néanmoins ses biens à sa paroisse natale. Son mari a jadis signé une déclaration, lors de la minorité du roi, affirmant que la noblesse est capitalement intéressée dans la question qui regarde la succession à la couronne.

Et il y a Suzanne Davy, mariée en 1735 au marquis de Croixmare, érudit, ami des beaux esprits parisiens, particulièrement de Grimm et Diderot; ces derniers monteront une « blague » à son encontre qui donnera naissance à *La Religieuse*.

Clairambault, sur la foi d'un vieux parchemin, affirme : « L'affaire de M. Davy de la Pailleterie est bien en règle; c'est une noblesse bien alliée et admise dan l'Ordre de Malte auquel elle a donné des chevaliers; son origine est d'ailleurs connue par un anoblissement sous le règne de Louis XI, il y a près de trois cents ans. » En conséquence, Charles, persuadé de la disparition d'Alexandre, prend le titre de marquis de la Pailleterie, avant de faire son entrée dans le monde...

Mais rien n'est facile : à Bordeaux, on a vendu ses sucres pour annuler les créances sur *Le Vainqueur* et au Trou, on « constate une diminution des forces de l'habitation ». Il faut réagir : Charles envoie des charrons, à défaut d'investir pour remplacer le matériel.

Or Charles est pris d'une frénésie d'achat pour agrandir ses terres; en Normandie, il rachète le fief de Réneville; à Amilly, il acquiert la métairie du Chesnoy – 4 000 livres comptant et le solde « dix-huit mois après que la navigation par mer aura été rendue libre par la publication de la paix, tant avec l'Angleterre, qu'avec toute autre puissance avec laquelle on serait ou on pourrait être en guerre ». Clause astucieuse.

En juillet 1757, Mme de la Pailleterie mère meurt à Fécamp; Alexandre père donne procuration à ses deux fils vivants, mais le notaire s'interroge : « Qu'est devenu Alexandre Antoine? Est-il réellement disparu? »

Il n'est pas le seul, l'administration est toujours aux aguets : « M. Davy de la Pailleterie est veuf; fort âgé, il peut avoir quatre-vingt-quatre ans; il a trois enfants qui ne sont point à sa charge puisque les deux cadets sont mariés richement, l'un à Fécamp, l'autre à la Martinique; leur aîné était au service et on le croit mort parce que depuis quatorze à quinze ans, il n'a point paru au pays. »

Noël 1758 : le patriarche Alexandre a été inhumé dans le chœur de l'église. Le cadet se charge des démarches jusqu'à l'arrivée de Charles, qui prend la situation en main et s'impose à Louis, comme il s'est imposé à Alexandre : pour lui, l'aîné des fils vivants remplace le chef de famille ; Alexandre Antoine est réputé mort, Charles devient le chef des Davy de la Pailleterie ; en conséquence, il distribue les biens : « Les deux tiers me reviennent ; je me charge de tout. »

Louis s'occupera des baux et des fermes, engageant aussitôt des discussions avec les treize cultivateurs dépendant de la Pailleterie et imposant de nouveaux tarifs.

Quant à Charles, il achète un troisième bien au Chesnoy – grange, étables, bergeries – reconstituant le domaine initial dans lequel il joue au seigneur ; les habitants ne parlent plus que du domaine de la Pailleterie (aujourd'hui, bien communal abritant l'école de musique) ; qu'il se trouve en Normandie ou en Gâtinais, le marquis est toujours « à la Pailleterie » ou en son hôtel particulier, rue des Vieilles-Tuileries à Paris, ne manquant jamais de se mettre en avant. Son neveu par alliance lui en donne l'occasion.

Julien Guitton, né au Trou, marié à la fille d'un président du dépôt à sel, est mis à la taille, comme un vil artisan. Connaissant l'esprit vif et pénétrant de Charles, il sollicite une recommandation pour le procès intenté contre l'imposition. Charles intervient... et Guitton l'emporte. Le geste aura sa conséquence.

Charles est aussi intervenu auprès du secrétaire du ministre de la Marine, début 1760, pour une importante affaire ayant quatre commanditaires : Charles Davy, Jacques de Peyster à New York, son frère Frédérick et les frères Bulande, à Rouen. Il s'agit d'expédier des marchandises de New York à Saint-Domingue, de vendre les denrées et d'acheter des sucres que l'on chargera à l'embarcadère de Charles – cinquante barriques lui étant réservées ; le navire repartira sur la Nouvelle York puis remettra le cap sur Amsterdam et l'Europe.

On choisit le port du Cap Français en raison de sa proximité avec les habitations et le débarcadère de Charles. Les fonds sont avancés par de Peyster, « qui sera remboursé sur le produit des retours en Europe », de préférence effectués par Londres ; on louera des navires anglais d'au moins cent cinquante tonneaux, qui arboreront leur pavillon national en allant en Europe.

Avec des risques réduits, Charles est dans une position enviable, obtenant des passeports auprès du « premier commis » du ministre de la Marine – un ami. Fin février 1760, deux passeports signés en blanc sont remis à Charles, valables dix mois, uniquement à destination d'une île des Amériques.

On s'en remet au destin, car « il y a grande apparence que les vaisseaux en partance de Bordeaux seront pris ». Mais Charles annonce : « Sous trois ou quatre mois, il arrivera un bâtiment... dans lequel j'ai frété cinquante barriques de sucre blanc de première qualité ; tenez-les prêtes car le navire ne restera pas longtemps en rade. »

Les frères Bulande sont inquiets : « Nous pensons que les sucres ne rempliront pas le montant de la vente et estimons qu'il convient de charger le surplus en indigo. Mais les corsaires anglais qui croisent aux environs du Cap peuvent empêcher l'entrée des navires... ou les obliger à entrer dans Monte-Cristo ; en vertu du passeport, il faudra alors faire partir le navire vers l'Europe et non vers la Nouvelle York... il faut des sucres blancs de première qualité. Dès le second voyage, vous pourrez charger du coton ou de l'indigo, ce que préférerait M. de la Pailleterie. »

Précision de Peyster : « Nous avons la parole du ministre pour quatre passeports sous huit jours, puis quatre tous les deux mois. Ils ne peuvent servir qu'une fois... Si l'on est pris, il faut dire que l'on va à Monte-Cristo, port neutre espagnol... ils pourront de nuit envoyer des chaloupes porter les marchandises et rapporter des sucres... Comme les nègres sont rares et leur prix excessif, nous pensons qu'il serait aisé d'en faire passer un petit nombre sur chaque bateau, quitte à les habiller en matelots, pour éviter les plaintes. »

C'est clair : la société « fraude » grâce aux passeports obtenus par Charles. Et quel est son commerce ? Celui des nègres ! Charles devient négrier !

Le sucre ayant un cours moins élevé en Hollande qu'en France, Charles demande « de bien l'estamper au feu », afin d'en retirer le meilleur bénéfice ; mais le gérant l'avise que ses sucres ont été vendus à 30 livres, ce qui exaspère Charles : « Il faut qu'il y ait là-dedans quelque chose que je ne comprends point ; mes sucres sont vendus à vil prix... J'aime bien que quand je donne un ordre, il soit exécuté. »

D'autant qu'il avoue que ses dettes de France sont immenses. Aussi relance-t-il son pourvoyeur de passeports qui déclare : « Je vous en enverrai deux ce soir pour les navires négriers. » Charles a vraiment fait son choix...

En mai, Charles cède la moitié de ses parts et se rend en Angleterre pour rencontrer des banquiers : satisfait du contact établi par temps de guerre, il recommande à son gérant de traiter avec les correspondants anglais installés dans l'île de Saint-Christophe, voisine de Saint-Domingue, ajoutant : « Je vous prie de m'instruire du prix qu'on pourra vendre, au Cap et dans les ports de la Colonie, les nègres pièces d'Inde, les femelles et les enfants de la côte d'Or ou d'Angola. »

Charles revient en France par Amsterdam et s'adresse au correspondant de Saint-Christophe : « Je me flatte que vous donnerez ordre à vos subrécargues qui vont à Monte-Cristo, de traiter avec mes procureurs. Mon habitation est située entre le Cap Français et le Fort Dauphin, dans un quartier que l'on nomme le Trou de Jaquezy; mon embarcadère, où l'on porte mes sucres, est celui de Jaquezy, distant du Cap de cinq lieues et de six de Monte-Cristo. Je pense qu'en venant chercher les sucres directement en chaloupe ou en barque, on pourrait éviter le paiement des droits. » Aucune équivoque : Charles Davy est négrier.

A Saint-Domingue, le procureur est dubitatif : « Il est faux de penser qu'une cargaison de 30 000 livres à New York produira 100 000 livres ici. Vous n'ignorez pas que tout navire, battant pavillon anglais, pris par les corsaires surtout venant d'un port français, est jugé de bonne prise. Et les difficultés pour passer à Monte-Cristo ! »

Charles réfute ce raisonnement et remet une supplique collective au ministre de la Marine : « Le Marquis de la Pailleterie est le seul qui connaisse les négociants anglais en état de tenter cette voye et de la conduire à bien. » Les solliciteurs précisent que « les passeports précédents ont été inutiles attendu que dans les mains des Hollandais ils les exposent à la confiscation comme vaisseaux adoptés français, et dans celles des Anglais à la conviction de ce qui est appelé parmi eux crime de haute trahison ».

Charles demande de nombreux passeports en marchandises et en négriers, non pour son usage mais pour celui de la colonie et maintient la pression sur son procureur : « Mes sucres ne doivent sortir des magasins que pour être chargés sur les vaisseaux de M. de Peyster. Je dois immensément en France et il faut respecter l'acte de société. »

Mais cette dernière est condamnée car de Peyster, tirant prétexte du blocus anglais, « prend son bénéfice » : les Anglais, massés à Monte-Cristo, contrôlent l'entrée de la rade.

Le temps presse; Charles, marquis, a trop acheté et s'est lourdement endetté sans modifier son train de vie : il demande une révision de son imposition; l'administration constate : « Le sieur de la Pailleterie, décédé en 1758, avait environ 4 000 livres de rente en Caux et a laissé trois enfants; l'aîné est absent de ce pays depuis dix-huit à vingt ans sans savoir celui qu'il habite et s'il est marié ou non; le bruit court qu'il est chez l'étranger, mais c'est un mystère; comme aîné, il lui revient les deux tiers de la succession, plus le préciput, soit les trois quarts; le dernier quart se partageant entre les puînés. »

Au printemps 1761, Charles – perclus de goutte – apprend une nouvelle accablante : les banquiers anglais ont fait faillite! Aussitôt, il fait suspendre la livraison de ses sucres. Comble de malchance, le complaisant ministre de la Marine meurt : devant sa montagne de dettes, Charles constate que Monte-Cristo ne l'a pas sauvé.

4 – UN GRAND SEIGNEUR : LE MARQUIS DE MONTE-CRISTO.

Ce nom mystérieux a une histoire : le 6 décembre 1492, Christophe Colomb découvre une île qu'il baptise Hispaniola, pour honorer l'Espagne puis appelle Môle Saint-Nicolas, le lieu du débarquement. Le 24 décembre le lieu du naufrage de la *Santa Maria* est dénommé La Nativité. Sur le plan des terres découvertes, figurent trois noms : môle Saint-Nicolas, la Nativité et Monte-Cristo, nom du promontoire que vit Colomb – évoquant pour lui le Mont du Christ à Jérusalem.

En 1700, le père Labat voit en effet une grosse montagne qui, du bateau, « est une marque assurée pour trouver le Cap ». Moreau de Saint-Méry ajoute que la partie nord de l'île est « divisée en deux, au moyen d'une chaîne de montagnes appelée Monte-Christ et que le cap Monte-Christ est l'extrémité de cette partie de côte ». En fait, « le Monte-Christ est un mont fort haut, de la forme d'une tente de campagne... promontoire qui semble détaché de l'île et se distingue à une grande distance ».

« En doublant le cap... on trouve la baie de Monte-Christ et aussi l'îlet de Monte-Christ à 350 toises de la côte. Quant à la ville, elle est construite à 800 toises de la mer et se présente en amphithéâtre, divisé en neuf parties, coupées par quatre rues perpendiculaires. Monte-Christ fait remonter sa fondation d'abord à l'an 1506... puis à 1553 par un groupe de soixante laboureurs venant des îles Canaries, en Espagne. Elle fut détruite en 1606 sur ordre de la couronne d'Espagne ; la partie occidentale de l'île d'Hispaniola fut cédée à la France en 1697 lors du Traité de Ryswick et Monte-Cristo devint alors, pendant la guerre de 1756 entre la France et l'Espagne, un établissement qui se transforme en port neutre pour le commerce étranger, cause d'un commerce interlope générateur. Monte-Christ devint un canal d'abondance pour les lieux espagnols qui l'avoisinaient. Mais ces heureux effets ont disparu avec leur cause et Monte-Christ est redevenu un lieu pauvre. »

« La population de Monte-Christ peut être estimée à trois mille individus. La ville est dominée par une maison nommée le Gouvernement parce que le commandant de la place y habite. A environ 1 800 toises est la rivière de Monte-Christ, dite Yaqui ; les environs sont sablonneux et fort stériles, infestés de caïmans. »

Les cartes géographiques ne mentionnent ce port franc que sous le nom de Monte-Cristo, appliqué tout à la fois aux « rocs », aux « monts », à la « rivière » et à l'île de Monte-Cristo, lieu attirant les aventuriers, puisqu'en 1950 y vit le terroriste Carlos...

Aujourd'hui, le paysage est désertique et les cactus ont remplacé les plantes tropicales ; « une indicible atmosphère de désuétude et de nostalgie plane sur cette bourgade où la vie semble se dérouler au ralenti sous un soleil écrasant » ; Monte

Cristi – orthographe actuelle – s'anime seulement pour le carnaval. Pour le reste, on y trouve des maisons de style victorien, celle d'un héros de l'indépendance cubaine, une horloge achetée à la France en 1895 ; autour, un parc national, les marais salants, les longues plages sauvages et les sept îlots parfois visités par les tortues de mer.

Charles Davy de la Pailleterie est réellement le marquis de Monte-Cristo, avec son débarcadère situé à Jaquezy, un endroit très fertile avec « deux petites réunions d'eau appelées la Grande Mare et la Mare à l'Oye. En contournant la côte depuis la pointe de Jaquezy jusqu'à l'embouchure de la rivière du Terroir Rouge, on peut remonter et arriver à l'embarcadère de Jaquezy qui existait avant 1716 ». On se trouve chez le marquis, dont l'emplacement est judicieux : « Les Anglais, après avoir arrêté et pris les navires neutres qui venaient dans les ports, se sont mis dans l'idée de faire le commerce de Monte-Christ. Ce trafic est si considérable qu'on a trouvé à la fois plus de cent trente bâtiments venant de la Nouvelle Angleterre, qui répètent le voyage deux ou trois fois par an. »

Un négociant havrais, cousin de Charles, indique pour sa part : « Les Anglais nous resserrent de partout. Le commerce est parvenu à se faire haïr des habitants au point que quelqu'un qui ne connaîtrait pas le pays, le jurerait anglais par l'animosité qu'on y a contre le négociant français. On voudrait être de la nation où le sucre se vend le plus cher et qui a le moins à craindre en temps de guerre. » N'est-ce pas le problème de Charles ?

Charles, marquis de la Pailleterie et de Monte-Cristo, n'en est pas moins en butte à de graves difficultés financières ; mais un grand seigneur ne compte pas : il achète quelques arpents à Amilly et prête dix louis d'or à la marquise de Mirabeau.

Le mois suivant, hélas, il faut emprunter 24 000 livres contre une rente annuelle et perpétuelle plus une hypothèque sur deux domaines. Les ancêtres doivent se retourner dans leur tombe ! Mais le service rendu à Mme de Mirabeau est rentable, puisque la garantie de Charles sera « très puissant seigneur Victor de Riqueti, marquis de Mirabeau, de Sauvebœuf et de Bignon ».

Né en 1715, il a épousé sa cadette de dix ans – avec la première baronnie du Limousin – et lui a donné onze enfants, dont Honoré Gabriel, qui entrera avec fracas dans l'Histoire. Le marquis de Mirabeau, penseur et écrivain éclairé mais véritable tyran domestique, est néanmoins appelé *L'Ami des hommes*, du titre d'un de ses essais.

C'est l'un des plus célèbres personnages en Europe, chéri des économistes qui se porte garant de Charles Davy, sauvé pour un temps mais condamné à « faire du revenu » à Saint-Domingue. Pour cela, il faudrait remplacer le gérant qui, semble-t-il, truque les comptes.

Charles convainc un homme de loi – Pierre Maunoury de Prémesnil – d'aller à Saint-Domingue en passant par Curaçao, pour créer la surprise. L'intéressé part d'Amsterdam, embarque à Bordeaux en février 1762 et parvenu sur place, reste coi : « Quelle ne fut pas ma surprise quand j'appris que mon secret était celui de la comédie ; un capitaine avait annoncé mon arrivée ici depuis plus de deux mois. »

Prémesnil note que « la place fait pitié » et entraîne une accumulation de pertes ainsi qu'une augmentation des impôts ; un navire chargé de sucres a même disparu, probablement capturé par les Anglais, ce qui amène Charles à passer un contrat de vente de sucre fictif pour 90 000 livres. Infernal engrenage !

Les Anglais rendent la Guadeloupe et la Martinique à la France en 1763, mais réduisent en Afrique leurs comptoirs de Gorée et de Juda : la situation entraîne un surcroît de trafic de Noirs et l'on reconstitue la traite française : les esclaves achetés en Afrique sont revendus à Saint-Domingue avec profit, une « pièce d'Inde » valant 1 400 livres.

Charles, qui accumule les revers financiers, doit aviser. Une activité est seule susceptible de le renflouer : le « bois d'ébène » ; alors, il développe son activité négrière en mai 1763. En deux temps.

Première opération : achat à Nantes, avec deux partenaires, d'un navire d'occasion, rebaptisé *Saint-Charles Boromé* ; il « ira traiter à la côte de Banain, Vieux et Nouveau Galbe ou Gabon, trois ou quatre cents Noirs ». L'armement s'effectue au Havre : 140 000 livres, dont 50 000 pour Charles qui se réserve la possibilité « de vendre à part dix ou vingt nègres, mâles, femelles ou négrittes ». Le lancement est sans problème.

La seconde opération est plus complexe, montée avec des banquiers londoniens. Un navire doit se rendre à Sierra Leone en Afrique, chercher trois cents nègres et aller les vendre à Saint-Domingue. L'accord est signé avec un Suisse – vague relation de J.-J. Rousseau et aventurier sans scrupules – qui possède un navire de 200 tonneaux, *La Véronique*, amarré dans la Tamise.

Un shipshandler transforme le navire, rebaptisé *La Douce Marianne* (en hommage à la fille de Charles) dans le port de Dunkerque ; mais cela coûte cher ! Charles, dont l'entreprise « à la Côte d'Or fait sortir de sa caisse 45 000 livres de plus que prévu, demande une avance, car il est « tout à fait à court ». S'il savait que le Suisse a obtenu une hypothèque sur la police d'assurance du bateau, des commissions sur les ventes et même « un négrillon de quatre pieds de hauteur qu'il marquera à son estampe » !

On recrute un capitaine expérimenté pour aller en Sierra Leone ou à l'île de Perques chercher trois cents nègres avec des ordres précis : « Il faudra les prendre ni estropiés ni surâgés, entre dix-huit et vingt-cinq ans, les faire monter à bord en prévenant les révoltes, les faire marquer avec l'estampe d'argent aux lettres L.P. ; en cas de révolte à bord, il faudra dresser procès-verbal de ceux qui auront péri ou auront été blessés ; il ne faudra relâcher en aucun endroit, sauf en cas de force majeure ; Frédérick Roguin est chargé de la vente des Noirs estimés à 230 000 livres ; les connaissements seront établis à l'ordre de M. le marquis de la Pailleterie. »

L'équipage est payé un trimestre d'avance et l'on embarque trois cents bouteilles de cidre, cent de liqueurs et deux cent vingt-cinq de champagne. Est-ce de la « pacotille » ? On a aussi rangé des fèves, du riz, du vinaigre, des graines de genièvre, du tabac et soixante douzaines de pipes.

Le 13 septembre 1763, *La Douce Marianne* quitte le port de Dunkerque, portant les ultimes espoirs de Charles, qui prépare un grand événement : le mariage de sa fille.

Marie-Anne Charlotte, née au Trou, est âgée de vingt-quatre ans. Courtisée, elle a choisi Léon Louis Eugène, comte de Maulde, descendant d'une famille du Hainaut qui possède la terre de La Buissière, près de Béthune, érigée en marquisat. Son ancêtre à la dix-septième génération portait « d'or, à la bande de sable, chargée de trois sautoirs d'argent ».

Né en 1739, Léon, capitaine au régiment d'Antichamp, est colonel aux grenadiers de France. Un parti avantageux ? Son père a connu de nombreux démêlés financiers et lui-même a emprunté 10 000 livres au comte de Lolly-Tollendal pour faire son service militaire.

Les préparatifs vont bon train et les invitations sont fièrement rédigées : « Monsieur le marquis et madame la marquise de la Pailleterie ont l'honneur de vous faire part du mariage de Mademoiselle de la Pailleterie, leur fille, avec Monsieur le Comte de Maulde. »

Pour Charles, le contrat de mariage est une apothéose : « passé le 16 avril, au château de Versailles, à l'égard de Leurs Majestés », le parchemin reçoit les paraphes royaux et ceux des témoins : La Rochefoucauld, de Croy, de Conflans, d'Estaing, de Saluces, de Croixmare, de Mirabeau, d'autres encore.

Les mariés suivent la coutume de Paris, la demoiselle recevant en dot 240 000 livres, plus des diamants, des meubles, des habits, le marié apportant le marquisat de La Buissière, la vicomté d'Averon, la seigneurie d'Hosdan, 5 000 livres de douaire, une bibliothèque, des pierreries, un attelage de six chevaux.

Dans ce faste, Charles songe au chemin parcouru depuis trente ans. Durant la journée, il a parlé de Saint-Domingue avec ses invités, les présidents de la Chambre de Commerce du Cap, du Parlement de Metz, le gouverneur général de Saint-Domingue, le gouverneur de l'île ou le lieutenant de Port-au-Prince. La fête passée, il attend avec impatience des nouvelles de ses bateaux...

5 – LA MUTINERIE : CHARLES RETOURNE A SAINT-DOMINGUE.

Elles arrivent dans une épaisse liasse, dont les feuillets inquiètent Charles aussitôt : « La navigation était des plus heureuses; mais tous les jours, ces jeunes gens avaient des conversations secrètes et se faisaient faire par le cuisinier des soupes de thé et autres hors-d'œuvre.

« A l'approche des chaleurs, je demandai au second de me faire visiter les vivres comestibles pour les saumonner ; il cria : " Y a-t-il quelqu'un qui se plaigne de moi ? " Tous répondirent non. Je lui ordonnai les arrêts.

« Le lendemain, 4 novembre, à deux heures de l'après-midi, j'étais dans ma chambre. Le second rompit ses arrêts, se rendit chez moi, m'annonçant que les officiers et l'équipage voulaient me parler. Je répondis que je n'avais rien à déclarer. Roguin annonça alors : " Monsieur Sauvage dit que l'on peut entrer. " Aussitôt le second se saisit de moi, affirma qu'il fallait me destituer, m'ordonna de lui remettre les rôles et passeports. Sur mon refus, ils s'adressèrent à mon nègre : " Alors, B. de Gueux, où sont les clefs de ton maître ? " ; il l'avoua sur la menace d'être jeté à la mer. Ils se saisirent alors de tous les papiers, me retenant prisonnier dans ma chambre, payèrent à boire à l'équipage...

« Le désordre était complet : on buvait continuellement du vin, de la bière et on mangeait sans cesse. On arriva à Sierra Leone. Passagers, officiers et matelots vendirent leur pacotille. On m'installa alors dans une cabane faite exprès sur le gaillard arrière où je restai toute la campagne : trois mois et demi sans parler à quiconque, ne sortant que pour mes besoins urgents et hors de la vue des nègres.

« A Loches ou Perques, nous trouvâmes deux frégates anglaises qui fournirent des nègres. Roguin en prit cent cinquante, dont une partie en très mauvais état : le chirurgien pansa tout le lendemain et il en mourut deux, plus un fou qui périt de leurs mauvais traitements.

« Nous partîmes le 29 décembre 1763. Le désordre s'accrut encore car onze négrillons qui nettoyaient le pain, en faisaient un dégât considérable. Je ne puis passer sous silence les infamies horribles que les officiers commettaient avec six négresses qui couchèrent avec eux sur le gaillard arrière, sous des tentes dressées tous les jours exprès près du timonier ; on fournissait la table, le pain et la viande à ces négresses. L'équipage, à leur exemple, se livrait à des horreurs et chacun avait sa chance nuit et jour ; je voyais de ma cabane ces négresses venir dans les hamacs.

« Au mépris de vos ordres, ils relâchèrent à Saint-Pierre de la Martinique. Repartis le 6 février 1764, nous arrivâmes au Cap le 13. Aussitôt, je montai sur le gaillard d'arrière, pris comme témoin le pilote et fis ma déclaration à l'Amirauté ; on m'a arrêté et Roguin a été mis au cachot, les fers aux mains et aux pieds. »

Charles est effondré. Comment ces faits ont-ils pu avoir lieu sur SON navire ? Sa cargaison est perdue et la campagne qui devait le sauver l'enfonce de 150 000 livres !

Il avertit Choiseul, qui diligente une enquête et sanctionne le second, rétrogradé comme simple matelot, deux lieutenants étant mis en surveillance et les Roguin interdits de navigation. Mais cela ne calme pas Charles, d'autant que *La Douce Marianne* étant arrivée après d'autres navires, la concurrence a joué en défaveur de Charles... et Roguin a fui avec l'argent, vers Curaçao.

Une mauvaise nouvelle ne vient jamais seule : les huissiers opèrent une saisie sur l'habitation. Il faut de l'argent, beaucoup et tout de suite. Mais les biens sont hypothéqués et personne ne peut l'aider. Alors, la mort dans l'âme, Charles doit rebrousser chemin et revend – dix ans après – la Pailleterie d'Amilly pour 105 000 livres.

Paradoxalement, les nouvelles de Saint-Domingue ne sont pas mauvaises : en janvier 1765, la seconde traversée de *La Douce Marianne* se termine par une vente de 290 nègres et en avril, arrive le *Capitaine Barrabé* avec 386 Noirs à bord. Toutefois un inventaire notarié constate une diminution sur l'habitation de 38 nègres et négresses – en trois ans – et une stabilité du bétail. Cela annonce des difficultés ; la seule solution est d'acheter des nègres, mais il faut de l'argent...

De l'argent, c'est devenu un leitmotiv ; en septembre, Charles emprunte 55 000 livres, puis 180 000 à son frère, pour couvrir des frais judiciaires ; mais il dépense sans compter, acquérant l'usufruit d'une nouvelle « campagne » près de Sarcelles, deux étages, seize pièces, fruiterie, tonnelle, orangerie et pièce d'eau. Charles a des envies : il veut une cheminée monumentale, des boiseries, des vitrages écussonnés, un jardin d'hiver et des tapisseries d'Aubusson. Déjà, les ouvriers arrivent, comme les factures.

Aux îles, les procès s'accumulent ; en France, on calme les créanciers. 1766 : Charles renouvelle sa procuration à son frère pour les baux du pays de Caux, avant d'apprendre l'annulation de la vente de La Pailleterie, l'acheteur s'étant dérobé ; il faut en chercher un autre.

Seule joie, la naissance d'Adélaïde de Maulde, seconde petite-fille, à la Bussière, après Charlotte, née l'année précédente.

Les plis s'accumulent sur les plateaux des domestiques : impayés (17 000 livres à Hambourg, 13 000 chez Bulande), rappels, menaces. Charles reste néanmoins grand seigneur, achète une toilette ciselée, une chocolatière, une casserole d'argent et offre à un créancier une boîte d'écaille rouge doublée d'or avec un miroir de cristal.

C'est le moment que choisit Guitton pour proposer à Charles ses terres de Saint-Domingue, qui « sont dans le meilleur état du monde » ; il propose son agent, Michel Le Pot, un Tourangeau, la cinquantaine, avocat d'affaires trouble, heureux d'avoir, suite à des remariages, la même belle-mère que Guitton ! Charles négocie âprement et l'on se retrouve le 12 mars 1768 chez le notaire parisien de Charles.

L'acte indique que Le Pot vend à un certain Jean-François de Broucq, bourgeois de Paris, l'habitation composée de « la sucrerie située au Trou, 42 carreaux de terres, plus 70 carreaux à Sainte-Suzanne, les bâtiments, cases et appropriements, nègres, négresses et négrillons, les animaux et créances de Guitton à Saint-Domingue, notamment les créances sur le marquis de la Pailleterie ». Le tout pour 306 000 livres, avec un modeste comptant et le solde sur dix ans, sans intérêt.

Surprenant ! Mais le clerc de notaire est encore plus surpris un mois plus tard, lorsque « Jean de Broucq paie au marquis de la Pailleterie ce qui est dû par Guitton » : un seul homme se trouve dans le cabinet.

Guitton crie victoire : il vend dans des conditions inespérées avant d'écrire à « son cher oncle : Je n'ai trouvé aucun compte de ce qu'a fait Le Pot à Paris ; c'est étonnant ».

Charles sourit : il a bien joué ; Le Pot touche une commission pour réaliser une transaction avec de Broucq... qui n'est autre que le marquis de la Pailleterie ! C'est de la carambouille, une opération délictueuse dans laquelle Charles utilise un prête-nom aboutissant à ce que « de Broucq ayant examiné les comptes reconnaît que le marquis a payé ». Quel machiavélisme !

D'autant qu'il récidive en juin ; cette fois, un certain Joseph Lebanc déclare acquérir « de Louis Davy de la Pailleterie la moitié indivise d'une habitation située au Trou, dite Parnajon ». Nouvelle escroquerie de Charles qui unifie les habitations de la Pailleterie, Guitton et Parnajon : un beau domaine !

En fin d'année, Charles lance un navire à son nom : le *Marquis de la Pailleterie* a été construit à Saint-Malo où, jadis, les galères royales du Bailli de La Pailleterie ont repoussé une attaque anglaise puis ont enlevé au large de Nieuport le vaisseau zélandais *La Licorne*.

L'histoire du navire commence en 1764 à Boston, après la tentative de commerce triangulaire ; les armateurs havrais ont construit un premier *Marquis de la Pailleterie*, frété par le roi pour transporter du Havre en Guyane les passagers destinés à défricher le Kourou.

La nouvelle version a deux ponts et un gaillard, jauge 210 tonneaux et porte 6 canons ; on la destine à une ligne commerciale avec Saint-Domingue. Charles imagine le *Marquis de la Pailleterie* passant devant la baie de Monte-Cristo et entrant majestueusement dans les eaux du Cap, après une traversée de quarante jours ; si Alexandre avait pu le voir !

Mais une autre affaire rejoint Charles, celle du *Vainqueur* : vingt-cinq ans après, il est menacé de saisie et trop occupé pour aller découvrir son petit-fils qui vient de naître ; il s'inquiète : Guitton découvrira-t-il la vérité ? Il vient de lui déclarer que « de Broucq est un nom emprunté dans l'affaire ».

Un nouvel acheteur acquiert la Pailleterie d'Amilly en décembre 1769 pour 125 000 livres : ses sucres sont attendus à Bordeaux et Charles doit emprunter 50 000 livres avec une seconde hypothèque sur ses biens. Le filet se resserre et Charles s'installe dans le Marais, chez son gendre où Guitton le retrouve pour lui proposer un « petit terrain » oublié. Charles achète. 76 000 livres ! Le gouffre se creuse ; seule issue : retourner à Saint-Domingue pour « faire du revenu ». A cinquante-cinq ans, commencer une nouvelle vie, avec la goutte !

Le 21 mai, Charles désigne sa fille et son gendre comme procureurs de ses biens français, établit un relevé de ses créances et rédige une note des sommes à régler pendant les six mois à venir. Instructions simples : « payer le plus tard possible » ou « payer si on le peut ». Puis il quitte Paris, laisse sa femme avec sa fille et son gendre, passe par la Pailleterie de Normandie où il rédige un nouveau testament, dont deux copies sont expédiées : « Si je meurs, que mon corps soit porté en ma terre de la Pailleterie et inhumé en l'église de Bielleville à côté de celui de feu mon père : que toutes mes dettes soient payées. Je donne la liberté à Geneviève, créole, ma négresse, fille de Thérèse, libre, et au nommé Alexandre, mulâtre, le fils de Geneviève créole. » Comme ses frères, il s'est adapté « aux isles », transmettant le prénom familial !

Il ajoute 12 000 livres pour les menus plaisirs de sa filleule et nomme pour exécuteur testamentaire le député de Saint-Domingue Lhéritier de Brutelles, réservant le surplus de ses biens à Mme de Maulde et à ses petits-enfants.

Sur le perron du château, le soleil, là-haut, éclaire la date de 1602, inscrite dans la pierre. Il quitte son domaine ! C'est comme un adieu à ses ancêtres. Il monte dans la voiture qui s'ébranle et rejoint la route du Havre.

Le lendemain, d'un pas décidé, Charles monte sur le *Saint-Martin*, accompagné de son valet-secrétaire et de son premier laquais et second valet. On appareille le 5 juin pour débarquer fin juillet au Cap Français.

Charles, ému, retrouve après dix-sept ans le Trou et ses biens, qui ont triste mine ; il faut remettre de l'ordre partout. Pour cela, 82 nègres, 54 négresses, 21 négrillons et 22 négrittes. Il rencontre un membre du conseil supérieur du Cap, qui informe de Maulde : « Il vient de prendre ici des arrangements qui le mettent tranquille propriétaire des habitations Guitton et Monjal, tous procès éteints. C'est une très bonne affaire. Il jouit d'une bonne santé. »

Charles recherche à nouveau de l'argent. On lui promet 100 000 livres, mais à la condition qu'il reparte en France : « C'est dire qu'on aime mieux voir le propriétaire loin d'ici et combien on peut le voler en son absence. » L'affaire échoue ; à Paris, les nombreux créanciers frappent chez le comte de Maulde qui se débarrasse de la procuration.

Deux années passent. Defos, le négociant bordelais, est catégorique : « Si rien ne change, au 1er janvier prochain, M. de la Pailleterie nous devra 140 000 livres. Nous serons forcés d'en venir à un acte de justice. »

Silence de Maulde qui fait suivre. Defos accuse : « Nous devions recevoir 200 milliers de sucre ; nous ne voyons rien venir. » De Paris, on indique à Charles : « Tous vos créanciers sont prêts à l'attaque. » Et pourtant, il emprunte encore pour augmenter sa propriété et autorise son nouveau gérant à acheter l'habitation Parnajon, à quelque prix que ce soit : malade, il a décidé de rentrer en France et retient une place sur *Le Sérieux*, un navire qui appareille début juillet pour Marseille. Sans lui.

6 – L'HONNEUR EST EN CAUSE.

En effet, atteint par une dernière crise de goutte, Charles meurt le lendemain et est inhumé dans l'église du Trou. Le nouveau gérant écrit au comte de Maulde : « M. le marquis est mort à quatre heures et demie de l'après-dîner, par une suite de toutes ses infirmités. Ses terres risquent de tomber dans les mains du procureur aux biens vacants, si on ne trouve pas de testament. » Et il promet de payer ponctuellement les revenus : « Mme de la Pailleterie et vous pourrez compter dessus comme sur votre existence. »

A Paris, à Fécamp, à la Pailleterie, c'est la consternation. Que sera l'avenir ? Aux Iles, « la justice a fait mettre les scellés », on retrouve le testament de 1753 au greffe de Fort Dauphin et l'exécuteur constate : « Les biens sont délabrés, les rares cases à nègres tombent en ruine, les cannes sont presque abandonnées, les nègres hors d'état de rendre service. C'est un tableau effrayant. »

La situation est confuse entre les héritiers (Mme veuve de la Pailleterie, Louis Davy, le comte et la comtesse de Maulde... et Alexandre Davy ?), un fondé de procuration sans titre, un exécuteur testamentaire tirant sa légitimité d'un acte vieux de vingt ans et un autre (Lhéritier de Brutelles) qui l'ignore encore.

Prémesnil, ancien gérant, se manifeste à son tour : « Je pleurerai M. le marquis tant que je vivrai. Je tiens ma fortune de votre maison et sacrifierai tout à la reconnaissance que je vous dois. »

Parmi des avis discordants, un homme avisé, le cousin Foache : « M. de la Pailleterie vient de mourir ; heureusement pour sa famille, car il mettait le plus grand désordre dans ses affaires. Ses habitations pouvaient donner 600 milliers de sucre blanc, il a trouvé le secret de n'en faire que 200. »

A la demande des de Maulde, un homme de loi élabore un « plan de la conduite à tenir dans la succession : Mme la comtesse de Maulde est seule héritière présomptive de son père, créancière de sa mère pour une rente et donataire universelle. Il convient donc de prendre des lettres de bénéfice d'inventaire et consommer le legs de liberté fait à la négresse Geneviève et au mulâtre Alexandre ».

Mais il importe surtout de savoir « si le frère aîné est mort depuis le père ». Les droits de Louis sont confortés mais il préfère qu'un seul homme – le comte de Maulde – fasse front de manière à œuvrer plus efficacement. Selon Prémesnil : « Tout le monde s'accorde à faire un tableau effrayant de la situation, je crois que vous devez y ajouter foi. L'habileté consistera à faire plus de revenus sans forcer les nègres et les bestiaux. Je verrai si avec mon gros bon sens, je ne pourrai pas aller mettre les choses en train. »

Un premier inventaire constate un déficit de 734 000 livres, rien que pour les dettes de France ; Marie Tuffé, émue, revoit la livrée jaune et bleu (l'or et l'azur des armoiries !) des domestiques, ainsi que la veste de Charles, en velours d'Italie, doublée de fourrure, sa robe de chambre de satin et celle de taffetas broché.

En octobre 1773, le Conseil de Guerre rend à Fontainebleau son jugement dans une affaire d'armes réformées et condamne Louis Davy, directeur de l'artillerie du Havre, à quinze jours d'arrêts. La raison ?

Un scandale national : dix ans auparavant, on a décidé de réformer les armes défectueuses des arsenaux, de les écraser et de les vendre comme ferraille. Mais les directeurs des manufactures de Saint-Étienne et de Normandie ont vendu les armes réformées... aux arsenaux, le trafic portant sur 472 000 armes. Les fraudeurs sont condamnés à la prison et Louis Davy fait l'objet de cette appréciation : « La conduite du chevalier de la Pailleterie est irrégulière ; il a porté en consommation nombre d'effets qui devaient se trouver en magasin, il a fait enlever des magasins du Havre nombre de munitions qui ont ensuite été transportées à Fécamp, chez lui. »

Le détournement est incontestable ; était-ce par nécessité ? « On sait qu'étant fils de famille et au service du roi, sa femme avait dû vendre sa maison de Paris pour le suivre à Fécamp et qu'il ne possédait rien en cette maison, étant séparé civilement de biens. »

La tentation aura été trop forte et l'honneur est en cause. Louis souffre. Malgré ses états de service – neuf campagnes, dix-neuf sièges, cinq expéditions, six batailles et quatre blessures – il démissionne le 24 octobre, reçoit une pension de 3 000 livres et se retire à Fécamp.

De Maulde apprécie peu. Il vient en Normandie rencontrer l'oncle de sa femme : échange tendu ; lorsqu'on se revoit à Noël, en famille, à Fécamp, Louis paraît très fatigué. Il s'alite le lendemain et meurt le 28 décembre, devant les parents consternés.

7 – DE MAULDE FAIT FACE.

Au château ancestral de la Pailleterie, on met les baux à jour, travail facilité par le livre tenu par Louis ; tout y est noté : treize fermes, 8 000 livres de location. Est-ce assez ? Le locataire de la ferme du château doit « bien cultiver sa terre et “ marner ” à ses frais, donner six journées de maçon par an, cherfouir et engraisser les arbres, tenir le pressoir, faire six voyages à Caudebec pour le compte du maître, payer la dîme sur les pommes, fournir dix douzaines de pigeons par an et trois pots de lait par semaine, payer le dixième de la laine du troupeau, avec bénéfice sur le colombier, l'ébranchage des arbres et autres menus profits ».

Il n'y a rien à redire ; pourtant, les charges augmentent (vingtième, dixième, rentes viagères, dîme, douaire de Mme de la Pailleterie) et la terre ne rapporte que 6 000 livres : une goutte d'eau dans l'océan de dettes.

De Maulde et Prémesnil choisissent de suivre le plan dressé mais une question se pose : faut-il aller à Saint-Domingue ? Prémesnil en est partisan et laisserait volontiers « sa sauvage à la maison », mais de Maulde aimerait s'y rendre lui-même et prépare un confortable trousseau : neuf douzaines de chemises, quatre de caleçons et coiffes de nuit, une de vestes blanches et de gilets de flanelle, douze paires d'escarpins, un chapeau blanc à très grand bord, un nécessaire d'argent, deux habits et six bâtons de pommade, un habit de soie noire, un cabriolet, deux habits de livrée, vestes jaunes, parements rouges, galon d'argent et cinquante bouteilles de baume de vie.

Après une longue hésitation, Léon de Maulde reçoit Prémesnil et son secrétaire, qui embarquent au Havre fin juin puis fait dresser un inventaire et rejoint Fécamp pour s'entretenir avec Marie du Cestre : négociation « en famille » aboutissant à une transaction sous seing privé le 19 septembre 1774 ; les de Maulde abandonnent la propriété des meubles de Louis et fixent le douaire à 616 livres 13 sols 3 deniers.

A Saint-Domingue, Prémesnil et son secrétaire se dirigent en chaise vers le Trou, où attendent deux cent vingt-neuf nègres « tant jeunes que vieux, estropiés, invalides, marrons ou présents » ; en réalité, seuls soixante nègres sont capables de fouiller les trous de canne et les domestiques ne valent guère mieux ; Geneviève, qu'on avait libérée, « est venue représenter sa misère, n'ayant rien lui appartenant et préfère servir ».

Prémesnil veut « réformer les abus » – vols de sirop et de

sucre, commerce de serpes et de haches –, distribue une centaine de coups de fouet à trois sucriers suspects, ferme l'hôpital à clé et pour l'exemple, fait périr Vimba, un nègre congo d'une force incroyable et qui, par deux fois, a cassé ses menottes dans le cachot de la prison de Fort Dauphin. Un *Journal* enregistrera les « vrais » malades (épidémie d'ulcères, de chancres et de chaudes pisses).

C'est l'évidence : les sucres sont rares. Conclusion : si de Maulde vend la Pailleterie, sa dette sera ramenée à 50 000 écus, il pourra jouir de ses biens à Saint-Domingue et en trois ans éteindra le passif. Mais quittera-t-il la France ?

Les déconvenues sont nombreuses : en mars 1775, le marquis de Mirabeau se fâche : « J'ai fait ma propre affaire pour obtenir mainlevée de ma caution envers feu M. de la Pailleterie ; je suis effrayé des conséquences de cet engagement qui me font pour la première fois de ma vie, craindre les résultats. »

Que fait donc Prémesnil à Saint-Domingue ? Il améliore les roulaisons et augmente la production de sucre : 4 587 formes alors qu'en « un an, on peut faire 32 roulaisons ; mais il faut avoir de bons nègres et assez d'animaux pour travailler sur deux pièces à la fois. Avec trente-deux pièces de cannes, on peut faire 500 milliers de sucre ».

Le travail ne manque pas : « Vendredy premier ; continué de couper la pièce de grande canne n° 6 et la pièce de rejetons n° 9 ; continué l'après-midi et fini de sarcler, sur les quatre heures. Commence tout de suite à sarcler n° 1 de grandes cannes. Dimanche 10, quoique tous les dimanches et fêtes, il paraisse que les nègres ne font rien, on fait cependant de petits ouvrages dans la sucrerie, tel que nettoyer les fourneaux, ramasser les pailles et la bagasse autour des fourneaux, nettoyer le parc des animaux et recharger la butte des moulins. »

De Maulde se rassure et comme on vient de le nommer

colonel du régiment de Bresse, son moral remonte : serein, il reçoit 3 000 livres de fermages apportés par le curé Bourgeois, prêtre de Bielleville. Ce dernier, « bachelier de la sacrée faculté de Paris », s'en retourne le cœur léger ; il aurait pu administrer une paroisse plus importante, mais la vie est calme à la Pailleterie...

8 – ANTOINE DELISLE DÉBARQUE AU HAVRE.

Le 4 décembre 1775, au Havre, le sieur Antoine Delisle – unique passager – descend du *Trésorier* qui a quitté Port-au-Prince à la mi-septembre ; après les formalités, il s'installe chez un hôtelier, se restaure et rédige plusieurs lettres expédiées par le commis. Selon l'aubergiste, c'est un homme qui porte la soixantaine, alerte et qui semble connaître la région.

L'abbé Bourgeois, un des destinataires, est très surpris par la missive : un certain Antoine Delisle lui fixe rendez-vous, deux jours plus tard, au Havre, pour une communication de la plus haute importance. Sans doute un créancier malin, pas besoin d'avertir le comte de Maulde.

A l'heure dite, dans l'hôtel, l'homme attend ; l'abbé s'approche et entend ces mots : « Je suis Alexandre Antoine Davy de la Pailleterie, votre seigneur ; je reviens de Saint-Domingue. »

L'abbé est tétanisé ; est-ce possible ? Celui que l'on croyait mort, est là, devant lui ? C'est sûrement un imposteur. Mais Alexandre tend un vieux papier : un extrait de baptême, à Bielleville, le 26 février 1714. Bourgeois reconnaît les signatures – il a plusieurs fois feuilleté le registre paroissial –, mais reste dubitatif ; on a pu voler ce papier. Il existe bien une ressemblance, mais ce n'est pas une preuve.

L'heure est venue pour Antoine Delisle de parler : sa jeunesse à Bielleville, l'armée, l'arrivée à Saint-Domingue, la vie chez son frère Charles, la fuite... Quelques recoupements aident l'abbé à conclure que l'homme est bien Alexandre Davy de la Pailleterie, le seigneur légitime. Mais alors, la succession ?

« C'est la raison pour laquelle je vous ai demandé de venir, monsieur l'abbé. Vous allez me raconter ce qui s'est passé et je vous donnerai mes instructions. Je suis l'aîné, le droit est pour moi. »

Le ton est sans réplique ; un plan est mis en place et le soir, l'abbé Bourgeois rend compte par écrit à de Maulde, insistant sur l'identité Antoine Delisle-Alexandre Davy.

Léon de Maulde consulte le livre de comptes lorsque la missive lui parvient ; impavide, il conclut : puisque l'aîné de la famille est vivant, la succession lui revient ; peut-être assumera-t-il les dettes ? Et il écrit en haut de la page de garde du registre : « Le 11 décembre 1775, lettre du curé de la Pailleterie, M. Bourgeois, qui m'annonce le retour » – il barre le mot et le remplace par Apparition – « de M. de la Pailleterie, frère aîné, au Havre ».

Que réclame Alexandre ? Les prérogatives d'un aîné et la propriété du château. Léon annonce la nouvelle à sa femme et à sa belle-mère qui réfute la thèse du *revenant*.

« Rendons le château », coupe Léon avec amertume ; la succession à peine dévolue se trouve remise en cause : tous les accords intervenus depuis le décès de Charles et Louis sont à revoir. Pourquoi une telle attitude ? On dirait une vengeance.

De Maulde écrit à l'abbé qu'il est prêt à reconnaître Alexandre le *revenant* – ce sera son nom – lorsqu'il l'aura rencontré ; dès maintenant, ce dernier peut s'installer au château. Pour le reste, on verra.

L'abbé transmet à Alexandre et lui demande pourquoi il a pris le pseudonyme de Delisle : « Cela " sonne " normand et j'avais besoin de discrétion pour préserver la surprise de mon retour. »

Il a raison, car dans l'équipage du *Trésorier*, le jeune matelot Augustin Yves a effectué deux fois la traversée Le Havre-Saint-Domingue sur le *Marquis de la Pailleterie* et n'aurait pas manqué de relever le nom.

L'abbé n'insiste pas, car l'homme est son seigneur, patron de la paroisse; le voyage se termine : après Goderville et Saint-Maclou, se profile la ferme du moulin Davy qu'Alexandre regarde intensément : quarante ans ont passé ! Encore quelques instants et « son » château apparaît.

Lui, le dernier des Davy de la Pailleterie vivants, que l'on croyait mort, revient des Isles ! Son émotion est de courte durée, car il repense à l'altercation de 1748. D'un pas ferme, il grimpe les escaliers, passe le perron, pénètre dans le vestibule; de la pièce de droite, sortent le comte et la comtesse de Maulde. On s'observe, gênés : si proches parents et pourtant si lointains ! Alexandre veut justifier son identité, mais on le croit, si exceptionnelle que soit la vérité.

On passe aux affaires : de Maulde reconnaît au sieur de la Pailleterie – l'appelle-t-on marquis ? – le droit de primogéniture qui assure à ce dernier la succession d'Alexandre père et de ses fils décédés. Bien entendu, la question se pose : pourquoi Alexandre revient-il après vingt-sept ans d'un silence total ? Ce ne peut être que pour assouvir une terrible vengeance, concoctée à petit feu...

A Noël 1775, « M. de la Pailleterie, seigneur de la paroisse, occupe son château » où les de Maulde vivent dans quelques pièces, avant de repartir à la Buissière. Mais des créanciers se manifestent et Léon oblige Alexandre à fixer une date de négociation.

Le 16 mars 1776, chez un notaire du Havre, on reprend la succession de 1759 à la demande du *revenant*, pour établir une nouvelle répartition et de Maulde mesure l'intransigeance d'Alexandre.

« Pourquoi tant de hargne ? » se demande-t-il, en proposant une rente viagère en échange des accords passés : Alexandre refuse. Il veut tout et propose SON acte, dans lequel il se donne le titre de « chevalier », réservant celui de « marquis » à Charles, comme si le complexe d'infériorité le reprenait alors.

Les biens étant évalués à 6 910 livres, la part d'Alexandre « est fixée à 5 485 livres et celle de la comtesse de Maulde à 1 425 » ; pour prévenir des contestations, Alexandre cède trois fermes et exige alors d'être appelé marquis de la Pailleterie, transigeant seulement sur les intérêts échus pendant son absence. Un acte sous seing privé clôt la discussion.

Alexandre jubile lorsque le comte lui remet les parchemins : rentré depuis trois mois, il est redevenu le seigneur « demeurant en sa terre ». Tout heureux, il signe en mai au château, une rente de cent livres en faveur de Françoise Constantin, apposant son paraphe reconnaissable : Davy de la Pailleterie, terminé par deux boucles contenant chacune trois petits points.

Léon de Maulde, essayant de connaître son passé, a questionné, peine perdue. Alexandre a livré seulement deux noms, Catin, une négresse et Jérémie, une bourgade. Comment percer son mystère ? Il faudrait enquêter, mais cela n'est guère aisé. Reprenant diverses notes, de Maulde déniche le nom d'un procureur du roi à Jérémie, de Chauvinault, qu'il questionne.

Exploitant des documents administratifs, dont une « liste des habitants de Saint-Domingue » qui sont en France, de Chauvinault repère « les héritiers de la Pailleterie » à Jaquezy, mais rien sur Delisle. Sa première lettre est négative. Le mystère demeure complet, jusqu'à l'arrivée d'un second pli, plus épais...

9 – LA VENGEANCE DU MARQUIS : ENQUÊTE ET RAPPORTS.

« J'aurais cherché longtemps notre homme sous le nom de Davy qu'il n'a jamais porté dans le quartier ; celui de la Pailleterie étant plus connu, du moins de quelques personnes, et c'est à ce dernier point que je dois les éclaircissements procurés.

« Une affaire sérieuse par la suite qu'elle pouvait avoir, a occasionné la rupture des frères ; celui qui est mort, rempli d'honneur et de sentiment, voulant empêcher le déshonneur de sa famille, employa des voies un peu violentes à la vérité, et qui eussent corrigé son frère aîné si elles avaient eu leur effet ; celui-ci, pour les éviter, eut recours à la fuite ; il partit donc de chez M. de la Pailleterie, son frère cadet, emmena réellement avec lui la négresse Catin et les nègres Rodrigue et Cupidon. En arrivant dans ce quartier, il prit le nom de Delisle, sous lequel il a toujours été connu, jusqu'à son départ pour la France, au mois de décembre 1775. Je l'ai moi-même connu sous ce nom, je lui ai parlé une fois ou deux pour affaire sur la fin de l'année 1773 ; mais il ne s'est jamais ouvert à moi sur sa famille et ses qualités, comme il l'a fait vis-à-vis de quatre ou cinq personnes de ma connaissance.

« Les commencements du sieur Delisle dans ce quartier furent assez favorables, mais ayant pris des fermes qui lui réussirent mal et ayant donné dans la mauvaise compagnie, sa bonne fortune ne fut pas de longue durée : on ne sait pas s'il a eu des enfants de la négresse Catin, mais, la trouvant trop âgée, il lui a permis de vivre libre, sans lui avoir cependant procuré la liberté par les voies prescrites par les règlements. Elle vit encore et demeure chez le sieur Granfont, ancien procureur, très âgé, et retiré sur le bord de la mer, à trois quarts de lieues de Jérémie.

« Le nègre Cupidon appartient actuellement au sieur Jean Brun, négociant à la Guinaudée, dépendance de notre quartier, sur l'habitation de la Mare-Verte. L'un et l'autre ont été vendus par le sieur Delisle, non pas aux possesseurs actuels, mais à d'autres mains qui les ont recédés.

« De la vente des nègres et de quelques autres fonds que Delisle avait pu se procurer avant ses désastres, il acheta, d'un certain M. de Maubielle, une négresse nommée Césette, à un prix exorbitant ; il a toujours vécu avec elle, du moins jusqu'à la dernière année de sa résidence, en ce quartier ; il en a eu, à ce qu'on m'a assuré, quatre enfants mulâtres et mulâtresses ; elle, de son côté, a eu une négritte, à ce qu'on prétend, d'un nègre des environs de la Petite-Terre, où M. Delisle a fait sa résidence pendant plusieurs années, et qu'il a vendus à son départ, avec le nègre Cupidon, la négresse Césette et ses enfants à un sieur Caron, originaire de Nantes, à l'exception d'un jeune mulâtre qu'on dit avoir été vendu au Port-au-Prince conditionnellement et à charge de réméré, au capitaine Langlois, pour huit cents livres, qui ont dû servir au passage du sieur Delisle en France. La terre n'est qu'un petit résidu, de très peu de valeur, les bâtiments qui sont dessus ne valent pas deux cents livres, encore dit-on la vente simulée, le sieur Caron n'étant pas en état de payer ; je souhaite que ces détails vous satisfassent ; je suis bien flatté d'avoir pu vous les procurer. Chauvinault. »

Léon de Maulde est abasourdi : après l'altercation, Alexandre a fui avec une négresse et deux nègres et, « ayant traversé la grande rivière, gravi les mornes, passé à gué la source Madère, franchi bien des obstacles », s'est installé à Jérémie où il s'est ruiné ; la vente des esclaves, l'achat de Césette, la naissance de plusieurs enfants revendus pour payer le billet du retour en France, quelle histoire !

Seul point touchant, la volonté de faire revenir en France le fils mulâtre, continuateur du nom et témoin de la vengeance !

Car Alexandre, aux aguets, est passé aux actes dès la mort de Charles, est revenu au pays – après vingt-sept ans de disparition – avant de faire rentrer son fils en France.

De Maulde, irrité de la manière révoltante utilisée dans la succession de son beau-père, est perplexe : jusqu'à présent, aucun mulâtre n'a été remarqué auprès d'Alexandre : il faut que l'abbé vérifie.

Ce dernier, chargé d'espionner le revenant, informe son maître sur un autre sujet : « Monsieur et cher seigneur, je veux être le premier à vous apprendre que Monsieur votre oncle envisage d'augmenter sa maison d'une demoiselle de compagnie. Elle est Lorraine et a beaucoup de prétention à devenir votre tante. Bien que ne voulant pas me brouiller avec M. de la Pailleterie, je lui ai dit quelques mots du projet : il m'a paru assez entier, prétendant qu'il était le maître de faire ce qu'il jugerait à propos. M. le marquis paraît m'en vouloir un peu car des personnes bien intentionnées lui ont dit que je vous rendais compte de tout. »

L'abbé ajoute hâtivement : « On dit que le petit Thomas est arrivé au Havre, nouvel arrivant pour Bielleville », puis inquiet du mouchardage, supplie : « Brûlez, je vous prie, cette lettre. »

Pour de Maulde, la coupe est pleine : Alexandre continue sa « mauvaise compagnie » ; c'est le Diable dans la famille, qu'il veut ruiner et déshonorer. Le revenant se déplace beaucoup dans la région : prépare-t-il un autre mauvais coup ?

En février 1777, il fait venir le notaire de Bolbec pour rédiger la vente d'une petite ferme de 8 000 livres puis récidive onze jours plus tard avec neuf acres de terre vendus 9 000 livres au syndic des laboureurs, Antoine Liot, qui reçoit « une procuration générale et spéciale sur toutes opérations à réaliser ».

3 mars : Liot, accompagné du notaire de Bolbec, se rend chez un châtelain du voisinage, M. de Bailleul, seigneur de

Vattetot-sous-Beaumont, et vend « une pièce de terre en closage et labour de trois acres ». En un mois, Alexandre a empoché 20 000 livres !

Un huissier rapporte au comte de Maulde qu'il a passé « deux heures avec M. le marquis. Sa première parole a été pour me dire que je suis un traître. Il s'est presque échappé de dire que son intention est de vendre tous les biens. Il compte partir pour Rouen. » Est-ce pour rencontrer la « demoiselle » ? Le marquis déclare : « Je suis le maître, pourquoi ne ferais-je pas ce que je veux ? Qui peut m'en empêcher ? »

18 mars 1777. Le voyage à Rouen est capital ; chez un notaire, Alexandre retrouve M. de Bailleul pour signer l'acquisition de la Pailleterie !

Bailleul achète terres, fief et seigneurie, fermes, château et tout ce qui est « échu au marquis contre 67 000 livres comptant et une rente annuelle de 10 000 livres payables chez André Castillon, chirurgien à Bolbec, tant que le marquis vivra ». Plus deux rentes à des « demoiselles », qui lui reviendront en cas de décès préalable au sien.

Le marquis se frotte les mains, le tour est bien joué ; il vient d'encaisser environ 100 000 livres et une rente annuelle de 10 000 : de quoi vivre à l'aise et savourer sa vengeance, lavant l'avanie subie trente ans auparavant. Personne ne clamera et d'ailleurs, que lui importe ?

En attendant, on murmure que le marquis négocierait des baux déjà conclus et des préparatifs terribles pour la « demoiselle ». Peu à peu, en raison de ses « grandes ripailles et immenses festins, les honnêtes gens » abandonnent Alexandre. « Il ne voit que l'intègre Liot et Castillon le chirurgien ». Certains commencent à penser qu'il faut « sans plus tarder essayer de le faire enfermer », qu'on obtiendra sans difficultés « des certificats de la part des gentilshommes voisins ».

Alexandre se doute bien que la vente ne restera pas secrète et que de Maulde réagira. Il est temps de disparaître. Où ? Il ne manque pas d'attaches en Normandie : une parente est supérieure de l'hôpital de Lisieux et des Davy de la Pailleterie habitaient à Caen il y a vingt ans. Après de nombreux allers-retours – un permis de circuler en poste lui est remis par l'intendant –, il choisit une maison de la paroisse Saint-Jacques, à Lisieux.

Il s'y transforme en bourgeois et prépare le mariage de la « demoiselle », Marie Lefèvre, une Lorraine, ancienne dame de compagnie éblouie par les avantages d'Alexandre : château, biens, titre, la soixantaine ; elle veut l'épouser... tout en se faisant courtiser par un amoureux de vingt-cinq ans.

Marie et son soupirant suivent Alexandre qui brusquement change d'avis : le 17 juin, à trois heures du matin, la belle épouse Raoul et le registre contient le paraphe du marquis Davy de la Pailleterie, avec deux boucles contenant chacune trois ou quatre petits points.

Alexandre retourne à Bolbec révoquer la procuration de Liot et la transmet « pour toutes opérations d'argent » à André Castillon, un Toulonnais « ancien » de Saint-Domingue ; chirurgien habile, il « rendait des services aux indigènes qu'il traitait gratis et mit au point une poudre et un élixir antiscorbutique pour combattre les fièvres et dysenteries ». Cette « poudre à Castillon » a rapporté de substantiels bénéfices à son inventeur, installé comme chirurgien major à Bolbec à son retour.

Les deux « Américains » sont faits pour s'entendre ; Castillon se rend à la Pailleterie pour une première « vendue » de meubles avant l'installation du nouveau propriétaire.

A Lisieux, le marquis assiste au baptême du fils d'un marchand de la ville, accompagné par un jeune mulâtre d'une quinzaine d'années qui fait sensation auprès des paroissiens : il s'agit de « Thomas Rétoré, fils naturel de M. le marquis de la Pailleterie, habitant de Saint-Domingue, demeurant en cette ville », dont le registre paroissial porte la première trace en France.

Thomas signe de belle manière : il a reçu une éducation. Mais pourquoi le nom de Rétoré ? Plusieurs familles s'appelaient ainsi à Saint-Domingue et à Jérémie, le nom a plu à Alexandre. Quoi qu'il en soit, le fils naturel du marquis – Rétoré ou Delisle – vit dorénavant aux côtés de son père – soixante ans passés –, fier du rejeton.

Alexandre, en mécène, s'engage devant notaire à payer un maître menuisier pour apprendre le métier à un jeune Lexovien. Il continue de narguer le destin, lorsque Léon de Maulde apprend la vérité : la vente, le limogeage de Liot, le rôle de Castillon, la présence de Thomas. Fou de rage, il se rend chez le notaire de Bolbec pour « clamer ». Le 5 novembre, une assignation parvient au marquis qui donne procuration à Castillon pour retirer des mains de M. de Bailleul la terre de la Pailleterie, puisque « le comte de Maulde veut retirer à droit de sang et proximité de lignage » la seigneurie vendue.

Bailleul s'incline ; le comte de Maulde s'engage à payer la rente viagère créée pour le marquis, quitte à l'emprunter. Le revenant rentre à Lisieux en janvier 1778, intime l'ordre à Castillon « d'agir contre la dame du Cestre, sa belle-sœur », dépense sans compter et laisse partout des dettes.

Une bataille acharnée s'engage et les avocats n'en finissent pas de plaider « l'affaire de la région » devant la haute justice de Fécamp. Le comte est démoralisé : ne doit-il pas, à son tour, se rendre à Saint-Domingue ? Courageusement, il démissionne de l'armée avec une pension annuelle de 1 500 livres et en novembre quitte la Pailleterie (occupée depuis la clameur) pour se replier sur la Buissière.

Dans le registre de comptes, il note le « jour du départ de la Pailleterye », les opérations à réaliser, confiant à son cousin Henry de Parnajon, créole de quarante ans, les biens de Caux et le sort de sa belle-mère. Ordres : recruter les meilleurs avocats de Rouen, différer le paiement des impôts, faire appel des décisions favorables à Alexandre.

Pendant ce temps, « Messire de la Pailleterie, écuyer, seigneur et patron de la paroisse de Bielleville, Mara, Beausoleil, ancien officier d'artillerie », dilapide son argent dans des festins avec de jolies femmes et un autre « ancien » de Saint-Domingue. Les soirées sont chaudes, rue aux Chars. Est-ce médire ? En octobre 1778, son ancienne amie donne naissance à un petit Raoul-Alexandre – prénoms révélateurs – dont il est le parrain et dont le baptême est prétexte à ripaille.

Un autre baptême – signé par Thomas Rétoré – permet les retrouvailles d'Alexandre avec une jolie femme de Bernay et pousse aux dépenses immodérées, pendant que de Maulde, accablé, « vit retiré en Artois, avec la marquise de la Pailleterie, veuve, n'ayant qu'un procureur qui fait la navette entre la Buissière et le pays de Caux ». A Bielleville, on rentre les foins, on ramasse le bois, on récupère la paille, on rogne sur tout. C'est l'opération-sauvetage ; sur un quai du port du Havre, un navire finit de pourrir, *Le Marquis de la Pailleterie*...

Alexandre s'accorde avec sa belle-sœur quant au douaire, déroutant les professionnels et de Maulde qui avoue : « on ne sait jamais si l'on pourra payer M. de la Pailleterie » ; les avocats du malheureux comte introduisent un nouveau recours pour obtenir une indemnité, mais le régisseur est clair : « nous perdrons le procès ».

Le comique se mêle au tragique lorsque l'abbé Bourgeois « qui va fort mal, est à nouveau frappé du cerveau et ne cesse de chanter dans son lit, buvant beaucoup et ne mangeant point ».

A Bordeaux, on attend les sucres ; lorsqu'ils arrivent, on les trouve de mauvaise qualité ; Prémesnil rétorque à Defos : « Vous n'auriez jamais vu de sucres d'aussi basse qualité. Vous avez raison et je n'ai pas tort... Toute la terre n'est pas égale, il en est de même sans doute dans vos vignobles. »

La vente est répartie par convention, une moitié pour Mme de la Pailleterie, un quart pour Mme de Maulde, un quart pour Parnajon; le rapport est faible : en dix ans, le comte reçoit 215 000 livres... alors qu'il en rembourse 380 000 aux créanciers de France et 289 000 à ceux de Saint-Domingue, approchant du fatidique million de livres; de Maulde est saigné à blanc.

A Saint-Domingue, Prémesnil remet les habitations en état, parvient à retirer du sol un revenu minimum, bien que l'hôpital des Noirs – petits accidents et tuberculose – ne désemplisse pas. Humain, Prémesnil utilise néanmoins des moyens radicaux, mais dans ce climat chaud et humide, il est victime d'une rechute et comme son maître onze ans plus tôt, meurt au Cap Français, en juillet 1784.

Defos propose de nouveaux gérants au comte, mais ce dernier rétorque : « Vous m'avez fait des retenues considérables sur les derniers navires. Il est indispensable que je touche ce que j'attends. » D'autant qu'il n'a plus de nouvelles d'Alexandre ni de Thomas et qu'il vaut mieux les avoir à l'œil !

10 – ON RECHERCHE...

Le hasard fait bien les choses. Fuyant ses dettes criardes, Alexandre a quitté la Normandie; à ses côtés, Thomas, heureux que cet homme qui l'a vendu puis racheté, le considère réellement comme son fils. La vie est agitée car tout le monde plie devant Alexandre ! Avec un tel exemple, le caractère de Thomas s'affermit et il veut vivre sa vie; il y faut beaucoup d'argent, que Thomas réclame à son père : la rente payée par de Maulde sera la bourse du jeune mulâtre.

Désormais fils du marquis de la Pailleterie, Thomas Alexandre change de nom, passant de Rétoré à « dit Dumas-Davy » puis à « Thomas Dumas-Davy » (hommage à ses parents) lors d'une nouvelle installation à Saint-Germain-en-

Laye, où les Américains sont en nombre et où vit – quel hasard ! – le véritable Jean-François de Broucq, ancien marchand de vin.

Le marquis loge dans la rue de l'Aigle d'Or, au sud du château : cuisine, salle à manger, cabinet ; petite chambre donnant sur la cour et grande chambre sur la rue, cave, grenier ; il a pour meuble une armoire, une commode, quelques chaises et dépose ses vêtements : robe de chambre bleue, habit et culotte écarlate galonnés d'or, veste en satin blanc, redingote de drap bleu garnie d'or, veste de soie à galons et boutons d'argent, habit de gourgourand prune, bas de soie, collets de mousseline, chemises et manchettes, ainsi qu'une canne à pomme d'or, une montre à cadran émaillé et aiguilles d'or. Les accessoires du dernier acte.

Thomas reçoit des leçons d'un maître d'école qui, flatté, lui propose d'être le parrain de son fils Alexandre et Thomas de la Pailleterie signe le registre ! Désormais, Saint-Germain est trop petit pour lui, il veut Paris ; avec l'argent de Maulde, il s'installe rue Etienne et court le soir au théâtre.

En septembre 1784, un incident éclate dans la salle Nicolet : deux hommes se battent ; séparés, ils font leur déclaration, Thomas le premier : « Hier, étant avec une dame, un monsieur s'est approché de nous et a dit : “ Madame, vous êtes bien jolie, vous avez un beau sein, je serais bien aise d'avoir votre adresse, voulez-vous accepter la mienne ? Si vous êtes étrangère, accepteriez-vous que je vous mène à Versailles ? ” Après mille autres propos aussi indécents, il lui a demandé si elle aimait les Américains ; elle répondit oui. Il lui en fit compliment et se mit à me railler. J'ai alors dit que j'étais avec madame, qui est fort honnête, et l'ai prié de nous laisser tranquilles. Monsieur est parti d'un grand éclat de rire, répondant : “ Madame, je vous croyais avec un de vos gens ” et ajoutant : “ Mon ami, nous savons ce que c'est qu'un mulâtre ; dans notre pays, on vous met les fers aux pieds et aux mains.

Vous savez qui je suis ? " Je lui ai répondu que je méprisais tous ses propos et que je savais qu'il était un commis du bureau de la guerre. Alors, il s'est emporté et un monsieur qui était de sa compagnie a même levé sa canne sur moi en disant : " Faites-le arrêter. " Alors, j'ai voulu sortir avec madame, mais monsieur s'est opposé à mon passage et m'a fait saisir par la garde. Me prenant par la main, il m'a demandé de me mettre à genoux pour lui demander pardon, devant madame. Cette dernière s'en est allée seule et je suis rentré dans ma loge. Alors, monsieur est venu me dire tout haut et avec insulte : " J'ai obtenu votre pardon, vous êtes libre, vous pouvez vous en aller "... »

Thomas relate l'acte raciste reçu de plein fouet d'une plume alerte ; son adversaire, major d'un bataillon de la Martinique, fait sa déclaration à la troisième personne, décrivant « un mulâtre, assis à ses côtés qui a voulu s'en mêler. Titon lui a dit : " Mon ami, ce n'est point avec vous que je veux parler " ; le mulâtre répondit : " Je vous connais bien, vous êtes un commis des bureaux de Versailles ". Titon répondit qu'il lui faisait grâce et qu'il croyait le mulâtre indigne de son ressentiment. » La blessure est vive et profonde ; Thomas un jour se vengera...

Rue de l'Aigle d'Or, Alexandre mène une vie monotone, sans amis, mais sa verdeur est intacte : à soixante-douze ans, il va se marier avec sa dame de compagnie, Marie Retou – nom de sa propre grand-mère paternelle –, trente-trois ans, fille de vigneron, installée à Saint-Germain avec sa sœur Anne. La paysanne devient marquise, avec un contrat de mariage !

Le 13 février 1786, un notaire consigne la décision de « messire Alexandre Davy de la Pailleterie, chevalier, seigneur et patron de Bielleville, Réneville, Mara, Beausoleil et autres lieux, ancien commissaire extraordinaire de la chambre de feu S.A.S. Monseigneur le prince de Conti ». Marie apporte

15 000 livres d'épargne, Alexandre fixe le douaire à 6 000 livres, ajoutant une donation réciproque sous réserve qu'il n'y ait pas d'enfants nés du mariage (!), avant d'apposer son paraphe bouclé à six points. Ce jour-là, à Saint-Domingue, on coupe des cannes à sucre et on cuit des sirops frais.

Les badauds incrédules suivent la cérémonie où il y a un absent de marque : Thomas accepte mal la décision de son père, craignant d'être supplanté par sa belle-mère et de ne plus recevoir la rente viagère du marquis ; que se passera-t-il après le décès d'Alexandre ? Mulâtre de vingt-quatre ans, il sera seul sur le pavé de Paris.

De Maulde est au comble de l'indignation en apprenant le mariage : le revenant le nargue encore une fois. S'il pouvait s'en débarrasser !

Le sort l'exauce quatre mois plus tard, le 15 juin. Alexandre est inhumé dans le cimetière de Saint-Germain-en-Laye, après une messe chantée. Deux voisins accompagnent Marie, troisième veuve de la Pailleterie, après Marie Tuffé, veuve de Charles et Anne du Cestre, veuve de Louis.

De Maulde apprend le décès par une lettre surprenante de Castillon : « J'apprends dans l'instant la mort de M. le marquis ; il était marié il y a environ cinq mois, ce qui a obligé Thomas de s'engager. J'ignore ce que porte le contrat de mariage, mais je ne doute pas qu'il lui donne tout son mobilier. Je suis porteur d'une obligation et me ferez plaisir de m'indiquer quand vous pourrez régler ces cinq mille livres. »

De Maulde suffoque ! Il rentre de Lille où il a signé un protocole de vente pour la Pailleterie avant de recevoir une autre lettre surprenante d'un notaire de Saint-Germain-en-Laye : « Le décès de M. le marquis vous affranchit de la rente que vous étiez tenu de lui payer ; je vous en complimente, mais permettez que je trace sous vos yeux le malheureux sort d'une fort honnête fille qu'il avait épousée il y a quatre mois, qui était sans biens et à laquelle il a entendu faire un sort. En effet, le contrat fait donation de tous ses biens à son épouse qui reconnaît aujourd'hui que M. le marquis n'était pas logé dans ses meubles et n'avait pour tout bien que votre rente viagère, ayant déboursé tout son argent à payer les dettes d'un sieur Dumas (mulâtre) que l'on dit être le fils naturel du défunt. Cet enfant naturel lui a coûté énormément et il vient de s'engager dragon. La pauvre veuve m'a chargé de vous marquer son triste état ; elle se trouve sans pain ; elle réclame vos bontés pour lui assurer une petite pension pour le restant de ses jours. Quelqu'un l'a flattée de vos sentiments charitables et la petite ressource que vous voudriez lui accorder la dispenserait de se mettre en service ; il ne paraîtrait pas agréable pour la famille de M. le marquis que sa veuve, ainsi titrée, soit dans le cas de se mettre en service. »

Le comte est effaré : même dans sa tombe, le marquis poursuit sa vengeance ! Si le sort de Marie Retou, veuve de la Pailleterie, n'est pas enviable, il n'en est nullement responsable et le sien ne l'est guère plus.

En août, la Pailleterie est vendue et quitte définitivement la famille après quatre siècles. Léon reçoit 350 000 livres – une partie seulement est payée comptant – qui lui permettent de rembourser quelques créanciers et de solder l'arriéré de Marie Retou ; maintenant, il doit s'occuper des affaires de Saint-Domingue.

11 – LÉON DE MAULDE A SAINT-DOMINGUE.

Les créanciers reçoivent un rapport de colons sur les propriétés qu'ils estiment capables de donner 240 000 livres par an, puisque « le sol de la grande place est de la meilleure qualité et produit des cannes considérables ; si on ne vient pas au secours de ces habitations, elles seront perdues dans quatre ans. »

Or, les dettes s'élèvent encore à 640 000 livres et tout est hypothéqué ou vendu. Léon requiert des secours politiques, demande des délais, mais s'inquiète car Defos veut obtenir l'exclusivité par voie de justice : « il ne peut être question que de NOS propositions ». Léon, n'ayant plus d'autre acheteur pour ses sucres, essaie de gagner du temps.

L'avis de l'ancien secrétaire de Prémesnil corrobore celui des experts; pourquoi n'en ferait-il pas son procureur? Hélas ! un incendie ravage la grande case : « c'est un accident, il n'est pas irréparable, mais tous les papiers et titres ont brûlé ». Raison de plus pour que l'intéressé reparte aux Iles, malgré les risques encourus par les Blancs, car c'est la révolution.

En effet, en 1790, l'agitation commence à Saint-Domingue ; les colons se rassurent en affirmant que « les nègres bien nourris, bien traités et point vexés sont gais et contents et que les nègres oisifs des villes sont plus dangereux » mais des groupes de nègres marrons prennent possession des mornes et préparent activement la révolte. Si en août 1791, la Constituante dote des droits effectifs les nègres libres, cela n'empêche pas les esclaves de massacrer, la nuit, de nombreux Blancs et mulâtres et d'incendier les plantations.

Le comte de Maulde l'ignore lorsqu'il décide de partir; retardé par le décès de sa belle-mère, il fait embarquer à Dunkerque des ballots marqués CM sur le *Saint-Charles*, en partance pour le Cap : serrures, clous, essentes, autant de pièces nécessaires à la reconstruction des cases.

Léon embarque – comme jadis Charles Davy –, pour remettre en état les habitations et « faire du revenu »; son procureur lui a donné ce conseil : « N'entreprenez rien audelà de vos moyens. Ç'a été un grand tort à M. de la Pailleterie et à tous les vôtres et vous y êtes fort enclin. »

Les événements vont vite, dans l'île. Le décret de la Constituante donnant rang de citoyens aux gens de couleur nés de père et de mère libres soulève la colère des propriétaires blancs et l'insurrection se développe, surtout dans le Nord, avec la mise à sac de Port-au-Prince. Sur les habitations, les commentaires sont contradictoires : « l'atelier n'a pas bougé », dit-on ici ; « les scélérats ont juré qu'ils nous feraient égorger par nos esclaves. Il y a des Blancs qui les dirigent. Certains ont le visage passé au charbon », dit-on ailleurs.

Mai 1792 : quelques habitations ont été préservées à proximité du débarcadère de Jaquezy et les sucreries tournent normalement. Les propriétaires qui ne veulent pas être égorgés n'ont d'autre solution que d'appeler à leur secours la noblesse et les princes d'Europe.

Monte-Cristo joue à nouveau un rôle dans l'histoire : en janvier 1793, quatre à cinq mille hommes débarquent : « plus de quatre-vingts propriétaires considérables par leur naissance et leur fortune et qui étaient les colonnes de Saint-Domingue, tous les officiers des régiments ont été forcés de s'expatrier ».

La responsabilité en est attribuée aux commissaires de la République, qui viennent d'arriver; les réfugiés comptent déjà les jours de « l'empire de Populasséopolis ». Leur espoir : quatre-vingt-deux vaisseaux et 14 000 Anglais qui doivent débarquer à Monte-Cristo et que les réfugiés suivront.

D'horribles nouvelles parviennent en France, à Bordeaux et à la Buissière : « Polverel, arrivé au Cap, a armé les mulâtres, qui ont armé les nègres. Dans la nuit, ils ont égorgé 8 à 10 000 Blancs, tant hommes que femmes et enfants, mettant le feu aux maisons. Le 23, le Cap était consumé par les flammes à l'exception de cinquante maisons. Un convoi en est parti le 23 sous escorte de deux vaisseaux et six frégates et est allé à Boston, via New York. Nous sommes dans les plus vives inquiétudes pour M. de Maulde. »

La comtesse est inquiète. Defos reçoit un pli annonçant brutalement la mort du comte, démentie par un autre courrier : « fausseté de la mort de M. le comte, bien arrivé à Philadelphie, hormis une maladie sur le navire ». Hélas ! Le décès était bien réel : Léon de Maulde a effectivement quitté le Cap en feu, pris place sur le brick américain *La Mary*, mais, malade à l'embarquement, il a rendu l'âme en rade de Philadelphie, le 24 juillet 1793, le bateau ayant peut-être été arraisonné par des corsaires.

Son fils Léon-Adélaïde l'accompagnait ; plus question de sauver les habitations du Trou, sa vie est en jeu. Son grand-père est mort à Saint-Domingue, son père est mort en fuyant l'île, pourra-t-il échapper à la malédiction ? Il s'installe en Pennsylvanie comme sa sœur Charlotte qui épousera le marquis de Blacons dans la chapelle d'Azylum, l'utopique cité de la Révolution.

Les Espagnols, qui occupent une partie du nord de Saint-Domingue, invitent les réfugiés de New York à rentrer : huit cents d'entre eux les écoutent et sont massacrés début 1794 à Fort Dauphin, par les esclaves aux ordres de Jean-François...

12 – VINGT ANS APRÈS.

Juin 1799 : Anne du Cestre, veuve de Louis Davy, meurt à Fécamp ; elle venait de recevoir un certificat assurant « qu'elle n'avait point été détenue pour cause de suspicion et de contre-révolution ». La vieille dame – quatre-vingt-sept ans, « menton pointu » et « visage maigre » – a été arrêtée par Saint-Just comme « ci-devant noble » puis incarcérée en « raison de ses relations et liaisons avec les gens de sa caste », mais le Comité de Surveillance a admis « son caractère et ses opinions conformes à la révolution » ; elle a tout de même été emprisonnée avec sa fille dans le premier corridor de la prison des femmes et n'a pas supporté...

Anne du Cestre, par testament, désigne pour lui succéder son neveu Parnajon, qui a géré les biens du pays de Caux et devient un personnage influent de l'administration communale. Trois mois après, il vend le mobilier familial aux enchères, égrenant les souvenirs de ces Davy qui, jadis, dominaient la région.

Anne Davy, citoyenne de Maulde, doit respecter diverses obligations révolutionnaires : son signalement est affiché à la porte de la mairie de La Buissière ; le temps passe et l'on croit que les difficultés ont disparu. Hélas ! La succession de Léon de Maulde est toujours d'actualité et le 22 avril 1800, Anne y renonce, craignant qu'elle ne lui soit trop onéreuse.

Léon Adélaïde de Maulde réussit à remettre sur pied une partie de ses habitations dévastées de Saint-Domingue, mais désargenté, veut rentrer en France. Hélas, une nouvelle vague terroriste se répand, incendiant les habitations, mettant sa vie en danger ; il se cache.

Août 1802 : l'expédition du général Leclerc arrive à Saint-Domingue ; il s'en est fallu de peu qu'elle ne soit conduite par un certain général Dumas qui a refusé de porter les armes – fussent-elles de la République – contre ses frères de couleur. Il faut des mulets pour se déplacer et Léon Adélaïde de Maulde, petit-fils du marquis de la Pailleterie, agent d'une maison de commerce, négocie mulets, cheveux et bœufs avec les soldats.

L'insurrection se généralise, il faut s'en remettre au sort de la guerre. En février 1803, les insurgés lancent une nouvelle attaque à l'Anse à Veau, les balles sifflent et de Maulde est blessé au bras droit ; bloqué dans un port par les Anglais, il n'est libéré qu'après une négociation serrée. Rapatrié sur Bordeaux, il rentre chez lui, à Béthune, traiter une fièvre tierce et en 1804, obtient une pension avant de regagner ses terres, où on le fête joyeusement.

La famille ne possède plus que la Buissière et les enfants demandent à leur mère d'accepter une modeste rente viagère, qu'elle percevra jusqu'à son décès, en 1821. De Maulde devra attendre la loi sur les émigrés puis encore quatre ans pour obtenir 113 000 francs d'indemnité pour les deux sucreries du Trou, puis en 1832, 855 francs pour « la hatte de la Mare à l'Oye, située à Jaquezy ».

C'en est terminé de la splendeur coloniale ! En 1838, les héritiers Defos et les héritiers de Maulde négocient encore âprement, à Paris comme à Bordeaux, sur les conséquences des errements d'un certain Alexandre Antoine Davy de la Pailleterie...

Alexandre Dumas, dramaturge célèbre... et marquis Davy de la Pailleterie, connaît-il le secret de Monte-Cristo... ?

DEUXIÈME PARTIE

LE GÉNÉRAL DUMAS, *LE DIABLE NOIR*

« C'est sans aucune distinction d'individus, de place, de grade, que l'histoire des républiques consacre à la postérité le souvenir des belles actions ; si son burin fidèle, en retraçant les annales d'un grand peuple, doit couvrir d'une gloire immortelle un héros, un homme vertueux, elle n'est point arrêtée par la considération s'il est né en Europe, ou sous le soleil brûlant de l'Afrique ; s'il a le visage de couleur bronzée, ou approchant de l'ébène. Les traits de courage d'un nègre sont aussi dignes d'admiration que ceux d'un habitant de l'ancien monde. D'ailleurs, qui a plus de droits à l'estime générale que l'homme de couleur combattant en faveur de la liberté, après avoir éprouvé toutes les horreurs de l'esclavage ? Pour égaler les plus fameux guerriers, il lui suffit de se rappeler tous les maux qu'il a soufferts.

« Tel se montra toujours, depuis la Révolution, Alexandre Dumas, citoyen de couleur, mais mulâtre et métis, né à Saint-Domingue en 1762. Ce jeune homme passé en France pour combattre avec les défenseurs de la patrie, après avoir rempli dans son pays un poste important dans le militaire, déploya une bravoure si intrépide, une intelligence si consommée, qu'il se fit bientôt remarquer. C'est un des plus beaux hommes qu'on puisse voir; sa physionomie intéressante est accompagnée d'un air doux et gracieux. Ses cheveux crépus rappellent la chevelure des Grecs ou des Romains.

« A Brixen, mettant l'ennemi en fuite, il criait : " Rendez-vous, l'armée française me suit; un général républicain ne marche jamais derrière ses soldats. " »

Lettre imprimée, 4 germinal an 5 (24 mars 1797).

13 – THOMAS-ALEXANDRE RÉTORÉ, DIT DUMAS-DAVY, DEVIENT ALEXANDRE DUMAS.

Après l'altercation de 1748, le marquis Alexandre Davy de la Pailleterie a fui avec la négresse Catin, les nègres Rodrigue et Cupidon et est allé vers le sud de Saint-Domingue, s'installant à Jérémie et prenant le pseudonyme de Delisle.

Après un début prometteur, il « donne dans la mauvaise compagnie », vend ses nègres-otages pour acheter à prix d'or une négresse nommée Césette Marie, dont il aura quatre enfants, mulâtres et mulâtresses nommés Dumas, puisque Césette faisait partie « du mas » du marquis : Adolphe, Jeannette et Marie-Rose précèdent Thomas-Alexandre, né le 25 mars 1762.

A Jérémie, « les montagnes sont en quelque sorte amoncelées les unes sur les autres jusqu'à une hauteur d'autant plus importante qu'entre elles et la mer, il n'y a qu'une faible distance ». De nombreuses rivières arrivent sur la côte, dont celle de La Guinaudée. L'air, pur et sain, résonne du joyeux babil de Marie-Rose et de Thomas-Alexandre, « petit couple » charmant : une existence qui donnera au garçon sa robuste santé et sa force herculéenne.

Lorsque Alexandre se fixe à Jérémie, un incendie vient de détruire le bourg et les habitants reconstruisent l'église ; la plupart des maisons sont à un étage, maçonnées, couvertes d'essentes ou de tuiles, à galerie et l'on compte un état-major, une sénéchaussée et une amirauté ; le commerce est important avec les navires venant du Cap et de Port-au-Prince.

Le canton de La Guinaudée tient son nom d'un petit ruisseau de trois lieues de cours que la moindre mer obstrue. Le sable est tellement mouvant qu'il est très dangereux : on ne traverse La Guinaudée qu'en frémissant.

Thomas ramasse les crabes qui ravagent les plantations en prenant la bête par les côtés et en lui arrachant les yeux. Il goûte la banane, l'igname, la patate, le manioc et quelquefois, va se cacher dans une caverne des environs, « d'une immense étendue, divisée en plusieurs compartiments avec des ouvertures sur la mer et l'intérieur ».

Césette décède-t-elle en 1773, comme Charles et Louis Davy ? En tout cas, Alexandre qui s'est tenu aux aguets, a suivi les péripéties familiales et décide de rentrer en France pour mettre sa vengeance à exécution. Il a gâché son existence et se trouve si pauvre qu'il doit vendre ses enfants et Césette pour payer son retour fin 1775 sur le *Trésorier*, espérant pouvoir un jour racheter son préféré, Thomas.

Arrivé en Normandie, il se venge, récupère ses biens, redevient marquis de la Pailleterie et fait effectivement venir Thomas, qui arrive au Havre fin 1776, un an après lui.

On ignore ce qu'a fait Thomas entre 1773 et 1776 : a-t-il fui le capitaine Langlois, son « acheteur » ? A-t-il rejoint une unité armée ? Une chose est sûre : il s'installe aux côtés de son père au château de Bielleville et le suit à Lisieux, à Bernay et à Saint-Germain-en-Laye, où il reçoit une éducation digne d'un fils naturel de marquis.

Établi à Paris – probablement chez l'avocat Castillon, fils du complice de son père –, il commet de coûteuses frasques de jeunesse tout en rencontrant le racisme « ordinaire » : un soir, il s'oppose à un « Américain » qui le prenait pour le *laquais* d'une dame ; sa main de fer expédie le butor dans le décor, mais l'apprentissage est lourd à supporter.

Lorsque son père décide de se marier, les cordons de la bourse se resserrent et Thomas craint d'être supplanté par sa belle-mère : que peut un mulâtre désargenté contre un Blanc ?

Comme son père et ses oncles, l'armée est son recours : il a écouté les récits d'un voisin, ancien tambour-major et après un dernier échec auprès d'Alexandre, Thomas s'engage le 2 juin 1786 dans les dragons de la reine qu'il a pu admirer lors de leur remonte en Normandie.

L'engagement nécessite de prendre un nom de guerre : Thomas prend le prénom de son père et le nom de sa mère, devenant Alexandre Dumas, sans abandonner pour autant ses noms de Rétoré, de Dumas-Davy et de Davy de la Pailleterie.

Alexandre est affecté au 2e escadron commandé par M. de Merger, sous l'autorité du duc de Guiche, maître de camp et franc-maçon comme beaucoup d'autres officiers de cette unité. Le 11 août, perdu parmi les 477 gaillards constituant les cinq escadrons du régiment, il défile à Verdun, devant le comte de Talleyrand.

Il a des camarades de couleur, tel Tutuse de Saint-Domingue et la plupart des dragons sont de son âge : 24 ans ; s'il mesure 1,85 m (cinq pieds, huit pouces, d'après le registre), trois hommes ont la même taille, qui s'amusent à se grouper autour de la « mascotte », un trompette hollandais né au régiment.

Tout le monde remarque l'élégance naturelle d'Alexandre Dumas, gracieux avec « ses cheveux et ses sourcils noirs crépus, ses yeux noirs, son visage ovale et plein, sa bouche petite, sa lèvre épaisse et sa petite verrue à la joue droite, ainsi qu'une grosseur au front du côté gauche ».

Treize jours après l'engagement d'Alexandre, son père meurt et la lutte pour la succession est déclenchée avec Marie Retou, sa belle-mère. Tous deux s'observent, craignant d'être grugés.

Alexandre Dumas demande un congé, redevient Thomas Rétoré et avant d'attaquer se fait reconnaître par des témoins ; le 23 juin, devant un notaire de Saint-Germain-en-Laye, cinq officiers affirment « avoir parfaitement connu le sieur Dumas, qu'il demeurait avec le défunt sieur de la Pailleterie, qui l'a toujours reconnu pour son fils, et l'a élevé et entretenu comme tel, et qu'en cette qualité, il jouissait dans cette ville de l'estime de tous les honnêtes gens, qu'il s'était toujours très bien comporté ». Deux sentences du Châtelet de Paris lui attribuent alors deux billets de 6 000 livres, signés par défunt son père.

Marie Retou contre-attaque en demandant un inventaire des biens qui s'élèvent à 2 809 livres... seulement ! En novembre, elle rencontre le fils d'André Castillon accompagné de Thomas, en permission exceptionnelle. Chacun est tendu, mais « comme les parties désirent faire cesser toutes les discussions », Marie accepte de retirer son appel ; en contrepartie, les billets sont laissés à Thomas qui prend en charge les frais de justice de sa belle-mère et s'engage à défrayer Castillon, afin que la « marquise de la Pailleterie ne soit en aucune manière inquiétée ».

Marie Retou cède donc « tous les droits de propriété sur Marie Césette, négresse, mère de Thomas, et sur Jeannette et Marie-Rose, créoles, ses sœurs, et les enfants de ces dernières ». L'abolition de l'esclavage n'est pas à l'ordre du jour ! Qu'importe, Thomas et Castillon lèvent toute opposition et Thomas se rend à Rouen, afin que l'accord soit ratifié. L'affaire paraît terminée.

Mais Anne Retou, la sœur de Marie, considère que Thomas et Castillon sont de mèche et, en janvier 1787, interroge la cour de comptes de Normandie. Quinze jours plus tard, Marie reçoit d'un agent du comte de Maulde la somme de 4 583 livres, pour arrérages de la rente due au marquis et le lendemain, déclare « renoncer purement et simplement à la communauté de biens entre elle et le feu sieur son mari, comme lui étant plus onéreuse que profitable et jurant n'en avoir rien pris ». Elle mourra en 1799, pauvre, comme sa sœur en 1821...

Le différend est clos et Thomas Rétoré, redevenu Alexandre Dumas, dragon de la reine, participe aux revues de Laon en mai 1788 et février 1789, mène son cheval à l'abreuvoir, dort dans un lit de bois à deux places, prend l'habitude de ranger soigneusement paillasse, matelas, traversin, couvertures et de déposer ses armes au râtelier. Pendant des heures, il s'exerce à l'équitation et à l'escrime avec son ami le chevalier de Saint-Georges – une fine lame –, annonçant ces bretteurs d'exception que seront les mousquetaires Porthos et Athos.

Un point est clair : Thomas-Alexandre Rétoré-Dumas-Davy est parfaitement au courant des aventures de son père et s'il « en a parlé mais en commettant d'étranges omissions » (Alain Decaux), elles constituent néanmoins le terreau de sa personnalité.

14 – UN QUATORZE JUILLET, A VILLERS-COTTERÊTS.

Les événements de juillet 1789 entraînent quelques désordres à Villers-Cotterêts comme ailleurs et les autorités réclament pour calmer les inquiétudes, vingt à vingt-cinq dragons pour assurer la récolte et protéger les marchés. Le ministre de la Guerre envoie un officier et trente hommes montés du régiment de dragons de la reine dont « vingt resteront à Villers-Cotterêts ».

Le 15 août, en fin de matinée, un détachement arrive sur la place du château, où l'on se presse pour contempler les uniformes : housses en drap rouge pour les chevaux, habit vert foncé, revers et parements écarlates, veste blanche, culotte en peau de daim, gilet chamois et casque de cuivre rond à peau tigrée pour les hommes. Tous ont fière allure, mais les spectateurs n'ont d'yeux, selon un témoin, que pour un mulâtre, Alexandre Dumas : « Ce Noir-là eut tous les yeux sur sa personne. »

Le soir, les soldats sont invités à dîner. Claude Labouret, hôtelier de *L'Écu-de-France* et major de la milice bourgeoise, commandant de la garde nationale, invite Dumas. Le jeune mulâtre plaît à ses hôtes et à leur fille, Marie Labouret qui écrit après la soirée : « Mon père a jeté son dévolu sur un homme de couleur. Il est très gentil. Il s'appelle Dumas. Ses camarades disent que ce n'est pas son vrai nom : il serait le fils d'un seigneur de Saint-Domingue ou des environs. Il est aussi grand que le cousin Prévôt, mais de plus belles manières. »

Les relations vont si bien – et si vite – qu'on parle mariage au bout de quatre mois. L'hôtelier semble d'accord pour donner la main de sa fille – « Marie-Louise est fiancée depuis la fête de Saint-Nicolas, et il me tarde de voir se réaliser le mariage » –, mais seulement lorsque le prétendant sera nommé brigadier; dernier scrupule envers un homme de couleur ou attitude consentie par l'intéressé ? Chacun a peut-être besoin de se connaître de manière plus approfondie.

En tout cas, commence « la Geste du général », inspirée après sa disparition par son épouse et pieusement reprise par Dumas père dans ses *Mémoires*. Mais le jeune hussard est un authentique héros : il suffit de lire ses états de service pour se rendre compte de sa haute valeur intrinsèque au plan militaire.

Deux années vont se dérouler avant qu'Alexandre n'obtienne la nomination désirée, en février 1792. Le mariage n'est pourtant pas célébré : Alexandre est soldat et sa carrière commence; il ne peut que suivre les événements.

Dans ses *Mémoires*, Dumas raconte les exploits de son père; il le décrit comme « un des plus beaux jeunes hommes qu'on pût voir. Il avait ce teint bruni, ces yeux marron et veloutés, ce nez droit qui n'appartiennent qu'au mélange de races indiennes et caucasiques. Il avait les dents blanches, les lèvres sympathiques, le cou bien attaché sur de puissantes épaules et malgré sa taille de cinq pieds neuf pouces, une main et un pied de femme ».

Plus loin, il ajoute : « Ce fut au camp de Maulde que mon père trouva la première occasion de se distinguer. » Clin d'œil de l'Histoire, fût-elle familiale ! Car on peut penser que si Dumas s'est illustré d'abord par sa bravoure naturelle, le nom de Maulde a dû agir sur lui comme un électrochoc ; de Maulde ! La victime de son père, celui qui bataille avec Castillon, celui dont il a encore été question fin 1786, chez le notaire, pour mettre fin à leur guerre juridique ! Non, vraiment il est impossible que ce nom n'ait pas suscité une pulsion combative chez Dumas...

Le camp de Maulde est situé dans le Nord, canton de Saint-Amand-les-Eaux – juste à la frontière franco-belge, à quelques kilomètres de Tournai – et le château de La Buissière, propriété des de Maulde est, à vol d'oiseau, situé à une soixantaine de kilomètres. Clin d'œil de l'Histoire.

L'exploit est magnifique ! Envoyé en reconnaissance, le brigadier Dumas, commandant quatre dragons, rencontre une patrouille tyrolienne de treize chasseurs et donne l'ordre de charger ; les Tyroliens reculent dans une petite prairie entourée d'un large fossé ; Dumas, qui monte Joseph, lance ce dernier, franchit le fossé et se retrouve au milieu des treize chasseurs, étourdis d'une pareille audace : ils tendent leurs armes et se rendent. Dumas rassemble les treize carabines en un faisceau qu'il pose sur l'arçon de sa selle et ramène les treize hommes à pied vers ses dragons, repasse le fossé, rentre au camp en produisant une vive sensation. Le général Beurnonville invite Dumas à sa table et ne manque pas de le nommer maréchal des logis.

Après la proclamation, en juillet, de la Patrie en danger par l'Assemblée, Dumas reçoit début septembre un certificat de bonne conduite et le 9, son congé militaire comme maréchal des logis de la compagnie de Pointis, au 6e régiment de dragons.

Le vent de la Révolution continue de souffler : sur le point d'entrer dans les compagnies franches comme lieutenant, Alexandre se retrouve dans les hussards de la liberté et de l'égalité – la Légion Noire. Le 15, il est fait lieutenant-colonel dans la légion franche de cavalerie des Américains et du midi, sous les ordres du colonel Saint-Georges, un régiment qui lui plaît, car il est composé d'hommes de couleur, venus pour la plupart de Bordeaux où avaient débarqué d'anciens esclaves attirés par la sentence du parlement de la ville : « Terre de France ne porte pas esclave. » Les hommes deviennent les hussards américains puis la légion des hommes de couleur.

28 novembre : Dumas quitte Amiens et se rend – enfin – à Villers-Cotterêts pour signer son contrat de mariage ; ses témoins sont militaires et Alexandre a eu l'élégance d'inviter sa belle-mère, Marie Retou ; ainsi se retrouvent la veuve et le fils du marquis de la Pailleterie. Quant aux témoins de la jeune épouse, Marie Labouret, ce sont des parents de la région.

Une communauté de biens est créée, mais Alexandre ne peut décrire les siens « attendu qu'ils sont en Amérique et qu'il n'en a pas eu de nouvelles depuis longtemps, vu les révolutions qui y sont survenues ». La dot de Marie s'élevant à 4 000 livres, Alexandre ajoute la même en douaire préfix et donation réciproque.

L'après-midi, on se rend à la mairie, puis au repas du soir, on raconte des histoires et chacun presse Alexandre de raconter la sienne – « C'est comment, Jérémie ? Que faisait le marquis, là-bas ? » Marie Retou n'est pas en reste et raconte comment son défunt mari a disparu aux Isles, puis est devenu le revenant.

La lune de miel dure dix-sept jours, passés à l'hôtel de l'Écu ; avant de partir, Alexandre se fait remettre par la municipalité une attestation selon laquelle « il a été regardé comme un bon citoyen, ayant montré en toutes circonstances un civisme et un patriotisme non équivoques pour le maintien de la liberté et de l'égalité ». Dumas rejoint son unité à Lille fin décembre et va chercher ses ordres à Paris et retourne sur Amiens faire la liaison avec cent dix hussards du Midi.

Début janvier, il reçoit son billet de route et arrive cinq jours plus tard, alors que le régiment est déjà parti ! C'est à Laon qu'il le rejoint avant de remonter et de s'installer dans un camp devenu familier, le camp de Maulde ! Décidément, l'heure est aux réminiscences.

La tête de Louis XVI tombe le 21 janvier 1793. Le lendemain, la France rompt ses relations avec l'Angleterre avant de lui déclarer la guerre – ainsi qu'à la Hollande et à l'Espagne : 300 000 hommes sont levés pour la défense de la patrie. Début mars, le tribunal révolutionnaire est créé, à l'heure de l'insurrection vendéenne.

18 mars : Dumouriez est battu à Neerwinden; ancien ministre des Affaires étrangères, vainqueur à Valmy, libérateur de la Belgique, triomphateur de Jemmapes, l'homme, dépité, s'oppose à la Convention jusqu'à trahir. Alors que va naître le Comité de Salut Public, Dumouriez fait arrêter les quatre commissaires venus l'interroger et les livre aux Autrichiens.

Dans le même temps, il ordonne au général Maczinski d'attaquer Lille et Cambrai, tout en essayant de s'attacher les hussards du 13e régiment de chasseurs, commandés par Saint-Georges et Dumas, qui refusent. C'est alors une course de vitesse, gagnée par nos braves hussards, dont la rapidité fait échouer l'opération Dumouriez. Maczinski est arrêté, jugé – on apprend au procès que Saint-Georges et Dumas ont rallié Orchies à Lille en « cinq quarts d'heure » lourds de conséquence historique – et décapité, Dumouriez mis hors la loi : il ne lui reste plus qu'à passer à l'ennemi, ce qu'il fait début avril.

15 – LE GÉNÉRAL ALEXANDRE DUMAS : LA VICTOIRE OU LA MORT.

Les événements se précipitent. Sans avoir officiellement reçu son brevet de lieutenant-colonel, Alexandre est nommé, en juillet 1793, général de brigade de l'armée du Nord, puis en septembre, général de division.

Mais cette nomination est contestée car on accuse Dumas d'avoir dénoncé Saint-Georges de prévarication ; malgré ses dénégations, ce dernier est jeté en prison, sans qu'Alexandre, bien entendu, ait participé à la manœuvre politique, car il a pour Saint-Georges une affection quasi filiale.

Joseph Bologne, chevalier de Saint-Georges, est né vers 1742 en Guadeloupe, d'un « grand Blanc », Monsieur de Bologne Saint-Georges et d'une esclave noire, Nanon ; son père est ensuite allé exploiter des plantations de canne à sucre à Saint-Domingue où Joseph a passé quelques années : les deux hommes possèdent donc une origine comparable et des souvenirs communs « du pays », raison de leur amicale complicité, malgré la différence d'âge.

Au vrai, le chevalier de Saint-Georges en impose : gentilhomme de couleur, ancien gendarme de la garde du roi, membre d'une loge maçonnique, *le Contrat Social*, cet homme à la mode est également virtuose en musique et en escrime ; si redoutable qu'il soutient la comparaison avec le chevalier d'Éon ; ses contemporains l'appellent « l'inimitable ». Un exemple pour Dumas.

Dans l'intervalle, ce dernier est devenu commandant en chef de l'armée des Pyrénées Occidentales : illustration des carrières foudroyantes de l'époque ; resté simple soldat pendant six ans, dix-huit mois lui ont suffi pour passer du grade de brigadier à celui de général d'armée.

Alexandre Dumas fête ses trente et un ans à sa façon, son épouse donnant naissance, le 10 septembre 1793, à une petite Alexandrine – le prénom familial ! Après une courte permission de quatre jours, Alexandre repart de Villers-Cotterêts après avoir rédigé son testament. Marie-Louise « est forte ; elle ne pleure qu'après le départ, pensant que tous ses sacrifices doivent profiter au bien de la nation ».

A Bayonne, les représentants locaux s'élèvent contre la nomination de Dumas, le trouvant « trop frais éclos des bureaux du ministre de la Guerre ». Ce n'est pas qu'on en veuille à sa personne, mais on lui préfère un général qui connaît la région et puis on prête des opinions modérées à Alexandre, surnommé Monsieur de l'Humanité par les Sans-culottes. Pourquoi ? Il ferme ses fenêtres les jours où la guillotine, installée devant chez lui, fonctionne, manière de montrer sa réprobation envers les purges et les procédés trop radicaux.

Délibérément, Alexandre provoque une entrevue à l'issue de laquelle le commandement d'une division lui est attribué, en attendant l'avis de la Convention. Mais les attaques reprennent à son encontre et on se plaint auprès du Comité de Salut Public qu'il soit « de la fabrique du conseil exécutif » et d'avoir nommé quatre généraux de division, « les plus inaptes à l'armée ».

Il doit se rendre en Vendée, à une époque où les sinistres barques de Nantes entraînent des noyades par centaines. Alexandre demande des « révolutionnaires et non des intrigants » pour constituer son état-major ; le 7 brumaire an 2, il rejoint son poste, où on le critique de nouveau.

A peine deux mois plus tard, le décret 2001 de la Convention, signé Carnot, Billaud-Varenne et Collot d'Herbois, le nomme général en chef de l'armée des Alpes. Son avenir se concrétise alors qu'à Bordeaux, le comte de Saluces, beau-frère du comte de Maulde, monte à l'échafaud.

En janvier 1794, Alexandre Dumas prend le commandement de sa nouvelle unité et ordonne aussitôt de préparer la grande route menant de Grenoble à Briançon, pour faciliter l'acheminement des convois militaires en bousculant quelque peu l'administration – il ne se fait pas que des amis ; une armée, commandée par Montesquiou, entre en Savoie, construit un pont de bateaux sur l'Isère, permettant aux unités de faire leur jonction ; une fois les troupes passées, le pont est démoli et les bateaux dispersés. Alexandre charge un autre général des travaux... dont les dépenses sont refusées par les autorités civiles !

Tenace, Dumas va jusqu'à la commission des finances de la Convention sans céder, avant de se retrouver au Petit Saint-Bernard et d'adresser au chef d'état-major ce manifeste : « Vive la République. Nos intrépides républicains, sous la conduite du brave Madelaine, se sont emparés aujourd'hui du fameux poste ; le pas de charge a battu ; les obstacles ont cédé à leur valeur, toutes les redoutes ont été enlevées ; l'ennemi a perdu beaucoup de monde, près de deux cents ont été faits prisonniers ; nos braves frères d'armes leur ont enlevé dix-sept pièces de canon, trois obusiers, treize gros fusils et nous n'avons à déplorer qu'une soixantaine de blessés, qui sont autant de héros ; l'un, avec une main emportée, montrait de son bras ensanglanté la redoute qu'il fallait prendre ; l'autre, avec la cuisse cassée, se consolait en disant, ce n'est rien, la victoire est à nous. Chacun, en un mot, a donné des preuves éclatantes de sa valeur et tous ont combattu comme des Français. »

La lecture d'une lettre à l'ordre de l'armée galvanise certains soldats et ce morceau de bravoure y est publié. Les petits détails permettent bien souvent l'accomplissement des grands événements et Alexandre, songeant au prochain engagement, demande à son supérieur « de pourvoir aux subsistances de cette vallée ; je veux établir un magasin sur le Petit Saint-Bernard en moins de quinze jours ; il faut également envoyer de bons chirurgiens ».

C'est un cri de victoire qui clôt la lettre suivante : « La Thuille est prise ; nos troupes occupent les retranchements du prince Thomas ; des magasins immenses sont en notre possession ; plus de cent Piémontais ont mordu la poussière. Notre armée victorieuse est à leur poursuite. »

Son activité est incessante et Rougier, commandant en premier à Besançon, en témoigne : « Dumas est infatigable ; il est presque en même temps sur tous les points de son armée ; partout où il se montre, les esclaves sont battus. Il a rossé les Italiens. La victoire ou la mort est son but. »

On cite cet acte de bravoure : par une nuit sans lune, pour enlever une position gênante tenue par l'ennemi, Dumas et trois cents soldats gravissent la rampe « à la muette » ; parvenus épuisés à la palissade, Dumas trouve la force d'agripper chacun de ses hommes pour les jeter par-dessus la palissade ! Grâce à lui, 1 700 hommes et 30 canons sont pris.

Dumas connaît les moyens d'obtenir des renseignements et affirme aux représentants du peuple que pour entretenir le service de l'espionnage, il est souvent indispensable de satisfaire la cupidité des espions avec du numéraire. Comme il n'est pas suivi, il se tourne directement vers le Comité de Salut Public où Carnot lui donne raison en faisant débloquer les fonds nécessaires.

16 – SE RALLIER AVEC SES FRÈRES D'ARMES...

Juin 1794 : le général Dumas est convoqué devant le Comité de Salut Public de Paris pour s'expliquer ; il aurait fait démolir une guillotine à Saint-Maurice, « empêchant » quatre malheureux de perdre la vie ! Il n'est que blâmé, mais ces premières difficultés politiques lui donnent envie de quitter l'armée : il est fait pour la bataille, non pour les conciliabules, à l'heure où la guillotine fonctionne à plein, éliminant officiers de cavalerie et de dragons.

Ce n'était qu'une alerte puisque le 15 thermidor, il prend le commandement de l'école du Champ de Mars, au camp des Sablons, où 4 000 jeunes, habillés à la romaine, accompagneront, un mois plus tard, Marat au Panthéon.

A peine la ligne est-elle inscrite sur ses états de service que Dumas est employé à l'armée de Sambre-et-Meuse pour deux mois et demi. Pourtant, le 14 octobre 1794, il est à Fontenay-le-Peuple – ex-Fontenay-le-Comte – comme général en chef de l'armée de l'Ouest d'où il écrit à la commission de l'organisation des armées de terre : « J'ai pris des mesures avec les représentants du peuple pour régénérer l'esprit de cette armée dont l'immoralité et l'indiscipline sont les plus grands fléaux. »

Dix jours passent et le voilà commandant en chef de l'armée des côtes de Brest, avec quartier général à Rennes ; il n'y restera que deux semaines, pendant lesquelles il demande aux chefs de corps de lui faire connaître les actes de bravoure, afin que leurs auteurs soient décorés par la Convention.

Il vérifie également l'artillerie et donne des instructions pour que les armes défectueuses soient réparées dans les meilleurs délais afin d'armer les bataillons. Partout, il se révèle bon organisateur, prévoyant l'avenir mais capable de réprimer s'il le faut ; à la suite de troubles, il demande à un général de faire faire des patrouilles fréquentes pour assurer par « tous les moyens militaires, aux patriotes, la tranquillité et la vie ».

Mais il sait également insuffler l'esprit républicain aux citoyens : « Il est des moyens qui dépendent de vous, ce sont les encouragements aux communes républicaines à se défendre avec vigueur, à dénoncer les rassemblements et à créer un esprit public vigoureux ; c'est par ces efforts réunis que nous pourrons détruire les projets de tous les ennemis de la République. »

En novembre 1794, Dumas est de retour au pays, officiellement pour raison de santé ; le 23 pluviôse an 3, le Comité de Salut Public décide qu'il restera chez lui en convalescence. Disgrâce ? Dumas reste huit mois chez lui à attendre.

Le 13 vendémiaire an 4 (octobre 1795), la Convention lui demande de venir à Paris ; plein d'espoir, Dumas prend le poste mais deux accidents retardent la voiture qui n'arrive que le lendemain. Le journal du maître de la poste aux chevaux a beau prouver qu'ils ont eu lieu à Lévignen et à Gonesse, hélas, le vent de l'Histoire a soufflé et Bonaparte, devant les sections révoltées, a anéanti la mutinerie, devenant général en chef de l'armée de l'Intérieur. Dumas rend sa « berline de couleur café, les baguettes de la ceinture en blanc... la caisse et le train ayant besoin de visites et réparations ». Il vient de manquer le train de l'Histoire. Qui sait quel aurait été l'avenir de la France, voire de l'Europe s'il était arrivé à temps ?

Certes, il ne manque pas de se « rallier avec ses frères d'armes autour de la Convention Nationale pour la défendre contre l'attaque des rebelles qui ont mis bas les armes » et reçoit un mois après une attestation, signée par « Buonaparte ». Mais en novembre 1795, il expose au ministre qu'il ignore les motifs de l'arrêté qui l'a retenu dans ses foyers ; il est persuadé qu'« on » a essayé de l'écarter, prétextant de ses réels soucis de santé; il regrette que cela « l'ait empêché de faire à la Convention un bouclier de son corps » et demande un emploi.

Deux jours plus tôt, on l'a désigné pour aller dans les Ardennes comme commissaire chargé d'annoncer au pays de Bouillon sa réunion à la République – et accessoirement d'entraver la vente frauduleuse des biens nationaux.

Sa carrière est néanmoins stoppée; il est certes remis en état de servir, mais plus comme général d'armée : comme général de division. Plus jamais – malgré quelques grands faits d'armes – il ne retrouvera son grade antérieur.

A Sedan, il lui semble être la « doublure » d'un représentant national, interroge le ministre et, dépité, écrit : « Tant que j'ai cru pouvoir être utile à mon pays, j'ai désiré être en activité de service; aujourd'hui qu'il ne me reste plus de doute sur l'impossibilité d'obtenir le but que je m'étais proposé et qu'une excroissance de chair placée au-dessus de mon œil gauche absorbe mes idées au point d'en troubler la netteté et la justesse, je donne ma démission du grade de général de division. »

L'acte est grave. Est-il la conséquence d'une dépression ? Sa santé est-elle un prétexte ? Son excroissance, conséquence d'une touche lors d'un de ses premiers duels, existait lorsqu'il s'est engagé – le rôle régimentaire en témoigne – mais a-t-elle grossi ? Il l'affirme : « Toutes mes idées se confondent au point de ne pouvoir en résoudre aucune. »

Il se tourne vers le ministre, évoquant son origine : « Étant père de famille et n'ayant aucune fortune en France, j'éprouve le sort de ceux qui ont été brûlés et ont tout perdu, ce qui est mon cas puisque les Anglais sont chez moi à Jérémie. »

Le ministre comprend qu'il ne faut pas laisser partir un tel soldat et lui propose de se faire soigner à Paris par un spécialiste. Il y a plus qu'un simple vague à l'âme attribué aux natifs des Îles et il est temps d'intervenir, car « les douleurs que me fait ressentir ma loupe deviennent de plus en plus insupportables ; bientôt je ne pourrai plus mettre de chapeau ».

Mais l'administration est lente : on le nomme dans le Haut-Rhin, puis dans le Palatinat, en décembre 1795, afin de prendre secrètement les mesures permettant de réaliser un coup de main sur la ligne du Rhin. Son caractère dépressif est atténué par une lettre reçue de Marie-Louise : « Mon bon Ami, la poste militaire te portera ce billet qui t'apportera nos plus tendres amitiés et qui te dira que le terme approche et que je veux t'avoir là à ce moment. »

L'armistice intervient et c'est dans l'épuisement le plus total qu'il est mis en congé en février 1796. On l'opère et deux mois plus tard, Alexandre Dumas a hâte d'aller partager les lauriers de ses frères d'armes, même s'il aimerait passer un peu de temps auprès de sa petite Alexandrine, qui vient de naître. En prairial an 4, sans affectation, il rappelle au Directoire Exécutif la promesse de Carnot de lui donner un poste après sa guérison : « Il met son courage et son zèle, connus de tous, à la disposition du pays pour voler aux champs de gloire. »

On l'emploie à l'Armée des Alpes en juin 1796, mais il lui faut un certificat de naissance, que lui délivre le juge de paix de la place Vendôme : « Le citoyen Thomas Alexandre Dumas, général de division logé à Paris, 2, rue Thiron, nous a dit être né à Jérémie, à Saint-Domingue, le 25 mars 1762, fils naturel du citoyen Alexandre Antoine Davy de la Pailleterie, ancien commissaire extraordinaire de l'artillerie, et de Marie Césette Dumas, mais il lui est impossible de se procurer son acte de naissance, la commune de Jérémie étant depuis près de trois ans en possession des Anglais. Cet acte y supplée. »

Dans l'île, les commissaires de la Convention sont entrés en conflit avec les planteurs, ont appelé les esclaves, pendant que les Blancs ralliaient Anglais et Espagnols : en novembre 1793, Jérémie a été prise par les Anglais et nul contact n'est possible.

Alexandre sollicite sa belle-mère, Marie Retou, veuve de la Pailleterie, pour un témoignage complémentaire ; elle déclare : « Le citoyen Davy de la Pailleterie, mon mari, m'a dit plusieurs fois que le citoyen Dumas était son fils naturel, qu'il l'avait eu à Jérémie de Marie Césette Dumas ; mon mari payait toutes les dépenses nécessaires à son éducation depuis l'arrivée de Dumas en France, c'est-à-dire depuis environ vingt ans, jusqu'à sa propre mort, survenue en 1786. »

Des témoins, députés au Corps Législatif et habitant Saint-Domingue, confirment : ces papiers régularisent l'affaire d'Alexandre qui se rend au quartier général de l'Armée des Alpes, à Saint-Jean-de-Maurienne, où il retrouve Kellermann.

Ce dernier, jaloux du comportement de Dumas envers Dumouriez, trois ans auparavant, l'accuse d'être un *dénonciateur*. Dumas se rebiffe : « Ma loyauté et ma franchise me font un devoir de ne jamais dénoncer personne qu'à ma propre conscience. Les ennemis de la république trouvent des protecteurs dans presque toutes les autorités de ce canton. Hier encore, une de mes patrouilles a arrêté six déserteurs Piémontais et émigrés : deux heures après, ils étaient évadés. »

Problème de pays frontalier, sujet au passage de réfractaires et d'émigrés, mais Kellermann en tire prétexte pour opposer Alexandre à son prédécesseur, affirmant que Dumas « a cru trop légèrement quelques amateurs du régime triumviral dont les menées sont connues ».

Dumas contre-attaque à propos d'un incident arrivé à Saint-Pierre d'Albigny : 150 hommes en garnison ne devraient obéir qu'à l'administration du canton : « Suis-je dans l'armée que vous commandez ou ne le suis-je que pour la forme ? Je transmettrai les procès-verbaux de cette affaire au Directoire. »

Il s'agit en fait d'un problème d'escorte et de réquisitionnaires, les gardes de Chambéry étant venus pour ramener le calme. Kellermann en reste là, d'ailleurs Alexandre passe à l'Armée d'Italie et arrive à Milan en octobre 1796, accompagné de son aide de camp, Dermoncourt.

Ce grenadier a participé à la prise de la Bastille, servi en Martinique et à Saint-Domingue, rejoint Philadelphie avant d'être capturé par des corsaires bermudiens. Alexandre l'a recruté en avril et une solide amitié les lie dorénavant.

Le 19 avril 1796, Dumas est devant Mantoue assiégée par le général Kilmaine, en butte aux attaques de Wurmser. Kilmaine délègue son commandement pendant douze jours à Dumas, qui les met à profit pour étudier la détresse extrême des soldats.

Le chef de l'état-major de Vérone accorde à Dumas, le 1er nivôse an 5 (21 décembre 1796), « 30 livres par jour pour votre table, dépenses d'espion et autres faits extraordinaires; vous aurez seul le droit d'envoyer des courriers lorsque les circonstances l'exigeront ».

En fin d'année, à Mantoue, Dumas témoigne de ses qualités dans la recherche du renseignement; son rapport à Bonaparte, couvert de gloire à Arcole, est clair : « J'ai donné l'ordre d'user de la plus grande surveillance aux avant-postes et, cette nuit, on a arrêté trois hommes qui voulaient pénétrer dans Mantoue. Je les ai interrogés, m'attachant particulièrement à l'un d'eux, lui disant que j'étais sûr qu'il avait avalé les dépêches dont il était porteur et le menaçant de le faire fusiller s'il persistait à nier. Il avoua et finit par " accoucher " de la lettre que je vous envoie. » Certains rapporteront qu'il a fait mettre l'homme à nu, devant les bouchers du camp, mains, tabliers et coutelas pleins de sang, afin de le faire avouer.

Quoi qu'il en soit, une fois le renseignement récupéré – le petit étui de cire à cacheter contenait l'itinéraire de marche des secours et l'énumération des secours apportés à l'ennemi –, Dumas demande s'il faut exécuter l'homme : ce n'est pas sa vocation.

Si Bonaparte est satisfait du rapport de Dumas, il ne lui donne pas pour autant de réponse, mais on l'envoie auprès de

Masséna qui lui ordonne, un soir, de se poster avec deux pièces d'artillerie, toute la cavalerie et cent dragons vers les positions de l'ennemi afin d'être prêt à l'attaquer avec succès.

Dumas rassemble 15 000 hommes et l'élite de sa division, agit avec courage ; c'est d'ailleurs tout le commandement qui va témoigner que « Dumas s'est donné toutes les peines possibles pour assurer le service ; il passait des trois à quatre nuits consécutives à visiter les avant-postes et ne se donnait aucun repos ». De fait, Dumas tient une position-clé au village de Saint-Antoine, à cheval, au milieu de ses soldats, lorsqu'un boulet vient éclater tout près de lui : il disparaît sous la poussière, enseveli avec son cheval, avant de surgir de terre, méconnaissable, mais vivant et brandissant son sabre. Wurmser recule et Mantoue capitule.

Le futur général baron Thiébault trace ce portrait de Dumas à l'époque : « Sous les ordres de Masséna, se trouvait un autre général de division nommé Dumas, mulâtre, fort loin d'être sans moyens et de plus un des hommes les plus braves, les plus forts, les plus agiles que j'aie vus. On citait de lui vingt traits de vaillance chevaleresque et de force athlétique. Mais il n'était pas fait pour être général ; dès le consulat, sa couleur fit ce que son peu de capacité devait faire ; je m'étais attaché à lui à cause de la bonté et de la distinction avec lesquelles il me traita. Il est le seul homme de couleur à qui j'aie pardonné sa peau. » Encore le racisme ordinaire !

Accentué, puisque l'ordre du jour établi par Bonaparte au lendemain de la victoire mentionne tous les généraux... sauf Dumas. Le « coup » vient de Berthier, qui exploite l'antipathie de Bonaparte envers Dumas. Les hommes de la division, indignés, protestent par écrit en nivôse en l'an 5 (janvier 1797), attestant « que le général Dumas a perdu un cheval tué sous lui et un autre enterré d'un boulet ». Quant à Dumas, il dénonce le « Jean-Foutre » à Bonaparte, en vain.

De plus, Dumas se languit de ne pas recevoir de lettre de sa femme ; une parvient vingt jours plus tard en annonçant, hélas, la mort de sa petite Louise, en février 1797, « une nouvelle qui lui ôte la moitié de (son) existence ».

Seule la bataille apaise « le grand diable noir », comme le surnomment les Autrichiens. Alexandre se distingue à Brixen, au Tyrol, en germinal an 5 (février 1797) ; « l'ennemi allant s'emparer du pont, Dumas s'y plaça en travers avec son cheval, barra le passage, contint l'ennemi en tuant trois hommes et blessant plusieurs autres, tout en recevant trois blessures graves, mais donnant aux siens le temps de le rejoindre, de sauver le pont et de mettre l'ennemi en fuite ».

Tel est le rapport officiel qui circule, avant un imprimé vantant le héros qui, « suivant l'immortel Bonaparte », a attaqué avec vingt dragons la cavalerie autrichienne, au pont de Clausen, dont les planches sont disjointes ; une fusillade s'ensuit avec l'ennemi, requinqué. Trois balles atteignent le cheval de Dumas, qui en pousse le cadavre sur le pont et se retire sur un tertre, où il trouve des armes laissées par l'ennemi ; à l'abri, Dumas fait mouche : plus de vingt-cinq Autrichiens succombent et une centaine de prisonniers sont arrêtés, lorsque arrivent les secours ; après avoir bataillé, à jeun, de six heures du matin à quatre heures de l'après-midi, Dumas s'effondre, épuisé.

Dans son rapport, il énumère les villages pris : Segonzano, Cimbra, Coran, Altrivo, Castello, Cavaleze, Tesaro, Bolgiano et Brixen, « moi-même, à la tête du 5e régiment de dragons, je coupai la figure au commandant et le cou à un cavalier ; dans plusieurs charges, j'ai été frappé ; j'eus mon cheval tué sous moi, j'ai perdu mes équipages et mes pistolets ». Il est vraiment le « Schwarz Teufel » des Autrichiens.

Il n'est pas dupe, écrivant à son épouse : « Il fallait ces victoires pour un peu dissimuler le chagrin cuisant sur la perte irréparable que j'ai faite de mon infortunée Louise, enfant chérie et adorée. »

Joubert le couvre d'éloges – demandant un sabre d'honneur – et Berthier finit par lui laisser le commandement de toutes les troupes à cheval des divisions du Tyrol. Enfin, Bonaparte le reçoit et, lui prenant le bras, s'écrie : « Salut à l'Horatius Coclès du Tyrol. »

A Trévise, il doit empêcher les habitants de faire de l'eau ; la mission remplie, il obtient le Trévisan, les 8e et 14e de dragons grossissant ses effectifs. Son but : isoler Venise de la terre ferme.

Mais les soldats d'Italie apprennent qu'« hélas, leur mère commune est déchirée par les monstres qu'elle avait rejetés, que le royalisme a relevé une tête audacieuse » ; il faut tourner le fer contre ces hommes « avides de sang ». En juillet, au quartier général de Rovigo, 1 472 hussards et dragons signent leur soumission au Directoire, « depuis le chef qui commande l'armée d'Italie jusqu'au plus jeune s'engageant à défendre jusqu'au dernier soupir la Constitution de l'an 3 ».

Tout va vite; après le coup d'État du 4 septembre, Alexandre se soumet au Directoire : « Vous avez sauvé la République et les républicains, nous avez préservés de la guerre civile et conservé le dépôt sacré de la Constitution. »

18 octobre 1797 : Bonaparte signe le traité de Campo formio et rentre à Paris; Dumas revient pour Noël à Villers-Cotterêts, où l'attendent des problèmes domestiques : le commerce n'est plus florissant et son beau-père ferme son hôtel ; Alexandre va participer à l'effort financier, en vendant cinq de ses six chevaux – le blanc, le gris et trois hongres – pour la somme de 980 livres.

En avril suivant, le beau-père loue pour toute la famille une maison et ses dépendances, rue de Lormelet, pour la lourde somme de 300 livres annuelles, qui nécessite la vente d'autres biens, le matériel de l'hôtellerie, les lits à baldaquin ou des petits tableaux : 1 340 francs sont récoltés.

Prudent, Alexandre donne sa procuration à la citoyenne Dumas, lorsque arrive sa nomination en tant que « général commandant la cavalerie d'Orient », l'armée que Bonaparte a décidé d'envoyer en Égypte. A la fin du mois, Alexandre quitte Villers-Cotterêts et atteint Toulon le 4 mai 1798.

17 – LES SABLES, LES COMBATS, LA CAPTIVITÉ.

Pourquoi l'Égypte ? D'une part, Bonaparte est fasciné par Alexandre le Grand, d'autre part en 1798, la Révolution s'essouffle et, pour survivre, doit « s'exporter à l'étranger », faisant ainsi resurgir un rêve millénaire : réconcilier les peuples d'Orient et d'Occident.

A défaut de conquérir l'Angleterre, Bonaparte veut l'Égypte pour attaquer la puissance anglaise dans les Indes. Que les plus braves – outre les savants qui vont créer « l'égyptologie » – le suivent ! Dernière raison, non la moindre : le Directoire voit là une excellente occasion de se débarrasser d'un général encombrant.

A Toulon, où est rassemblée la flotte, Bonaparte et Joséphine reçoivent Dumas dans leur chambre : les rapports sont apparemment au beau fixe.

Bonaparte embarque sur *L'Orient*, Dumas et Dermoncourt sur le *Guillaume Tell*. Malte est prise sans coup férir et le 30 prairial, Alexandre écrit une courte lettre pour dire que son domestique s'est noyé – il était ivre – et qu'il a souffert de cet accident. On reprend la mer, déjouant les escadres anglaises, pour débarquer fin juin, avec un objectif : Alexandrie. Mission remplie, sans difficulté sinon une blessure à la tête de Kléber, devenu l'ami de Dumas. Ensemble, ils parlent chevaux, ensemble, ils sont appréciés par Bonaparte pour leur intrépidité.

Passée l'euphorie des premières victoires, les soldats perdent courage et souffrent d'une faim seulement assouvie lorsque des vivres frais arrivent, en juillet. Alors on festoie et avec le soleil, les esprits s'échauffent. Sous la tente dressée à Rhamanieh – certains disent Damanhour –, Alexandre invite quelques amis de l'état-major (dont Kléber), qui discutent des buts de l'expédition. Ils craignent un nouveau César, des critiques sont émises... que des oreilles mal intentionnées rapportent à Bonaparte. Ce dernier confiera au médecin en chef de l'armée : « Je sus que Dumas s'était mis en avant, que Murat et Lannes en étaient aussi. »

Certes, tout le monde a souffert de la faim, de la soif ou des mirages, mais c'est Dumas qui est mis en cause ; est-ce son caractère créole qui le pousse ? Il semble qu'il ait avancé : « Le secret qui règne sur un projet aussi gigantesque doit donner à réfléchir ; il est plus question, ici, de déportation que d'expédition. »

Il en a trop dit. Bonaparte le convoque, lui reproche de démoraliser l'armée en tenant des propos séditieux et le menace : « Général, prenez garde, vos cinq pieds six pouces ne vous empêcheraient pas d'être fusillé dans deux heures. » A quoi Dumas répond : « Je crois que la fortune d'une nation ne doit pas être soumise à celle d'un individu. » Certains avancent qu'en fait Bonaparte a convoqué ses opposants (dénoncés par Lannes) à un dîner, à l'issue duquel il les a sermonnés. Quoi qu'il en soit, ses paroles accusent Dumas, qui a brûlé ses vaisseaux et va le payer cher.

Le 21 juillet, c'est la victoire des Pyramides, qui n'emporte pas l'enthousiasme : « L'horrible ville du Caire est habitée d'une canaille paresseuse. Nous sommes tous logés dans des maisons fort vilaines. Les troupes ne sont ni payées ni nourries. » Dermoncourt observe Alexandre aussitôt après et l'entend dire qu'il veut démissionner pour rentrer en France !

Un général démoralisé n'est guère utile, mais qui a semé la graine du doute dans l'esprit d'Alexandre, sinon Bonaparte lui-même en parlant du « nègre Dumas » ? Ce dernier est fort et agile mais suscite la jalousie.

Et les occasions sont nombreuses ! Après la défaite navale d'Aboukir, il y a eu la révolte du Caire, où l'on a vu le géant nègre, « revenant de poursuivre les Arabes, faire un grand carnage des rebelles en entrant dans la ville, couper la tête d'un chef séditieux » et pénétrer le premier dans la mosquée, réduisant la jacquerie de cette manière inattendue ; les Arabes, face contre terre, l'auraient appelé : « *L'Ange ! L'Ange ! Pardon ! Pardon !* » Le lendemain, Bonaparte aurait salué Dumas d'un : « Bonjour Hercule, c'est toi qui as terrassé l'hydre. »

Certains affirment que Dumas a pénétré à cheval dans la mosquée et que Bonaparte, voulant magnifier l'action, aurait demandé à Girodet-Trioson de la peindre. Mais son ire envers Dumas est telle que c'est finalement un hussard blond que l'on peindra !

L'action d'éclat passée, le moral retombe ; Alexandre ressent les cicatrices de son opération et se languit à nouveau, malgré Dermoncourt, qui l'encourage. Déterminé à rentrer en France, il écrit à sa femme : « Je me suis décidé à partir » et d'ailleurs Bonaparte donne son accord, sans doute pour s'en débarrasser.

Pourtant, juste avant de quitter Le Caire, Dumas trouve un trésor de près de deux millions, qu'il envoie à Bonaparte avec ce mot : « Citoyen général, le léopard ne change pas de peau, l'honnête homme ne change pas de conscience. Si je suis tué ou si je meurs ici de tristesse, souvenez-vous que je suis pauvre et que je laisse en France une femme et un enfant. »

Alexandre troque ses biens contre du moka et des chevaux, frète une felouque, *La Belle Maltaise*, et lève l'ancre le 3 mars 1799, accompagné par plusieurs soldats et savants – dont le général Manscourt et le minéralogiste Dolomieu, munis du congé de Bonaparte.

Pendant la traversée, une tempête survient, le bateau fait eau de toute part, dérive et accoste à Tarente, en Calabre. Les passagers se croient sauvés, mais ils sont faits prisonniers car Naples a repris les hostilités contre la France : on les jette en prison.

Les geôliers s'acharnent sur Alexandre Dumas : on lui vole ses effets et par deux fois, on lui fait absorber du poison, dont les conséquences sont avivées par le manque de moral et les suites de son opération ; il se retrouve « estropié de la jambe droite, sourd de l'oreille droite et paralysé de la joue gauche, l'œil droit presque perdu, avec de violents maux de tête et de continuels bourdonnements ». Deux ans de tortures...

18 – LIBRE, MAIS SI FRAGILE !

Les amis de Dumas se sont émus de sa longue captivité : le général Jourdan demande au ministre s'il connaît le sort du malheureux héros d'Égypte, se faisant le porte-parole de Marie Labouret, qui rappelle que c'est d'abord en raison de sa santé défaillante que son mari a demandé à quitter le pays.

Aucune réponse. Marie écrit à Bernadotte, précisant qu'elle a reçu une lettre de son mari – mal en point à Messine – annonçant sa prochaine libération. Réponse : on n'est au courant de rien, alors que la femme du général Barthélémy affirme que le général Dumas vient d'être rendu à la République. Le mutisme officiel est lourd de sens.

L'armistice de Foligno permet enfin aux prisonniers d'être transférés par mer à Ancône puis d'être libérés le 4 avril 1801, après vingt-cinq mois de détention. Dumas, qui a été échangé contre le fameux général Mack – ce qui témoigne de sa valeur – fait aussitôt une relation à ses supérieurs : « Je dois vous apprendre que nous étions 94 prisonniers français, dont 60 aveugles ou estropiés que le roi de Naples a eu l'inhumanité de garder deux ans dans les fers et dont le général Murat vient d'ordonner l'évacuation à l'hôtel des Invalides. Quelque valétudinaire que m'ait laissé ce séjour, au premier appel, je trouverai assez de force pour voler au secours de la patrie. »

Voilà bien le valeureux général Dumas ! Enthousiasme intact, il apprend en vrac la victoire d'Aboukir, le retour de Bonaparte en France, le coup d'État du 18 brumaire, le plébiscite sur la Constitution, la seconde campagne d'Italie et la victoire de Marengo, la mort de Kléber, chapelet d'événements qui constitue le fil de l'Histoire. Au plan personnel, il doit ajouter le décès de Marie Retou, sa belle-mère, décédée le 20 mars 1799 à Saint-Germain-en-Laye.

Quelques jours avant sa libération, le Premier Consul l'a tout de même inscrit dans « le grade de général de division pour faire partie de l'état-major de l'armée, à compter du 3 septembre 1793 », donc avec effet rétroactif.

A Florence, Alexandre a été chargé d'évacuer tous « les affligés revenant de l'armée d'Égypte », bien qu'ayant l'esprit à Villers-Cotterêts : il demande que son beau-père achète « du vin de première qualité, car il y a longtemps que je suis privé d'en boire ». Il tient essentiellement à effacer de ses souvenirs « les vols que m'a faits le roi de Naples et toutes les infamies qu'il a exercées contre moi, dont les détails feront frémir ». Il est soucieux de sa santé et de l'éducation de son enfant.

Dumas arrive à Villers-Cotterêts le 1er mai 1801, après un court séjour à l'hôtel de Mirabeau, rue du Helder : trois années se sont écoulées depuis le départ pour l'Égypte. Arrivant sans un sou vaillant, il établit une demande de solde, le roi de Naples ayant annoncé qu'il allait payer une indemnité aux anciens prisonniers de guerre français ; mais le Premier Consul, qui a vu disparaître Hoche, Joubert et Kléber, sera-t-il favorable ? Les absents – même valeureux prisonniers – ont toujours tort.

Une première réponse favorable est annulée peu après, « car on s'est écarté des dispositions prises par le Premier

Consul, portant textuellement qu'il ne peut vous être alloué que deux mois de solde ». Alexandre conteste, d'autant que deux collègues ont obtenu plein traitement pour la période de détention : on mesure la discrimination faite à l'homme de couleur.

Bien que le gouvernement décide d'accorder ce qui revient selon la loi comme prisonnier de guerre, on n'accorde même pas la Légion d'Honneur à Dumas, seulement nommé par Bonaparte chef de l'armée de réserve, commandée par Brune et où il est maintenu au même titre que Augereau, Bernadotte, Davout, Grouchy, Jourdan, Kellermann et Lannes.

Alexandre Dumas demande à Berthier de mettre sous les yeux du Premier Consul ses états de service, mais l'intéressé fait seulement suivre ; Alexandre, déçu, contacte Davout qui opère comme Berthier, « se faisant un devoir d'agir ainsi envers ses camarades, surtout à l'égard de ceux qu'il a connus sous des rapports estimables ». La langue de bois ne date pas d'aujourd'hui.

Il ne se résigne pourtant pas : en juin 1802, sur son papier à en-tête, il fait savoir à Bonaparte que « depuis quatre mois, son indisposition continuelle l'a empêché d'aller à Paris présenter ses hommages, mais qu'il est prêt à rendre service et sollicite son classement sur la liste des officiers de l'an 11 ».

Dumas est dans son droit, mais il indispose à réclamer ; il gêne ; et à quoi sert un soldat continuellement indisponible ? La réponse du Premier Consul, cinglante, arrive sous la forme d'un arrêté du 26 fructidor an 10. « Article premier : le général de division Alexandre Dumas est admis à prendre son traitement de réforme. Article deux : il cessera d'être porté sur le tableau des généraux de division de la République. Article 3 : le ministre de la Guerre est chargé d'exécuter cet arrêté. »

Ainsi finit la carrière d'un brave ! Alexandre s'insurge : « Mais, général Premier Consul, vous connaissez les malheurs que je viens d'éprouver. J'espère que vous ne permettrez pas que l'homme qui partagea vos travaux et vos périls languisse au-dessous de la mendicité. J'éprouve un autre chagrin : je suis porté au nombre des généraux en non-activité. Et quoi, je suis, avec mon âge et avec mon nom, frappé d'une espèce de réforme ! Je suis le plus ancien général de mon grade ; j'ai pour moi des faits d'armes qui ont puissamment influé sur les événements ; j'ai toujours conduit à la victoire les défenseurs de la patrie. J'en appelle à votre cœur. »

Hélas ! Dumas le dit : « Je suis passé par tous les grades militaires après les avoir tous gagnés à la pointe de l'épée, sans que l'intrigue y ait aucune part. » Le régime s'installe et dorénavant, il faut être diplomate, alors que Dumas est d'un caractère entier.

Survient, dit-on, une proposition politique de Bonaparte : Dumas veut-il commander l'expédition contre Saint-Domingue ? Mais c'est aller mettre à feu et à sang sa terre natale, le pays où repose sa mère, où vivent ses frères et sœur, sans doute aussi des parents, dont il garde enfin tant de souvenirs émus pour y avoir vécu ses treize premières années ?

Ce n'est tout de même pas lui, Alexandre, qui va éteindre la lumière de la liberté qui scintille dans un pays où se trouvent Jérémie et Monte-Cristo ! Dumas refuse fièrement et Bonaparte envoie son propre beau-frère, le général Leclerc. Dumas n'a plus d'avenir.

Résigné, sa carrière terminée alors que celle de Bonaparte est en plein développement, Dumas se résigne à finir sa vie à Villers-Cotterêts, sans champ de bataille, sans chevaux fougueux à mener, sans soldats derrière lui. La bravoure n'a pas suffi. A Villers-Cotterêts, on lui donne du « Monsieur », il n'est donc plus soldat et n'a plus qu'à mourir.

Mais non, cela n'est pas possible ! Il a, depuis le 5 thermidor an 10 (24 juillet 1802), un petit Alexandre – le prénom de la famille depuis des générations –, baptisé le 30 août dans l'église, tout juste rouverte de Villers-Cotterêts.

Pour annoncer la nouvelle à Brune, son meilleur ami, il prend son papier à lettre à en-tête d'« Alexandre Dumas, général de division » et lui écrit « du quartier général de Villers : Je m'empresse de t'annoncer l'heureux accouchement de mon épouse d'un gros garçon qui pèse dix livres et demie et a dix-huit pouces trois lignes de long – cinquante centimètres –; tu vois, j'espère que si cet enfant n'a pas d'accident, il ne sera pas pygmée à vingt-cinq ans. Ce n'est pas tout, il faut que tu me prouves être mon ami en étant le parrain avec ma fille. L'affaire ne presse pas, ce sera pour les vacances ».

Mais Brune ne viendra pas ; il ne veut pas déplaire à Bonaparte ; aussi envoie-t-il une procuration avec les dragées : c'est le grand-père Labouret qui tiendra le nouvel Alexandre, petit-fils d'un Viking errant et d'une esclave, « dont le quart de sang noir n'était révélé que par les cheveux crépus », sur les fonts baptismaux.

Ce jour-là, Marie Labouret est brusquement inquiète : si elle reste seule un jour, que dira-t-on du sang noir des Dumas ? Et l'adorable enfant frisotté qui gazouille est-il réellement un marquis ? Son mari, bien sûr, lui a tout raconté, mais l'histoire est tellement folle ! Un jour, le petit Alexandre saura, lui aussi, raconter de belles histoires...

19 – LE GÉNÉRAL MONTE AU CIEL.

Une année passe. Le général Dumas sent sa santé décliner ; pensant à ses enfants, il relance le Premier Consul pour obtenir une pension, en septembre 1803 : « La misère et le chagrin dévorent ma vie. Le seul motif qui m'éloigne du désespoir est de penser que j'ai servi sous vos ordres et que souvent vous m'avez donné des marques de bienveillance et d'estime ; tôt ou tard, j'espère que vous daignerez adoucir mon sort. Je vous supplie de me faire payer mes appointements arriérés de ma captivité de Sicile, soit 28 500 francs. »

Mais Bonaparte reste inflexible ; Brune, Murat, Augereau, Lannes et Jourdan, interviendront en vain ; pour lui, toujours pas de légion d'honneur ni de pension ; le Premier Consul, réélu pour dix ans, va devenir empereur ; que lui importe le sort d'un nègre qui l'a bravé à un moment-clé de son destin ? Le général Dumas, à quarante et un ans, malade, est bien un homme fini.

Coïncidence symbolique, témoignant du racisme « ordinaire » : Bonaparte qui a fait assassiner 15 000 janissaires égyptiens et prévu la réduction des peuples de Saint-Domingue, emprisonne un autre homme de couleur, qui s'éteint au fort de Joux, le fameux Toussaint Louverture, « esclave et libérateur, le premier des Noirs », qui avait osé s'adresser directement « au premier des Blancs ».

Alexandre Dumas, « modèle achevé de l'homme de guerre antique », s'installe avec sa famille au château des Fossés, où la vie s'écoule en compagnie « d'un gros chien noir, Truff, de Pierre le jardinier et d'Hippolyte, valet de chambre nègre ». Sa santé décline ; il se sent mal partout et à nouveau consulte Corvisart : le rendez-vous est l'occasion pour le petit Alexandre d'aller avec son père chez Murat et de faire le tour de la table, au repas de midi, en galopant, le sabre de Brune entre les jambes et le chapeau de Murat sur la tête. L'Histoire le désigne du doigt.

On déménage à Antilly ; d'ultimes démarches effectuées auprès de Brune et Murat lui font comprendre l'irréversibilité de sa situation. Sa seule joie, dorénavant, est de voir gambader le petit Alexandre. Sait-il qu'alors, Haïti proclame son indépendance ? Changeant encore de domicile, les Dumas reviennent à Villers-Cotterêts en septembre 1805, s'installant avec les beaux-parents, à l'hôtel de l'Épée, avant un séjour-éclair à Haramont.

Un jour d'octobre, le petit Alexandre est emmené par son père dans un château voisin, où il admire une jeune femme, belle et allongée sur le lit : c'est Pauline Bonaparte, princesse Borghèse que, sur son invitation équivoque, le général, dans un effort surhumain, soulève dans ses bras et porte à la fenêtre pour aller voir passer une chasse à courre. La scène restera à jamais gravée dans la mémoire du fils, qui, cette fois, en donnera témoignage dans ses *Mémoires.*

On revient encore à Villers en février 1806. Le 25, Dumas essaie de monter à cheval, mais la douleur est insupportable : sitôt descendu, il doit s'aliter et s'éteint le lendemain, à neuf heures du soir en une chambre de l'Hôtel de l'Épée, grande-rue de Soissons. Il n'a pas quarante-quatre ans...

La maigre succession ne pose guère de problème : les deux héritiers mineurs – Marie et Alexandre – recueillent 4 343 francs, la moitié d'une maison et quelques parcelles de terre qui permettront de vivre pendant un temps.

Le 12 octobre 1807, Marie Labouret, veuve sans fortune, dresse auprès du ministre de la Guerre le malheureux état de sa famille : « Des dettes nécessitées par les dépenses d'une longue maladie de son défunt mari, une fille de quinze ans, sans appui, sans espérance d'établissement, n'ayant pour tout bien qu'une éducation soignée qu'elle reçoit dans une maison respectable, et un fils âgé de cinq ans partageant toute la défaveur de la position de sa sœur, mais ne pouvant se flatter des mêmes avantages pour son éducation. »

Marie réclame l'arriéré dû au général – 28 500 francs ; un rapport est soumis au ministre qui, « gardant bon souvenir de son ancien frère d'armes », présente le document à Sa Majesté, avec une note destinée à l'attendrir sur « la petite Dumas, femme de couleur » et un décret prêt à signer pour une rente viagère. Mais Napoléon, empereur des Français, roi d'Italie, protecteur de la Confédération du Rhin, a la rancune tenace et en novembre 1807, refuse de signer. « Je vous défends de jamais me parler de cet homme-là », lance-t-il.

Jusqu'à sa mort, Mme Dumas affirmera : « Le brave général Dumas, que le sort des combats a respecté, périt dans la misère et le chagrin sans aucune décoration et récompense militaire, victime de la haine implacable de Bonaparte et de sa propre sensibilité. »

Un jour viendra où son fils la vengera, parce qu'il voudra honorer la mémoire paternelle...

TROISIÈME PARTIE

DUMAS PÈRE, UN ÉCRIVAIN FOISONNANT

20 – UNE JEUNESSE SOMME TOUTE INSOUCIANTE.

Le brave général Alexandre Dumas est mort dans la nuit du 25 au 26 février 1806, à minuit, dans une modeste chambre d'hôtel. Il a voulu voir son fils, mais s'est repris dans un souffle : « Non, pauvre enfant ! Il dort, ne le réveillez pas. »

Ce fils, qui n'a que trois ans et sept mois, a été emmené chez une parente, la cousine Marianne, et dort dans son petit lit ; à l'heure même où son père trépasse, il se réveille et se lève ; où va-t-il ? « Je vais ouvrir à Papa, qui vient nous dire adieu. » On le recouche, il se débat et crie : « Adieu, papa ! Adieu, papa ! » Sensibilité paranormale.

Le lendemain, échappant à la surveillance, il revient à la maison, prend un fusil du général, monte à la chambre ; sa mère lui demande ce qu'il va faire : « Je vais au ciel, tuer le bon Dieu, qui a tué papa. »

Un père dont il n'oubliera jamais ce beau geste : trois camarades de Villers-Cotterêts se baignent dans les fossés du château ; ne sachant pas nager, ils perdent pied et se mettent à crier ; « mon père, mourant, accourut : enfant des Tropiques, nageant comme il marchait, il se déshabilla en un clin d'œil, sauta à l'eau et, aidé de son nègre Hippolyte, les sauva tous les trois. »

Alexandre précise que sa « mémoire enfantine, comme une cire molle, conserva l'empreinte du colosse de bronze, ruisselant d'eau et s'essuyant sur la berge. Quand je revois mon père, c'est ainsi. »

Ah ! Les souvenirs ! Ceux de la famille sont primordiaux. Or, le jeune Alexandre montre très tôt une prodigieuse mémoire. On ne saurait donc s'étonner qu'il ait connaissance des aventures vécues aux Iles par les Davy de la Pailleterie. Même si une partie seulement est rapportée dans les *Mémoires*, rien n'infirme que le fantasque marquis ait fait ses confidences à sa femme Marie Retou, transmises à Thomas-Alexandre : il a tout de même vécu le retour en France et la vengeance qui en découle et cela ne s'oublie pas.

Le général les racontera à son épouse – mère du futur écrivain – qui, proche de son fils, aura tout loisir de lui narrer l'histoire à son tour, malgré le handicap intellectuel ressenti en 1829, neuf ans avant sa mort.

Lors des accords de 1786, à Paris et à Rouen, les signatures de Retou, belle-mère du général, de ce dernier et de Castillon, procureur du marquis estant en justice contre de Maulde, figurent côte à côte et les actes juridiques dont le hussard Dumas a ensuite besoin établissent qu'il connaît l'histoire familiale : il ne l'aurait pas racontée par la suite ?

Parfois, Dumas-écrivain orthographiera mal, dans ses *Mémoires*, le nom d'un personnage : dans l'acte de décès du marquis, il cite comme témoin le sieur Denis Nivarrat, alors que le nom exact est Vivariot. Faute due à une lecture hâtive du document ou intentionnelle ?

Car on peut expliquer les omissions de Dumas par ces lignes du *Pays Natal*, écrites en 1864, alors qu'il va avoir soixante-deux ans, rapportant des souvenirs d'enfance avec d'anciens compagnons de « chasse, de marette et de pipée. Je ne vous dirai pas leurs noms, ils vous sont inconnus et n'ont point dépassé les barrières de la petite ville, mais pour moi, ils sont illustres, ils sont chers ; ce sont les jalons auxquels se rattachent tous les souvenirs de ma jeunesse. » Pourquoi n'aurait-il pas conservé pour lui les étonnants jalons des Davy ?

En tout cas, il reprend pour Monte-Cristo le flambeau de la mémoire : « Pourquoi tout ce monde de ma jeunesse me semblait-il disparu et comme voilé par un nuage, tandis que l'avenir m'apparaissait limpide et resplendissait comme ces îles magiques que Colomb et ses compagnons prirent pour des corbeilles de fleurs flottant sur la mer.

« Hélas ! c'est que, pendant les vingt premières années de la vie, on a pour guide l'espérance, et, pendant les vingt dernières, la réalité. »

Les îles magiques de Colomb, nous les connaissons : l'une d'elles se nomme Saint-Domingue et comporte un joyau nommé Monte-Cristo.

***

La mort du général Dumas est annoncée par Deviolaine à la famille : « Il a fini sa carrière hier à Villers-Cotterêts où il était revenu pour suivre les ordonnances des médecins. La maladie qui l'emporte est la suite des mauvais traitements qu'il a éprouvés à Naples, à son retour d'Égypte. »

Quinze ans avant Bonaparte, c'est un cancer de l'estomac qui le terrasse. Désormais, toutes les demandes d'aide adressées par sa veuve et par le cousin Deviolaine afin d'obtenir une pension pour les deux orphelins resteront vaines. Les grands-parents Labouret assumeront la vie matérielle de leur fille et l'éducation de ses enfants, jusqu'à la mort, en septembre 1809, du grand-père.

Alexandre apprend vite, mais travaille peu. Il préfère jouer avec le chien Berlick ou avec la chienne Charmante, suivre

Hippolyte – l'ancien valet de chambre du général –, aller gambader – malgré les remontrances – dans la nature environnante. Il apprend à lire et écrire avec sa mère et sa sœur, mais répugne aux mathématiques. Par contre, on note sa belle écriture, fine et régulière, enjolivée de fioritures, facile à lire. Et son autre plaisir est d'écouter un garde forestier lui raconter des histoires éveillant son esprit.

La famille vit à nouveau rassemblée à Villers-Cotterêts, Aimée ayant quitté sa pension de Paris, trop chère ; l'environnement – les Darcourt, les Deviolaine, les Collard – est bienveillant : Éléonore Darcourt fait lire Alexandre ; après la Bible chez les Collard, à Villers-Hellon, c'est Buffon, *Robinson Crusoé* puis *Lettres à Émilie sur la mythologie*, avant de se mettre au violon, à la danse, à l'escrime, au tir – avec plaisir. Mme Dumas, elle, va chaque jour au cimetière.

A dix ans, le garçon adore mettre ses talents physiques au service de la chasse ; dans la nature, avec ses petits copains, Alexandre tend des collets, rencontre des braconniers et joue au sauvage : une « nature » qui promet, puisqu'à sa naissance il pesait dix livres et demie et mesurait près de cinquante centimètres ! Bon sang ne saurait mentir. Et il s'en donne à cœur joie dans la propriété des Deviolaine, « l'homme que j'ai aimé le plus après mon père », et qui possède une aussi imposante carrure.

Mais la mort du grand-père Labouret laisse la famille – une veuve et deux orphelins – dans la misère. Comment survivre ? Il faut quitter l'hôtel de l'Épée pour une maison de la rue de Lormet, voisine de la maison natale.

Un abbé de ses cousins meurt, laissant à Alexandre un petit héritage... à la condition qu'il entre dans les ordres. C'est une manne pour sa mère qui demande à son fils, au moins d'essayer ; mais avec l'argent destiné à l'achat d'un encrier, le garçon sauvage se procure du pain et du saucisson, disparaît trois jours entiers dans la forêt et ne revient qu'avec la promesse qu'il ne sera plus question du séminaire ; on l'envoie au collège de l'abbé Grégoire, à Villers-Cotterêts.

Alexandre est joli garçon : longs cheveux blonds bouclés, yeux saphir, nez bien dessiné, grosses lèvres roses, dents mal rangées mais très blanches, un teint surprenant de blancheur.

Au collège, il apprend le latin, la grammaire et quelques prières, le *Pater*, l'*Ave Maria*, le *Credo*, un peu d'arithmétique, améliore son écriture, montre surtout son caractère vantard ou insolent. Il lit également *L'Onanisme, ou dissertation sur les maladies produites par la masturbation*, de Tissot, pris à un autre élève. Mais il est manifestement plus intéressé, avec son indiscipline manifeste, par la vie libre de la nature et de la chasse.

Sans doute en a-t-il eu le goût grâce au cadeau de Victor Letellier, jeune employé des Droits réunis, amoureux de sa sœur Aimée : un pistolet de poche qui met... le feu aux poudres du talent cynétique d'Alexandre !

Mais la chasse est-elle un avenir ? Pas pour sa pauvre mère, « travailleuse et timide », qui retrouve en son fils l'impétuosité et le courage physique de son mari. Les valeurs qui ont permis à ce dernier de grimper l'échelle militaire et sociale vingt ans auparavant, peuvent-elles faciliter l'obtention d'une situation à son fils ?

Il faut d'abord se préoccuper de l'état civil car, contre l'accord de ses parents, Victor Letellier veut épouser Aimée Dumas, qui n'a pas de dot, tout au plus un nom. Le 27 avril 1813, le tribunal de première instance de Soissons juge que les Dumas s'appelleront désormais Davy de la Pailleterie, légalisant une valeureuse origine. Aimée, après « sommations », se marie début juin, devenant Mme Letellier.

Nouveau souci sur l'avenir pour sa mère, d'autant qu'Alexandre quitte le petit collège qui ferme : mais elle demandera à un instituteur de s'occuper de lui, qui canalisera sa superbe écriture, lui apprenant à tracer lettres et entrelacs avec talent. Un jour, cela servira.

« Faisant plus que son âge », râblé, costaud, le jeune *quarteron* domine maintenant sa mère, soutenue par Deviolaine – un père Fouettard, inspecteur forestier, mais indulgent envers Alexandre – et par le député Jacques Collard, dont le général avait fait son tuteur; la femme de ce dernier, fille naturelle du duc d'Orléans et de Mme de Genlis, représente l'Ancien Régime, alors que du côté Dumas on est vigoureusement républicain. Pourtant, dans un Villers-Cotterêts monarchiste, on considère les Dumas comme des Bonapartistes.

Ces à-côtés de l'Histoire percutent sur le réel avec l'arrivée des « Cosaques » lors de la campagne de France; on se cache à la cave d'où Alexandre voit le bonnetier voisin blessé à mort par un ennemi; il voit aussi en 1814, de la fenêtre de la chambre, à Crépy, où sa mère et lui sont réfugiés, un Prussien blessé d'une balle dans la tête, ramper et implorer un secours qu'on lui accorde : l'homme restera six semaines avant de repartir guéri.

Un mois plus tard, ses sauveteurs reçoivent une énorme caisse d'eau de Cologne, expédiée par le blessé qui était le fils du fameux producteur Farina. Dix-huit ans plus tard, Dumas lui rendra visite à Cologne et les deux hommes s'apprécieront.

En 1815, les frères Lallemand, généraux d'artillerie et de cavalerie, sont arrêtés à Villers-Cotterêts et transférés à Soissons; outrée, Marie Labouret ordonne à son fils d'apporter or et pistolets aux prisonniers afin qu'ils se sauvent, dans le souvenir du général Dumas. Les deux frères, sachant que Napoléon vient de débarquer de l'île d'Elbe, refusent, mais Alexandre est fier de son action.

Pendant les Cent-Jours, Villers-Cotterêts devient théâtre de l'Histoire : Napoléon y passe une première fois en allant vers le nord, puis une seconde en revenant de Waterloo, précédant de peu les malheureux de la Grande Armée définitivement défaite.

On apprend bientôt l'assassinat de Brune à Avignon, événement qui ravive la douleur de la famille Dumas.

En quelques mois, Alexandre a beaucoup mûri ; s'il a peu acquis de connaissances livresques, il a vécu de telles situations à haute charge émotionnelle – et au cœur du danger – qu'il a définitivement quitté l'enfance.

Une fois Louis XVIII installé sur le trône, les Dumas s'interrogent : Alexandre est un Davy de la Pailleterie, marquis. Cela peut favoriser l'avenir. Mais Alexandre tranche : « Je m'appelle Dumas, pas autrement. » Sa mère, fière et déçue à la fois – quels appuis obtenir, dorénavant ? – apprécie la réplique, digne de son mari.

Brusquement, l'avenir s'améliore : la générale Dumas obtient – grâce à Collard – un bureau de tabac et loue une boutique pour s'installer ; or, le fils du bailleur travaille chez un notaire de Paris, mène un grand train et compose des poèmes, ce qui émerveille Alexandre.

Ce dernier se décide à en faire autant et l'abbé Grégoire, sans illusion, doit lui apprendre à composer des vers français. Cela ne dure pas, le jeune garçon préférant les plaisirs de la chasse. Il faut pourtant travailler et Mme Dumas déniche pour son fils une place de troisième clerc chez maître Mennesson, le notaire républicain de Villers-Cotterêts : le jeune homme va faire signer les clients alentour, mais sans rechigner, puisqu'il passe sa journée à l'air libre, ce qui lui permet de chasser de temps à autre.

Au printemps, Alexandre fait sa communion, ânonnant *Notre Père, Je vous salue Marie* et *Je crois en Dieu*, mais lisant aussi les *Lettres d'Héloïse à Abélard*, éprouvant des étouffements et des angoisses subits : au moment de happer l'hostie, Alexandre, engoncé dans un vêtement retouché du général, portant culotte de nankin, gilet de piqué blanc, habit bleu à boutons métalliques, s'évanouit.

Les épisodes historiques sont terminés pour Villers-Cotterêts et Alexandre reprend ses lectures : il lit – en cachette – *Les aventures du chevalier de Faublas*, qui accélèrent sensiblement sa précocité.

La royauté se venge : Brune est massacré, Murat et Ney exécutés. A l'heure de la Terreur Blanche, l'ombre du général Dumas passe. Alexandre se défoule en allant à la chasse : malgré la hantise de sa mère envers les armes à feu, il participe à des battues et découvre les mystères de la nature en compagnie des gardes forestiers de Deviolaine, devenu conservateur en chef. Tel les rois d'antan, Alexandre est « sorti des mains des femmes pour rejoindre le monde des hommes ». Ses cheveux noircissent, sont plus crépus et la ressemblance avec le général s'accentue.

Pour ses seize ans, Alexandre se rend le dimanche 10 mai 1818 au bal de la Pentecôte, fête traditionnelle à laquelle doit venir une nièce de l'abbé Grégoire, Laurence, et d'autres jeunes filles des environs; il faut paraître et Alexandre, en fouillant dans les habits conservés de son grand-père Labouret, trouve un trésor : vestes de satin broché, gilets brodés d'or, culottes de reps. Il choisit un habit bleu barbeau et va se présenter ainsi à Laurence.

On pouffe un peu devant son accoutrement, mais on admire sa manière de danser, élégante et rythmée : en fait il a appris à danser avec des chaises... et s'est excellemment donné la leçon. On rit beaucoup de l'explication, ce qui pique Alexandre, mais lorsqu'il se met à valser, l'assistance est subjuguée : elle « l'a fait homme en quelques minutes » et il connaît dorénavant cet appétit du monde féminin qui ne le lâchera plus. Il faut d'abord conquérir les jeunes filles de Villers : il commencera par Laurence. Mais la belle, plus prompte, lui laisse une lettre qui le renvoie à ses illusions et provoque une fièvre cérébrale énergiquement soignée par sa mère.

Les journées passent à grande allure. De neuf heures du matin à quatre de l'après-midi, Alexandre copie des actes à l'étude ; il dîne ensuite avec sa mère et à six heures l'hiver (à huit en été), retrouve ses jeunes amies. A dix heures, chacun est rentré au bercail familial, mais il semble qu'à Villers, les parents laissent se nouer de tendres contacts entre jeunes : peut-être est-ce un reste des années « chaudes » de la Régence ?

Le premier amour se nomme-t-il Aline Hardi, Aglaé Tellier ou la blonde Adèle Delvin, charmante fille de cultivateurs ? « Il était doux et facile de l'aimer, quoiqu'il ne fût point facile d'être aimé d'elle. » Un an de cour régulière permet à la jeune fille d'obtenir la permission de dormir dans un pavillon du jardin, où elle accueille ensuite le jeune Alexandre pour les découvertes de la vie. La liaison durera deux années, Alexandre passant avec Aglaé deux ou trois nuits par semaine et rentrant à trois heures du matin. On ne s'éloigne pas si vite de sa mère.

Une nuit, il est attaqué, se défend fermement puis croit utile de se venger en faisant des sous-entendus sur une certaine Éléonore : cela lui ferme beaucoup de portes et entraîne de vifs reproches de la part de Deviolaine.

Un dimanche, délaissant la bande qui va à la fête d'un village voisin, Alexandre rencontre Caroline, la fille de son tuteur, mariée au baron Cappelle. Un étranger les accompagne, le vicomte Adolphe Ribbing de Leuven, fils d'un seigneur suédois exilé, complice du meurtre du roi de son pays. Sur une invitation de Caroline, Alexandre se rend au château de Villers-Hellon et bientôt les deux jeunes hommes, à peu près du même âge, constatent que la poésie leur est indispensable.

A peu près à la même période, Alexandre fait également la connaissance d'un officier de hussards, Amédée de la Ponce, qui parle l'allemand et l'italien, prône le travail plutôt que le plaisir, et propose à Alexandre de lui apprendre ces langues, au travers des œuvres dramatiques de Bürger, Foscolo ou

Goethe. La culture de Dumas s'améliore sensiblement. Pourquoi ? André Maurois a souligné que le drame est l'élément naturel d'Alexandre, qui « croit à la puissance du hasard, à l'influence des petits faits ; cette force de la nature aimera tout ce qui évoquera les mystères de la chance », d'autant qu'il est doté de « la prodigieuse exubérance et du don mythique des Africains », transmis par son aïeule de Saint-Domingue et par le fameux marquis de Monte-Cristo. Comme lui, il refuse la discipline, la contrainte lui paraît insupportable et « il ignore la morale conventionnelle ». Son père a été un Hercule, lui sera un homme d'esprit : il en possède la verve, la vivacité, l'intelligence naturelle et le manque de modestie.

Sur cet esprit encore à modeler, vient percuter le goût du théâtre, par le biais d'une représentation donnée à Soissons ; on joue une adaptation de Shakespeare et cela entraîne un déclic : Alexandre lit l'œuvre entière – surtout *Hamlet*, qu'il vient de voir – et bientôt, il en est certain, il sera auteur dramatique !

Cela commence en compagnie du maître clerc du notaire et surtout d'Adolphe de Leuven, revenu à Villers-Cotterêts après un séjour parisien où il a rencontré l'auteur dramatique Arnault et Scribe avant de participer à l'élaboration d'une pièce. Cela ne peut mieux se présenter : jouons !

Un spectateur raconte que « la présence de quelques jeunes et charmantes demoiselles stimulait notre zèle à monter avec elles sur les planches. Un grenier abritait nos effets sublimes ou comiques. Ce grenier était celui d'une maison assez vaste, située au fond de la cour qui tient à l'hôtel de l'Épée. Dumas nous était indispensable. Interprète, régisseur, professeur de maintien et de diction, il était tout cela ».

On joue *Antaxerxès, Hadrian Barberousse, l'Abencérage* et des pièces de Dumas, élaborées avec Leuven – qui doit bientôt repartir –, comme *Le Major de Strasbourg,* dont il est assez fier. Aglaé mariée, Alexandre veut d'autant plus rejoindre

Paris, au lieu de copier – depuis octobre 1821 – des contrats à longueur de journée chez le notaire de Crépy. Pendant un an, il continue en qualité de troisième clerc, appréciant seulement de porter les contrats dans la campagne environnante, ce qui lui permet de chasser. Mais l'ennui le guette.

Alexandre n'est pourtant pas sans se préoccuper de son avenir puisqu'il s'est adressé à trois comtes, anciens amis du général Dumas, Mathieu Dumas l'homonyme, Horace Sébastiani et Antoine Verdier ; mais les réponses sont négatives : l'heure est déjà à la réduction des postes de travail.

En novembre 1822, Paillet, le maître clerc de Villers, propose d'aller passer trois jours dans la capitale. Le rêve peut devenir réalité, mais comment payer ? Après réflexion, Alexandre propose d'emporter son fusil, de chasser en cours de route et de vendre le gibier à des aubergistes pour financer leur hébergement. Les quatre lièvres, douze perdrix et deux cailles du tableau de chasse se transforment en un logement de deux jours à l'hôtel des Grands-Augustins, après passage par Ermenonville et Dammartin. Durant le parcours, un incident survient avec un quidam, qui « fait des avances » à Dumas, en raison de son aspect androgyne ; Alexandre retire de l'aventure un trouble profond. (*Alexandre Dumas le Grand*, Daniel Zimmermann, Julliard.)

Reste à trouver les places à la Comédie-Française où, le lendemain, le grand Talma jouera *Sylla*. Dumas, tout en découvrant Paris et en buvant au Café du Roi, court chez Leuven... qui le conduit chez l'acteur, en pleine toilette ; Talma, se souvenant du général Dumas, signe sur-le-champ un billet d'entrée.

Talma joue la tragédie classique en essayant toutefois de lui donner des vibrations et des nuances qu'on peut, avant l'heure, qualifier de romantiques : on peut dire qu' « il transformait la tragédie en drame ».

Alexandre, enthousiasmé par la pièce et le jeu de Talma, demande à Leuven de le conduire dans la loge du comédien ;

et comme, ébloui, il annonce son retour à Villers-Cotterêts et demande un talisman, Talma le présente comme un futur Corneille disant : « Soit ! Je te baptise poète, au nom de Shakespeare, de Corneille et de Schiller. Allons ! Ce garçon-là a de l'enthousiasme. On en fera quelque chose. »

Nous sommes le 4 novembre 1822, au soir. Le destin continue de se mettre en place.

21 – A MOI, PARIS !

Il faut quitter Paris et revenir à l'étude notariale... où le patron est rentré avant Alexandre ! Sans brusquerie, le notaire explique qu'il ne pourra compter sur lui s'il recommence, alors, pour Alexandre, c'est la nuit de la grande décision : celle du départ pour Paris.

Prélevant dans le portefeuille paternel des gravures ainsi que des lettres des maréchaux Jourdan, Victor et du général Sébastiani, ajoutant une petite somme d'argent provenant de la vente de son chien Pyrame – il a même remboursé son bottier –, Alexandre est prêt. Il a vingt et un ans, vend « ses » gravures, se recueille sur la tombe de son père et, le 29 mars 1823, après avoir embrassé sa mère sans regret, il entre déterminé dans la cour de la Boule d'Or où l'attend la diligence.

A Paris, il quémande vainement un emploi chez plusieurs anciens amis de son père ; il est découragé, lorsque le sort bascule : le général Foy lui ayant demandé son adresse, remarque sa belle écriture et pense que ce garçon peut devenir expéditionnaire.

Alexandre est recruté comme tel au service du duc d'Orléans, en surnuméraire, à douze cents francs par an et doit commencer huit jours plus tard. Il revient à Villers annoncer la bonne nouvelle à sa mère et comme un bonheur ne vient jamais seul, tire le numéro 9 à la conscription – en fils de veuve, il ne risque rien – qu'il joue à la loterie et gagne cent cinquante francs.

Le 5 avril, Alexandre est dans la capitale, prêt au défi. Il doit d'abord se loger, laisse l'hôtel des Vieux-Augustins et retient une petite chambre située au quatrième étage du n° 1, pâté des Italiens. Puis il soigne son « image » : ses cheveux comme sa redingote sont trop longs ; un perruquier tire les cheveux crépés, un tailleur raccourcit le vêtement et Dumas possède bientôt une « ligne » élégante.

Fou de joie, il va saluer le fils d'un organiste de Villers, qui tient un café rue Royale ; l'avenir est à lui lorsqu'il prend son travail auprès de M. Ernest et d'un nommé Lassagne, sous les ordres du chef de bureau, Jacques Oudard, secrétaire du cabinet de la duchesse d'Orléans ; Oudard lui révèle que c'est au général Foy et à Deviolaine – voisin du Palais-Royal – qu'il doit en réalité sa place.

Alexandre a deux jours pour s'installer ; sans tarder, il rend visite à Leuven chez qui il sera invité dorénavant chaque semaine pour dîner : Alexandre se retrouve à la table d'Arnault, auteur, entre autres, de *Cincinnatus*, et de son fils, auteur de *Regulus*.

Le 10 avril, à dix heures trente, Alexandre s'installe à sa table de travail, séparée de celle de Lassagne par un casier noir comportant les pièces à « traiter » – à recopier de sa plus belle écriture – puis à faire signer par Oudard, ou Manche de Broval, le secrétaire des commandements du duc, voire par le duc lui-même.

Mais sait-il plier une lettre ? Couper le papier ? Apposer un sceau ? Il apprendra vite tout cela. Pourtant sa passion, c'est le théâtre ; il en parle à Lassagne, qui lui vante le romantisme et lui donne un plan de lectures : Eschyle, Shakespeare, Molière ; et puis Sophocle, Euripide, Sénèque, Racine, Voltaire, Chénier, Schiller, Térence, Plaute, Aristophane ; et puis encore Goethe, Walter Scott, Fenimore Cooper, sans oublier Homère, Virgile, Dante, Ronsard, Régnier, Milton, Byron, Lamartine et Victor Hugo. Quel programme ! Alexandre s'y plonge sans tarder.

Il travaille de dix heures trente à dix-sept heures, parvenant en outre à composer deux textes qui seront publiés et à avoir ses entrées à la Comédie-Française, où il se gave de représentations théâtrales. Quelle revanche sur ses pauvres études ! En prime, il rencontre la jeune Manette, lingère de Villers venue s'installer, elle aussi, à Paris.

Un soir, au théâtre de la Porte-Saint-Martin, Dumas est assis à côté d'un curieux homme occupé à lire un ouvrage relié et qui lui dévoile qu'il s'agit d'un elzévir... avant de chahuter, de donner un formidable coup de sifflet et de se faire expulser. Il apprendra le lendemain qu'il s'agissait de Charles Nodier, co-auteur du *Vampire*.

L'apprentissage est rapide : Alexandre arrive à copier sans lire, se donnant ainsi une liberté d'esprit propice à la création poétique et à l'écriture en général. En rêvant peut-être à sa nouvelle conquête, sa voisine de palier, une jeune femme blonde ressemblant à sa mère, qui tient un atelier de couture et se prénomme Catherine – mais on l'appelle Laure.

Cette dernière, trente ans, est née près de Bruxelles, fille naturelle d'un bottier parisien. Installée à Rouen, elle y a laissé un mari demi-fou avant de rallier la capitale ; elle a neuf ans de plus qu'Alexandre, fougueux et passionné. Tellement que le 21 octobre 1823, après avoir applaudi *Pierre de Portugal* à la Comédie-Française, il raconte la pièce à Laure et passe la nuit chez elle, ce qui lui fera écrire plus tard : « J'ai tout lieu de croire que l'auteur de *La Dame aux Camélias* dut la naissance à cette nuit qui suivit la représentation. »

Autant se mettre en ménage ! Alexandre traverse le palier avec sa commode et ses chaises pour s'installer chez Laure, ce qui représente quelque économie ; et puis, compte tenu de la différence d'âge, Alexandre semble avoir trouvé à la fois une maîtresse et une mère disponible à tout moment.

Son moral est en hausse, d'autant qu'il place deux de ses œuvres – *Blanche et Rose* et *Romance* – dans *L'Almanach dédié aux demoiselles*, publié fin 1823. A vingt et un ans, son nom figure sur un ouvrage ; il peut savourer ses vers, qui sont tout un programme :

Croyez-moi, le bonheur dispose
Ici-bas de bien peu d'instants
Car le plaisir est une rose
Qui ne se cueille qu'au printemps. (Romance)

En février, Oudard propose à son supérieur d'améliorer le sort d'Alexandre, dont il est satisfait : l'employé passe à quinze cents francs par an, avec rappel à janvier. Alexandre, fou de joie, demande à sa mère de venir le rejoindre : il a les moyens de payer le loyer !

Mme Dumas, qui n'attendait que cela, vend ses modestes avoirs et rejoint son fils avec un lit, une commode, une table, deux fauteuils et quatre chaises, qu'Alexandre installe au 53, rue du Faubourg-Saint-Denis, deuxième étage : deux chambres, salle à manger et cuisine pour trois cent cinquante francs par an. Alexandre est un bon fils.

Laure, déjà, sait qu'Alexandre ne passera plus que selon ses besoins, en coup de vent. Sa vie a basculé, mais elle l'accepte volontiers, car elle croit en Alexandre. Elle l'aime.

Alexandre redouble d'ardeur dans son bureau du Palais-Royal, accomplissant sa besogne avec détermination ; toutefois, les journées s'allongent lorsqu'il doit faire « le portefeuille » : le duc d'Orléans étant à Neuilly, il faut revenir de huit à dix heures pour envoyer les journaux du soir, expédier le courrier de la journée et attendre de l'estafette les ordres en retour pour le lendemain. Ces soirs-là, les sorties théâtrales en pâtissent, mais les billets qu'Alexandre a en poche serviront le lendemain...

Mme Dumas prépare les repas, tout en s'inquiétant des charges qu'Alexandre doit payer avec son salaire. Comment tenir ? Il se trouve que le voisin de palier meurt, ce qui permet au ménage Dumas de déménager et d'économiser cent vingt francs. Cela valait la peine ! Mais Alexandre est déjà à la lecture des *Nouvelles Odes* de Victor Hugo, avant d'aller rendre visite à Laure ou de visiter l'atelier de Géricault. C'est la vie de Paris.

Un matin, Alexandre est convoqué par Oudard. Il s'inquiète : aurait-il commis une faute ? Non, le duc a besoin d'un employé pour recopier rapidement un document confidentiel et c'est lui qui est choisi ; les cinquante pages constituent un argumentaire délicat car le duc repousse les allégations d'une baronne qui se prétend fille légitime de Philippe-Égalité et affirme que Louis-Philippe est un enfant substitué.

Alexandre s'applique sans perdre de temps ; à peine relève-t-il dans l'argumentaire la « ressemblance frappante » qui existerait entre le duc d'Orléans et « son auguste aïeul Louis XIV ». Alexandre comprend mal... jusqu'à ce que Lassagne lui apprenne que Louis-Philippe descend de Mlle de Blois, fille de Louis XIV et de la Montespan.

L'affaire fait rêver Alexandre ; il est en pleine Histoire de France ; lui-même, n'est-il pas le petit-fils de Claude Labouret, premier maître d'hôtel du duc d'Orléans, le grand-père du duc actuel ? Tout en étant le fils du fameux général républicain Dumas qui, à son âge, sabrait l'ennemi sur les champs de bataille...

Cela ne manque pas de romantisme ; Byron vient de mourir et une revue se lance, *La Muse française*. Où se situe Alexandre ? Il n'a guère le temps d'y songer, car le 27 juillet 1824, un petit Alexandre est né, « de père inconnu », déclaré seulement par Laure Labay : son fils. Et voilà Alexandre avec une âme... et une charge financière de plus.

Mais son enthousiasme est à toute épreuve. Vêtu d'un manteau « à la Quiroga » – général espagnol de renom – il entre en janvier 1825 dans un café où sa tenue déclenche les quolibets. Alexandre riposte et « obtient » son premier duel, fixé au lendemain. Reporté d'un jour en raison de la neige, le duel tourne court : Alexandre, armé de l'épée de son père, blesse son adversaire au premier engagement. Un vrai Porthos !

En l'occasion, Alexandre est secondé par un médecin rencontré récemment et qu'il va suivre dans ses déplacements ; un jour, il se rappellera ces examens médicaux – surtout les symptômes de l'empoisonnement – et les utilisera dans *Monte-Cristo*.

Alexandre et Adolphe Leuven décident de s'adjoindre un collaborateur pour intégrer plus sûrement le monde théâtral : un certain Rousseau leur soumet un vaudeville, intitulé *La Chasse et l'Amour*, comportant ce vers final : « Je suis un fameux lapin. » L'entourage rit, mais la pièce est refusée au Gymnase, à cause du *lapin*.

Qu'à cela ne tienne ! On reprend l'écriture pour présenter *La Chasse et l'Amour* à l'Ambigu, où la pièce est cette fois reçue par acclamation : en perspective, douze cents francs de droits d'auteur plus six places qui, revendues à un spécialiste, produisent cinquante francs. Alexandre est ravi de ce premier argent, gagné grâce au théâtre et à son travail.

Charles X est sacré le 29 mai 1825 et le duc d'Orléans nommé altesse royale. La duchesse note – en italien – sur un album le déroulement de la cérémonie avant d'en souhaiter la traduction. Oudard connaît l'homme idoine : Alexandre auquel deux jours sont octroyés pour ce travail qui ne le laisse pas indifférent. L'album contient, en effet, le récit de la mort du père de la duchesse, Ferdinand IV de Naples, responsable, selon Alexandre, d'avoir fait empoisonner son père, le général Dumas. Une nouvelle fois, il vit l'Histoire en direct.

D'autant qu'en avril 1825 les Français dont les biens ont été confisqués en vertu de la loi sur les émigrés, peuvent obtenir une indemnisation : si à Fécamp, le neveu d'Anne du Cestre, marquise de la Pailleterie, n'obtient rien, Louis de Maulde (petit-fils de Charles Davy, cousin de Dumas), établit un dossier dans le Pas-de-Calais ; il vit au château de La Buissière avec sa femme et la petite Léontine, continuant d'éponger le passif laissé par Charles Davy de la Pailleterie.

Il lui faudra attendre quatre ans pour obtenir 113 000 francs en contrepartie des deux sucreries du Trou, puis encore sept ans pour recevoir 855 francs « payant » la hatte de la Mare à l'Oye, située à Jaquezy. On n'échappe pas au passé.

Le travail d'Alexandre a été apprécié : Oudard est félicité et le traducteur reçoit deux billets de théâtre en récompense. Relativement satisfait, il lorgne du côté de la *Galerie lithographiée des tableaux de S.A.R. Mgr le duc d'Orléans*, de Vatout, car ce dernier recherche de nouveaux talents poétiques. L'écriture, c'est l'avenir d'Alexandre...

Été 1825. Alexandre, Lassagne et Vulpian, autre partenaire, travaillent à un vaudeville, intitulé *Le Nouveau Simbad ou la Noce et l'enterrement*, présenté avec succès au Vaudeville : les billets représentent trois cents francs. C'est le début d'un engrenage qui ne prendra jamais fin : Alexandre courra toujours après l'argent.

La Chasse et l'amour est à l'affiche de l'Ambigu-Comique en septembre et connaît du succès : jouée seize fois, l'œuvre rapporte quatre-vingt-seize francs, plus la satisfaction de voir son nom – Davy, pas Dumas, il faut penser à la hiérarchie – imprimé sur le livret.

Mais cette hiérarchie est déjà au courant et Manche de Broval a fait connaître son agacement : Lassagne doit se faire discret. Alexandre, ulcéré, joue son va-tout et défend sa cause avec hauteur ; trop ; Oudard, sidéré, va se plaindre à Deviolaine, qui avertit Mme Dumas. Les débuts étaient si beaux ! Trop beaux, sans doute. Alexandre revient au travail, anéanti. Mais un nouvel employé, Amédée de la Ponce, prend ouvertement son parti, avec Lassagne, et l'espoir renaît.

Fin novembre 1825, le général Foy meurt ; très affecté, Alexandre compose une *Élégie sur la mort du général Foy*, imprimée par ses soins et distribuée dans le public, après l'enterrement. C'est un nouveau succès pour Dumas, invité par des membres de l'Institut et dont le texte est demandé par plusieurs publications, ce qui lui vaut des félicitations du *Figaro*. Vingt-trois ans. La gloire frappe à la porte. La gloire et l'argent. Alexandre Dumas ne veut plus attendre.

22 – UNE ÉTOILE NAÎT.

Il devient l'ami d'un éditeur, Setier, dont la jolie femme juive n'est pas étrangère à cet attrait. Échanges intellectuels autant qu'amoureux, on pense à l'avenir en voulant créer une revue de poésie en compagnie des Arnault, Casimir Delavigne, Vatout, Lassagne, outre Leuven et Alexandre.

Mars 1826. Le premier numéro de *La Psyché* est prêt ; Alexandre y donne deux textes, *La Néréide* et *L'Adolescent malade*, qui doivent sceller son destin de poète. S'il n'oublie pas le théâtre – *La Noce et l'Enterrement* est reçue Porte-Saint-Martin –, il s'essaie à des textes courts, des nouvelles décrivant des femmes, dédiées à sa mère (les *Nouvelles Contemporaines* avec *Blanche de Beaulieu*, *Laurette* et *Marie*). L'éditeur ? Setier, bien entendu, mais à demi ; les mille exemplaires, parus en mai, coûtent six cents francs.

La vente est maigre, mais les échos sont favorables à Dumas et *Le Figaro*, rappelant qu'il est « fils d'un guerrier distingué », dit tout le bien qu'il pense des trois nouvelles, souhaitant le succès à leur auteur.

Ce dernier vend *L'Aigle blessé* et *Canaris* – pour la cause des Hellènes insurgés –, genre nouveau annonçant le romantisme, ce « libéralisme en littérature » (Claude Schopp), puis *Souvenirs* et *Le Poète*.

Dumas fournit ensuite à la *Galerie lithographique* un texte illustrant un tableau de jeune pâtre endormi. Le succès grandit. Déjà *La Noce et l'Enterrement* est mis en répétition à la Porte-Saint-Martin et la « première » a lieu en novembre. Alexandre est fier : sa mère aussi, assise à ses côtés, à l'orchestre. A l'heure des comptes, l'année est bonne : quarante et une représentations pour deux pièces... et près de trois cents francs pour l'auteur, Davy, qui perpétue le nom de ses ancêtres.

Le temps est-il venu de signer « Dumas » ? Oui, pense Alexandre, qui s'allie à Soulié pour adapter *Les Puritains d'Écosse*. Il croit en un théâtre vantant l'histoire nationale, donnant de l'action sur la scène et renouvelant un genre : Shakespeare, Walter Scott et Goethe sont de bons maîtres.

Pourtant, les conditions de travail sont plus difficiles, car Manche de Broval a nommé Alexandre au Bureau des Secours, ce qui lui fait parcourir Paris et lui vole son précieux temps ; mais c'est un excellent moyen de découvrir mille et une scènes de la vie quotidienne et un auteur se nourrit de tout : Paris paie son écot.

Un Paris qui repousse un gouvernement de plus en plus impopulaire, qui conspue ses ministres – Alexandre n'est pas le dernier à crier – et prépare sa révolution. 1827 : *La Psyché* cesse de paraître à l'heure où Dumas compose *Leipzig* et *Le Siècle et la poésie*, engrangeant les résultats de ses précédentes pièces et faisant l'actualité.

Début juin, à l'Athénée, Alexandre écoute le cours d'histoire littéraire de Villenave : cet ancien abbé, adjoint de l'accusateur public de Nantes en 1793, a ouvert un salon à Paris. Mais si Alexandre est là, c'est pour la fille de l'orateur, maigre et brune femme de trente ans, mariée à un lieutenant : Mélanie Waldor, qui va succomber à son charme.

D'emblée, on le considère en ami, qui vient chaque vendredi prendre le thé et les gâteaux secs ; Villenave, séduit, dit : « C'est un jeune homme d'un vrai talent, le fils du général Alexandre Dumas. » Villenave est impressionné par la prodigieuse mémoire d'Alexandre, qui sait presque quarante mille vers. Cela impressionne également Mélanie, pourtant plus âgée que lui.

Le mari est en garnison à Thionville ; Alexandre prend l'habitude d'écrire chaque soir une lettre à Mélanie, qui tient un salon. Il pousse son avantage : elle a un enfant, et alors ? Un bal suffira à la faire tomber dans les bras du poète.

Ensuite ? Mélanie « tiendra » onze jours avant de devenir la maîtresse d'Alexandre : un fiacre ouvre sa porte, Mélanie s'y engouffre, les voilà amants. Oh ! Ils ont peu de temps à eux : parfois le matin, parfois le soir, un peu le dimanche, mais cela nourrit la machine romantique de Dumas.

Mélanie développe une stratégie ambitieuse en faisant inviter Alexandre dans des salons littéraires plus huppés – Salm, Ségur –, où l'on commence à repérer ce grand lascar au sang africain qui écrit des poésies remarquées. Alors, Mélanie a aussi envie d'écrire des vers, surtout avec Alexandre. Elle lui demande des textes, qui trouveront des lecteurs et demeure la lectrice privilégiée. Idée : si Alexandre écrivait une tragédie ?

L'environnement culturel attend un changement en profondeur, permettant au romantisme de poindre : au Salon, les peintres Devéria, Boulanger et Vernet, attaquent. Admiratif, Alexandre s'arrête devant un tableau représentant l'assassinat de Monaldeschi, commandité par la reine Christine. Voilà son sujet ! Traduire dans une tragédie l'émoi ressenti. Les comédiens anglais ont ouvert la voie en « instillant de la passion sur scène », dit-il à Frédéric Soulié. Mais qui est cette reine Christine ?

Alexandre consulte une *Biographie universelle* et se persuade du sujet : il écrira une *Christine*, comme Soulié et comme Brault, un autre auteur. Brusquement, il est comme « un aveugle-né auquel on rend la vue » : il écrit, aligne les vers, travaille comme un fou, avec une prodigieuse capacité à imaginer et à créer.

Christine avance, mais il a besoin de conseils et sollicite le baron Taylor, directeur de la Comédie-Française pour une lecture. Hélas, « on » tracasse Alexandre, qui passe au secrétariat des Archives, puis aux bureaux forestiers : piètre vengeance de sous-chefs jaloux envers un jeune talent.

Taylor accepte une audition en mars 1828 et écoute les deux mille vingt alexandrins déjà composés de *Christine à Fontainebleau*. Avis favorable : le comité de lecture est saisi, mais n'accepte la pièce qu'avec « corrections ». Qu'importe, Dumas exulte car le journal du lendemain annonce qu'un « jeune employé de la maison d'Orléans » a fait recevoir un drame en cinq actes : les sous-fifres sont verts de rage. Mais les corrections suffiront-elles ?

Oui. La pièce est reçue à l'unanimité, car « écrite avec esprit et quelquefois d'une manière remarquable, mais elle est remplie de négligences qu'il eût été facile d'éviter ». Plus tard, certains reprendront ce type de reproches, mais Dumas aura déjà gagné son pari.

A quand le spectacle ? Soulié place sa *Christine* à l'Odéon et la Comédie-Française jouera celle de Brault – mourant – en juin 1829. Alexandre doit donc attendre pour devenir célèbre...

Le hasard s'en mêle : alors qu'il se rend au bureau d'Amédée de la Ponce afin d'y prendre du papier, son regard tombe sur un livre, *L'Histoire de France* d'Anquetil, ouvert à la page consacrée à Saint-Mégrin, favori d'Henri III, énamouré de la duchesse Catherine de Clèves. Attiré par le personnage et l'époque – peut-être un nouveau sujet pour le théâtre ? –, Alexandre consulte la *Biographie universelle*, lit les *Mémoires* de l'Estoile, découvre Bussy d'Amboise et la dame de Montsoreau. Il est subjugué et envisage quelque sujet !

Mélanie Waldor organise chez son père une lecture de la pièce qui enthousiasme ses « jeunes » auditeurs et fait soupirer les « anciens » : encore une affaire de génération. Lorsque Dumas lit sa pièce dans la chambre d'un ami, la conclusion est qu'il faut remiser *Christine* et travailler à *Henri III et sa cour*. Une lecture avec les comédiens – en présence de Mme Dumas, éberluée – confirme ce choix : la pièce est reçue par acclamations en octobre 1828 et les rôles distribués, malgré les menaces d'un article qui pourrait entraîner une censure.

Tout irait bien si « l'employeur » de Dumas ne prenait ombrage du succès de son employé ; Manche de Broval le somme de choisir entre son travail et le théâtre. On imagine la réponse d'Alexandre, dont les appointements sont seulement suspendus : libre d'écrire des pièces, Alexandre a besoin d'argent pour faire vivre sa famille. Comment faire ?

On lui recommande le banquier Laffitte qui consent, contre dépôt d'un manuscrit dans son coffre, à prêter trois mille francs, sagement remis entre les mains de Mme Dumas, dont ce sera une des dernières joies : en février, alors qu'Alexandre assiste à l'une des dernières répétitions de sa pièce, ébloui par les costumes et satisfait de ses vers, il apprend que sa mère a perdu connaissance en sortant de chez Deviolaine. Dumas se précipite : la malheureuse est paralysée du côté gauche ; apoplexie.

Il faut faire vite. Dumas veut que sa mère voie sa pièce au théâtre. Aussi sollicite-t-il Louis-Philippe d'assister à la « première ». Mais le duc reçoit à l'heure de la pièce ! Qu'à cela ne tienne, il suffirait d'avancer le dîner d'une heure et de retarder d'autant le spectacle ; surprenant, mais le duc accepte.

10 février 1829, soir de la première d'*Henri III*. Au troisième acte, le public exprime sa satisfaction : c'est le succès. Un grand succès : Firmin, le comédien vedette, salue en citant le nom de l'auteur. Premier triomphe. Premiers applaudissements. Le lendemain, les fleurs s'accumulent autour du lit de Mme Dumas.

Malgré une suspension annoncée par le ministre de l'Intérieur – quelque atteinte à la religion, vite corrigée dans la forme –, le duc d'Orléans assiste à la seconde représentation et la presse suit, avec ses critiques ou ses louanges. Pour : *Le Figaro, Le Courrier français,* le *Mercure de France* ; contre : *La Gazette de France*, utilisant des arguments sur la royauté, la religion, le trône, l'autel...

Le succès est solide : la Comédie-Française joue à bureaux fermés et Alexandre rembourse le banquier sur la vente de son manuscrit ; avec le solde, il fait des cadeaux à une actrice, Virginie Bourbier, et installe sa mère au 7, rue Madame, dans une maison avec jardin. Alexandre est dorénavant « romantique » et célèbre du jour au lendemain. Une étoile est née...

23 – DUMAS FAIT LA RÉVOLUTION !

Henri III et sa cour est une révolution théâtrale dans une ambiance propice. Serein, Dumas va se ressourcer chez sa sœur à Chartres, où il travaille au calme, puis à Angers, Ingrandes, Champtoceaux et Nantes, composant des alexandrins et rêvant à ses futures pièces.

Descendu chez un armateur ami des Villenave, ses désirs sont des ordres : pour remonter la Loire jusqu'à l'Atlantique on met à sa disposition un trois-mâts où il s'apitoie sur une malheureuse Pauline, en partance pour la Guadeloupe. Romantisme en bord de mer, avant de rejoindre Tours puis Lorient, Quimper et Brest, où il fait des recherches sur le marin Paul Jones... qui déboucheront sur un drame, *Le Capitaine Paul*.

Il rentre à Paris, reprend une vie mondaine et paraît aux « premières », persuadé qu'il représente l'avenir, même s'il faut encore convaincre différents publics. En juillet 1829, Dumas est nommé bibliothécaire adjoint du duc d'Orléans – au Palais-Royal – et peut dorénavant se consacrer à la création, à *Christine* ou à *Édith*, récemment commencée : n'est-il pas la valeur montante, même s'il indispose par son comportement ?

Il est devenu, à son corps défendant, la « cible des classiques » ainsi qu'un « chef d'école », bien entouré : Hugo accueille chez lui Balzac, Delacroix, Devéria, Mérimée, Musset, Vigny, le baron Taylor, pour leur lire *Marion Delorme*, pièce écrite en vingt-six jours et qui soulève l'enthousiasme d'Alexandre :

« Nous vous porterons à la gloire ! » clame-t-il.

A son tour ! Dumas lit *Édith* à la Comédie-Française, mais le résultat est décevant. Vexé, il se rend dans une cour de messageries et monte au hasard dans une diligence. Elle est en partance pour Le Havre ? Va pour Le Havre où, cinquante-quatre ans plus tôt, son grand-père débarquait, prêt à se venger !

Pendant le parcours, Alexandre refond *Christine*. A peine le temps de manger des huîtres, d'acheter en cadeau deux vases de porcelaine et le voilà à Honfleur, puis à Cherbourg, enfin à Dieppe, rôdant près du terroir de ses ancêtres.

« Requinqué », il revient à Paris et constate que le pouvoir s'attaque aux critiques : amende, prison, interdiction de pièce, attendent les opposants ; même Hugo est visé, soutenu par un poème d'Alexandre – *A mon ami Victor Hugo* – qui paraît dans *Le Sylphe*. Ce texte, hommage aux généraux Dumas et Hugo, ce dernier étant mort l'année précédente, dit :

... Car d'avance tous deux trouvaient belle l'histoire,
Aux jours de l'infortune ainsi qu'aux jours de gloire.
Chacun avait tenu ce qu'il avait promis
Et savait qu'aucun d'eux dans les demeures sombres,
Quand la postérité ferait l'appel des ombres,
Ne répondrait Présent dans les rangs ennemis.
...
Les héros d'une autre jeunesse...

Dumas fréquente les salons, dont celui de Marie Nodier : on parle, on échange, on écoute Marie chanter au piano, on danse – Mélanie tournoie fougueusement. Fin septembre, Hugo lit *Hernani*, écrit en vingt-cinq jours, qui déclenche des acclamations et se retrouve à la Comédie-Française. Dumas, lui, est sollicité pour l'Odéon.

Le 4 décembre, *Christine* est reçue sous les applaudissements, alors que *Othello* a été lu et refusé. Et si Dumas allait à la Comédie-Française ? Mais il s'est engagé envers Harel et ne voit point d'issue à son sort. Dehors, le temps est maussade et gelé – on marche en chaussons sur la glace.

Le pouvoir soupçonneux accentue la censure et Dumas doit se rendre chez son chef pour demander l'indulgence, mais la réponse est nette : « Tant que je serai de la censure, votre ouvrage sera suspendu. » A quoi Dumas réplique : « J'attendrai. »

Christine est arrêtée, puis le directeur du théâtre tergiverse. Dumas a besoin d'argent, or ce n'est pas lui que l'on joue, mais Hugo, qui présente *Hernani*.

Le 25 février 1830, on a distribué du papier rouge en guise de signe de reconnaissance : Maquet, Labrunie, Gautier, Balzac, sont là. Dans la salle, on s'observe, on s'affronte, on rugit, on lance des trognons de choux, mais la pièce est un succès.

Second « round » romantique, seconde victoire. Dumas retourne travailler *Christine*. Les répétitions commencent avec Mlle George, altière dans sa quarantaine et sa blanche gorge ; Dumas rêve aux jeunes comédiennes qui évoluent au théâtre, qu'elles se nomment Virginie Bourbier, Léontine, Louise ou Alexandrine.

Enfin, c'est le grand soir : *Christine*, savamment annoncée par Harel, voit s'affronter à nouveau « chevelus » et « genoux » ; Hugo, Vigny, Comte, Villenave, sont présents dans une ambiance électrique ; Mlle George joue divinement et c'est un franc succès, malgré une scène à retravailler, ce à quoi se proposent Hugo et Vigny.

Signe tangible de la réussite : un libraire paie le manuscrit douze mille francs. Heureux Dumas ! Qui l'est encore plus, lorsqu'à une heure du matin, un fiacre s'arrête près de lui et laisse paraître un visage de femme – Marie Dorval – qui l'invite à monter... en tout honneur, car Marie reste prude.

Un grand bal est donné en l'honneur du roi de Naples, honni par Alexandre, mais honoré par la duchesse d'Orléans, sa sœur. Dumas n'est invité que sur l'entremise du jeune Ferdinand, fils aîné de Louis-Philippe et est reçu par ce dernier, le 30 mai 1830, au Palais-Royal. Son cœur bat, surtout lorsqu'il entend crier des « Ça ira » prémonitoires.

Il se sent véritablement homme de théâtre et veut se mettre en scène : son aventure avec Mélanie vaut bien une pièce. Alors, il répartit les rôles : Alexandre sera *Antony* ; Mélanie Waldor et son mari commandant seront Adèle Harvey et son mari colonel. Un beau projet, mais Mélanie part se « mettre au vert » dans sa propriété de Nantes. En fait, elle est enceinte d'Alexandre et le scandale guette la femme mariée.

On s'est promis de s'écrire chaque jour ; Alexandre s'exécute : « Écris-moi mon amour et aime-moi comme tu m'aimais il y a un an, comme il y a deux ans... » Ce qui ne l'empêche pas de continuer *Antony*, bientôt en lecture et reçu à l'unanimité.

Dumas est aux anges : le roi et la reine de Naples, accompagnés de la duchesse de Berry, sont venus voir *Christine*. Tout lui sourit. Un soir, il rencontre une superbe jeune femme juive, comédienne de trente ans aux cheveux noirs et aux yeux bleus : Belle Kreilssammer, protégée du baron Taylor (dont elle a une fille reconnue, née à Toulouse en février 1828), et qui joue sous le nom de Mélanie Serre. C'est le coup de foudre, mais il faudra néanmoins trois semaines à Dumas pour s'imposer.

Belle est née en l'an 8 de la République (6 mars 1800) à Lyon, de Cerf Kreilssammer, marchand colporteur et de Zippert Hirsch, dont l'ancêtre Abraham est venu des confins de la Bavière s'installer à Biesheim, en Alsace.

Alexandre demande un tour de faveur pour qu'*Antony* puisse être joué : accepté. Harel commande l'arrangement d'une autre pièce : ce sera contre l'engagement de Belle au Français; alors Dumas adresse une requête à la direction générale des Beaux-Arts :

« Mlle Serre, qui a effectué des débuts en 1827 au Théâtre-français, réclame aujourd'hui mon intervention pour la faire admettre au nombre des pensionnaires de la Comédie-Française. Mlle Serre assure avoir joué avec succès à Marseille les premiers emplois de la comédie et du drame. » Mais on ne gagne pas à tout coup : Belle attendra.

Mélanie questionne : m'oublies-tu ? Dumas rétorque : « Je ne comprends rien aux reproches qui terminent ta lettre », déjà tenté de l'abandonner. Inévitable rançon du succès : la médisance ; on critique Dumas – qui dépense tant – pour son train de vie et on allègue qu'il n'écrit pas tout ce qu'il publie. Il faut une action d'éclat. Pourquoi ne pas se rendre à Alger, puisque trois cents bâtiments sont prêts pour la conquête ?

Le 25 juillet, Charles X signe de scélérates ordonnances abolissant la liberté de presse, dissolvant la Chambre des députés, fixant de nouvelles élections et un nouveau code. Il est imprudent de partir pour Alger à l'heure où peuvent survenir d'importants événements : Alexandre reste à Paris et charge son domestique Joseph de rapporter de chez l'armurier son fusil à deux coups – celui du général Dumas – et des balles au calibre vingt. A tout hasard...

L'effervescence grandit ; quarante-cinq journalistes signent une protestation, tirée à cent mille exemplaires ; on essaie de forcer les portes du *Temps*, on se dirige vers celles du *National* : un mouvement insurrectionnel commence ; une fusillade fait des victimes le 27 juillet.

Le lendemain, Alexandre va rassurer sa mère – bien seule depuis le départ de Mélanie et de la petite Élisa – puis se rend à un rassemblement qui commence à gonfler ; pendant qu'on dévalise une armurerie, Alexandre enfile son costume de chasse : il est fin prêt. On commence par une barricade, rue de l'Université, aux cris de « A bas les Bourbons ». Sur Notre-Dame flotte déjà un drapeau tricolore.

Dumas inspire confiance : on se rassemble autour de lui, on l'accompagne à l'Institut où l'on distribue de la poudre. Bientôt, on est face aux soldats qui tirent ; des hommes tombent. C'est une révolution menée par le peuple, par la petite bourgeoisie, par la jeunesse surtout.

Dumas envoie un comparse chercher à son domicile son portefeuille garni de trois mille francs, son passeport et des balles. Rassuré, il repart et, de nuit, essaye de rejoindre La Fayette pour préparer une proclamation.

Le 29, on se bat près du musée de l'Artillerie, plus ou moins dévasté : Alexandre ceint le casque de François Ier, sa cuirasse, sa hache et sa masse d'armes, ainsi que l'arquebuse de Charles IX, qu'il sauvera du désastre. Puis il se dirige vers la place de l'Odéon, participe à la préparation de cartouches, aux cris de *Vive la Charte ! Vive la République !*

Les manifestants se séparent en trois ; Alexandre suit ceux qui vont au Louvre, protégé par un double rang de Suisses et un régiment de cuirassiers ; la chaleur est écrasante ; les coups de fusil partent ; on relève des blessés par balles ; la mort rôde. Alexandre va jusqu'à l'Institut où il parvient à faire une collation constituée de vin de Bordeaux et de chocolat, avant de rentrer à la maison en véritable héros.

Les Tuileries sont prises et l'on repart au combat. Alexandre, dans la foule, investit le bâtiment ; dans la bibliothèque de la duchesse de Berry se trouve un exemplaire relié de *Christine*, qu'il prend comme trophée. Enfin, il faut convaincre La Fayette pour le commandement de Paris ; Alexandre crie : « Place au général La Fayette qui se rend à l'Hôtel de Ville ! » Quarante et un ans après, c'est à nouveau la Révolution...

Mais la bourgeoisie constitue une commission municipale pour contrer La Fayette et le commandement militaire est hostile.

Que va-t-il se passer ? Alexandre, après une nouvelle collation, écrit quelques notes et s'endort.

Le vendredi 30 juillet, la poudre commence à manquer. Qu'à cela ne tienne ! Alexandre en trouvera à Soissons et réclame un laissez-passer pour en ramener : il « complète » habilement un document initial plus restrictif et dispose de neuf heures pour réussir sa mission.

Il emprunte un cabriolet, fabrique un drapeau tricolore à la hâte et part sous la conduite d'un « ancien » qui a connu le général Dumas : voilà Alexandre sur les traces de la gloire paternelle ; à Villers-Cotterêts, on l'ovationne, puis il pique sur Soissons où deux militaires protègent les poudres.

Il faut obtenir un accord des autorités. Pendant que des complices montent à la cathédrale pour y planter le drapeau tricolore, Alexandre, muni de son sésame trafiqué, fond sur le commandant de la place, arme à la main. Qu'aurait-il fait si la femme de ce dernier, qui a vu ses parents égorgés lors de la révolte du Cap, n'avait imploré son mari : « O mon ami, cède ! c'est une seconde révolte des nègres. » Il n'échappe pas à la fatalité de l'Histoire.

Alexandre saisit les trois mille livres de poudre entreposées et l'on repart à six heures du soir, la voiture devant, suivie des complices et d'Alexandre à cheval, qui reçoit une autre ovation à Villers-Cotterêts.

Le lendemain à neuf heures, le convoi arrive à l'Hôtel de Ville, mais tout est fini : Louis-Philippe a accepté la lieutenance générale du royaume. Le 2 août, Charles X abdique et Alexandre retrouve Belle, en même temps qu'il écrit à Mélanie : « Tout est fini. » Ainsi va la vie...

Mais Charles X marche sur Paris avec vingt mille hommes et des canons. Soulèvement. Alexandre est de la partie, en costume de chasse, acclamé pour son action. Puis on entend chanter *La Marseillaise* : Charles X fuit vers Cherbourg, les Trois Glorieuses s'inscrivent dans l'Histoire et Alexandre a imité le père mythique : en est-il digne ?

24 – ANTONY, POUR COMMENCER...

Le vent de l'Histoire ne souffle plus : Harel demande un *Napoléon* de circonstance, qu'Alexandre refuse. Il rêve encore à son action d'éclat, rapportée dans *Le Moniteur* et se remémore le dîner donné par Louis-Philippe : il a passé toute la soirée à la Cour; pourtant, de cœur, il reste républicain.

Alors qu'il envisage un voyage, il décroche une mission officielle : organiser une garde nationale en Vendée. Ainsi pourra-t-il revoir Mélanie sans trop perdre la face. Son passeport l'autorise à aller en Loire-Inférieure, en Morbihan et dans le Maine-et-Loire.

Il faut un uniforme – La Fayette conseille celui d'aide de camp – ainsi composé : shako à flots de plumes tricolores, épaulettes et ceinture d'argent, habit et pantalon bleu roi. Et voilà notre Alexandre chamarré – il aime tant la parade ! – quittant Paris et Belle pour la Vendée et Mélanie.

Le voyage passe par Blois, Tours, Ponts-de-Cé, Angers, Nantes, Clisson, La Jarrie, où on le fête. Alexandre s'attache à Elisa – deux ans et demi –, chasse avec le métayer Jean Tinguy, mais continue de rêver à la révolution qu'il vient de vivre : il en ressent comme une lassitude.

Sans doute aussi n'aime-t-il plus vraiment Mélanie, qui connaît un « accident de santé », perdant sans doute un enfant d'Alexandre qui lui écrit : « Pourquoi ton géranium te tourmente-t-il ? Il datait d'une autre époque, il devait se briser... » Sur ces mots crus, il retourne à Paris, où il a à faire : une commission lui a décerné la croix de Juillet et il est admis dans la garde nationale à cheval ; ensuite, Belle est enceinte.

Mélanie déplore la perte de son enfant, si triste qu'elle prépare son testament, demandant qu'on l'ensevelisse avec sa « robe bleue, son écharpe jaune, sa chaîne noire ». Elle est directe : « Je n'ai d'autres pensées loin de toi que toi. »

Seule issue : se consacrer au théâtre ; *Antony* est mis en répétition avec Mlle Mars et Firmin, mais Harel tient toujours à son *Napoléon* et tous les coups lui sont bons : un soir – une nuit plutôt – Mlle George « invite » Alexandre et le « piège » ; Harel récupère l'écrivain devant une table prête pour écrire ! Alexandre n'a plus qu'à commencer ! C'est son destin, d'écrire !

Après une semaine de travail, *Napoléon Bonaparte, ou Trente Ans de l'Histoire de France* est terminé. A une telle cadence, il faut un peu d'exercice et trois fois par semaine, Alexandre se rend dans la cour carrée du Louvre et tous les quinze jours au tir à Vincennes.

On juge maintenant des ministres, en battant le tambour et en distribuant des cartouches : la vigilance s'impose et

Alexandre s'installe rue de Tournon, avec d'autres soldats. Lorsque le verdict tombe (prison perpétuelle pour les accusés), on se précipite aux Tuileries et il s'en faut de peu que la poudre ne parle à nouveau.

La Fayette démissionne. Alexandre est élu capitaine en second de la quatrième batterie – élection inutile, car l'artillerie est dissoute. En février 1831, Dumas écrit au roi, le suppliant « d'accepter sa démission ». Le camp républicain est son refuge ; il le montrera lors de la messe anniversaire pour la mort de la duchesse de Berry, où l'on frise l'émeute. Et encore, lors du procès de ses amis artilleurs, finalement déclarés non coupables, en avril suivant.

Il ne lui reste plus qu'à réussir *Napoléon*, qui est joué soixante-neuf fois. Mais l'important, c'est *Antony*, qu'on répète à la Comédie-Française, à l'heure où Mélanie continue de lui écrire : « Je vous aime, je vous regrette mais dans le passé... Tu es assez malheureux ! »

Qui sait ? Le 5 mars, naît Marie-Alexandrine, fille de Belle ; Alexandre la reconnaît deux jours après : et son fils ? On pourrait le lui enlever... Aussi, Dumas demande-t-il à son notaire de préparer un autre acte de reconnaissance, qu'il signe courant mars. Ses deux enfants nés hors du mariage porteront ainsi son nom.

Antony est mis en répétition au théâtre de la Porte-Saint-Martin, joué par Marie Dorval – qu'il a su convaincre – et Bocage. Pour la générale, il envoie sept bonnes places à Mélanie. Sur scène, Marie Dorval est pathétique à souhait et Bocage admirable : l'émotion est à son comble, le public exulte et réclame l'auteur, qu'on s'arrache à son arrivée. « C'est le monde moderne qui fait irruption sur scène » (Claude Schopp, *Alexandre Dumas*).

Alexandre, tout fier, arbore alors son ruban rouge et noir – il représente les décorés de Juillet – ceux de banlieue, du moins –, lors de la fête organisée pour l'acquittement des artilleurs. On crie, on applaudit, on demande un toast et Dumas s'exécute : « A l'Art ! Puissent la plume et le pinceau concourir aussi efficacement que le fusil et l'épée à cette régénération sociale à laquelle nous avons voué notre vie, et pour laquelle nous sommes prêts à mourir ! »

La plume le fait vivre, maintenant : *Antony* fait cent trente représentations à Paris et produit près de trente mille francs en dix jours, sans compter la vente de l'édition en librairie, comportant une préface constituée de vers écrits deux ans auparavant pour Mélanie : « Pourquoi ces larmes dans tes yeux ? »

Mélanie répond par lettre : « L'amour que je n'ai plus s'est changé comme en un culte du passé. Vous entendre louer de bonne foi vous rend à moi. Il me semble qu'alors je vous reprends et que vous redevenez mon bien. »

On imagine volontiers que les rapports sont tendus entre Mélanie Waldor et Belle Kreilssammer ; en avril, Mélanie écrit à son médecin : « ... Savez-vous qu'elle lui a dit que je l'avais assurée que je dirais à tous ses amis qu'il m'avait déshonorée. Eh bien, il a cru d'elle que moi j'aurais pu dire cela ! Moi ! cela se conçoit-il ? Moi qui pour m'épargner la honte qu'on le sût me traînerais à ses pieds. »

Alexandre reste distant et semble s'occuper de son fils : sur sa réclamation, le tribunal enlève le garçon à sa mère et le place à l'institution Vauthier, rue de la Montagne-Sainte-Geneviève. Le moment est venu de s'éloigner un peu.

25 – UN SÉJOUR EN NORMANDIE ET QUELQUES PIÈCES NOUVELLES.

Alexandre s'engouffre dans une diligence, Belle à ses côtés ; quatorze heures plus tard, ils atteignent Rouen. Décidément, la Normandie est un havre de ressourcement pour Dumas, qui paraît ressentir l'appel des ancêtres.

Rouen est en tout cas une ville bien connue du couple : Alexandre y est passé deux ans auparavant, alors qu'il composait *Christine* et Belle y a joué récemment. Ils prennent le bateau, suivent des yeux ceux qui se dirigent vers Harfleur, entrevoient Honfleur et changent d'embarcation au Havre où, cinquante-six ans auparavant, Antoine Delisle débarquait pour se venger...

Une barque à quatre rameurs emmène les jeunes gens vers Trouville, un village de pêcheurs sur la rive droite de la Touques. On ramasse des moules sur les Roches Noires et des équilles sur la plage. Enfin, on atteint l'auberge du Bras d'Or de la mère Ozerais, une brave Normande qui accepte la pension pour quarante sous par jour, parce qu'Alexandre connaît son ami, le peintre Huet. Mais Belle fera la cuisine, pour économiser.

La chambre est sobre, donnant sur la vallée ; à l'air vif de la côte, on a de l'appétit : potage normand, côtelettes de présalé, homard à la mayonnaise, salade de crevettes, bécassines rôties ; Alexandre est un gourmet gourmand qui met à profit le séjour, tant pour nager et chasser que pour travailler.

Sur une simple table, il écrit une tragédie *Charles VII chez ses grands vassaux*, dans laquelle il trace un beau rôle de femme, Bérengère, destiné à Mlle George. En une nuit, il compose cent vers, à la lueur de la bougie !

Alexandre lie connaissance avec un nommé Beudin, banquier qui, à ses heures, s'adonne à la littérature sous le pseudonyme de Dinaux, qui cache en fait deux collaborateurs, BeuDIN et GoubAUX. Or, Dinaux ne trouve pas la cadence d'une pièce qu'il veut créer. S'il demandait à Dumas ? Ce dernier accepte, sous couvert d'anonymat, le jour même de ses vingt-neuf ans, le 24 juillet 1831.

Alexandre nage en Manche et rayonne de bonheur avec Belle. Loin de lui, Mélanie l'aime encore et lui écrit sans cesse, sans perturber la cadence d'Alexandre qui, en août, termine sa pièce – un pastiche plutôt qu'un véritable drame – écrite en un mois et trois jours ! Il n'y a plus qu'à retourner à Paris, par Honfleur et Rouen.

Alexandre lit aussitôt *Charles VII chez ses grands vassaux* à ses amis, mais déchante devant leurs mines ; jugement trompeur, car la lecture aux comédiens déclenche l'enthousiasme ; ils s'arrachent les rôles : Mlle George sera Bérengère.

Quant à Mélanie, elle écrit, implorante : « Soyez mon ami Alexandre... Croyez que quoi qu'il arrive je serai toujours votre amie, votre meilleure amie... » Plus intimement, elle ajoute : « Tu as pour excuses ton âge et ton sang africain et quand tu m'as aimée, tu avais une âme jeune et pure encore... Alexandre, vous qui m'avez tant aimée, oh ! montrez-vous digne de ma confiance ! »

Mais Alexandre est pris par les répétitions théâtrales et l'installation d'une nouvelle demeure, au 42, rue Saint-Lazare, assez vaste pour abriter Mme Dumas mère, Alexandre fils et Belle et travailler avec Dinaux. Après les répétitions, vient la première : *Charles VII chez ses grands vassaux* est joué fin octobre devant le baron Taylor, les Devéria, l'inévitable Mélanie et un petit spectateur apprécié, Alexandre fils, huit ans, fièrement assis aux côtés de son père.

Ce n'est pas un franc succès ; après le spectacle, le père et le fils rentrent à la maison, main dans la main, l'auteur ruminant son mécontentement ; pourtant la pièce sera jouée vingt-six fois durant l'année. Aura-t-on meilleure presse avec *Richard Darlington* – signée Dinaux, bien entendu – transformé en *Orgueil et Passion*, joué à l'Odéon puis à la Porte-Saint-Martin ? Le comédien Frédérick Lemaître s'y comporte admirablement et la pièce est jouée soixante et onze fois en deux ans. Dinaux satisfait... en redemande !

Alexandre compose donc une nouvelle pièce : ce sera *Térésa*, qu'il travaille en son fief de Villers-Cotterêts ; quelques semaines suffisent, entrecoupées de saines parties de chasse en forêt ; au retour, il apprend que *Térésa* sera sans doute jouée aux Variétés, où pointe une accorte jeune première, Mlle Ida.

On passe aux répétitions où finalement, on remplace le comédien Guyon, qui dans le « privé » est le pion d'Alexandre fils à la pension Saint-Victor que dirige Goubaux. Environnement psychologique difficile, alors qu'Alexandre se croyait libre au théâtre ! Déjà, il suit du regard l'appétissante Ida – un peu enveloppée – avant de se rendre aux réceptions mondaines, bals costumés et autres fêtes, où il apprend à connaître le « monde ».

Ainsi rencontre-t-il une jeune comédienne française qui veut une comédie en un acte ; en compagnie d'Anicet Bourgeois, il compose dans la journée *Le Mari de la Veuve*, reçu en mars 1832 : Alexandre est encore insuffisamment armé pour résister aux sollicitations pressantes, au risque de galvauder son talent.

Pourtant, il signe un accord sur deux pièces par an au théâtre de la Porte-Saint-Martin, pendant deux ans, pour 18 % de la recette et des primes, plus l'engagement de Mlle Ida. Une idylle naît-elle ?

L'heure est grave, car une épidémie de choléra, venue d'Inde, éclate et on commence à manquer de bières, tant les morts sont nombreux : chacun recherche la campagne, Alexandre se réfugie à Nogent-le-Rotrou, auprès de sa sœur ; mais une femme malade est également arrivée, transmettant la maladie. Autant retourner à Paris : Alexandre quitte sans regret le foyer du contrôleur des contributions indirectes qu'est son beau-frère.

Harel, en bon directeur, cherche de nouvelles pièces et le relance pour collaborer à un drame apporté par Félix Gaillardet, un jeune inconnu habitant Tonnerre. Alors, Alexandre signe un nouveau traité : il travaillera à la pièce, toujours dans l'anonymat.

Mais il s'évanouit ! Serait-ce le maudit choléra dont on emplit la fosse commune, faute de places dans les cimetières ? On lui fait absorber un demi-verre d'éther pur : le choc est violent, mais sans doute salutaire, car il guérit. Encore fiévreux néanmoins, il écrit la pièce, à raison d'un tableau par jour !

Cette pièce, ce sera *La Tour de Nesle*, qui va connaître une évolution agitée. Dumas travaille selon la convention, mais Gaillardet l'apprend et demande une interdiction : on ne lui répond pas. Dumas lui écrit toutefois qu'il a saisi « l'occasion d'être utile à un jeune confrère lequel reste le seul auteur », le nom de Dumas n'étant pas cité ; mais Gaillardet ne l'entend pas de la sorte et monte à Paris.

Harel lui fait valoir que son intérêt financier est de laisser la situation en l'état ; lorsque Dumas vient, on se menace de duel avant d'arriver à une transaction : Gaillardet et Dumas se reconnaissent comme auteur « en commun » de *La Tour de Nesle* ; plus : la pièce sera présentée comme étant du seul Gaillardet, Harel se réservant le droit d'afficher son nom suivi d'étoiles.

La pièce est jouée, avec grand succès. Gaillardet, que l'on a présenté au public, est persuadé d'être un grand auteur et Dumas est convaincu de ses capacités à « récrire » n'importe quel texte ; mais Harel, matois, fait imprimer une nouvelle affiche, en inversant la présentation : *La Tour de Nesle*, de MM*** et Gaillardet.

Ce dernier, ulcéré, réagit par voie de justice. Dumas s'en prend d'abord à lui puis tombe d'accord pour que les étoiles retrouvent leur position première sur les affiches. Les représentations se multiplieront-elles ?

Début juin 1832, on inhume le général Lamarque, grand défenseur de la liberté. Alexandre, encore faible, se joint aux cinquante mille personnes et aux dix mille gardes nationaux venus en hommage, sous la chaleur étouffante et orageuse de

Paris ; l'atmosphère est électrique, des provocations ont lieu, on entonne *La Marseillaise*, interdite, une fusillade éclate et Paris connaît une nouvelle flambée de violence : les balles sifflent et Dumas, comme d'habitude, n'est jamais loin, se donnant à corps perdu au mouvement populaire.

Bien entendu, l'émeute interrompt la poursuite des représentations de *La Tour de Nesle*. Dumas, fiévreux, s'évanouit pour de bon en arrivant à son domicile et on doit le hisser jusqu'à sa chambre.

Le 6 juin, le quartier Saint-Merry est toujours en rébellion, les derniers combattants étant réfugiés dans le cloître; ils vont tomber en héros, seuls. Même Alexandre Dumas n'a pu les soutenir, tellement la fièvre le mine. Le héros républicain a-t-il cette fois égalé son père, le fameux général ?

26 – UN VOYAGE POUR GUÉRIR, DES FÊTES POUR S'ÉTOURDIR.

Alexandre ayant un peu d'avance financière grâce à *La Tour de Nesle*, utilise sa convalescence pour travailler à un drame commandé par Mlle George. Mais il traîne en raison de sa fatigue, l'esprit vide ; même Anicet Bourgeois – qui a un nouveau sujet – ne parvient pas à l'enthousiasmer. Il faudrait un voyage, pour changer d'air. Ce sera la Suisse, d'où il pourra tirer quelques *Impressions de voyage* pour un éditeur. Mais il faut – encore – de l'argent et Alexandre s'adresse au baron Taylor...

Il suffirait que l'on joue *Henri III* six à huit fois, que *Charles VII* soit remis en distribution avec Bocage, que *Le Mari de la veuve* soit régulièrement joué et il trouverait « entre 1200 et 1500 francs » à son retour.

Belle prépare les bagages, empressée, car le choléra reprend; Alexandre embrasse ceux qu'il laisse à Paris : Ida,

Alexandre fils en pension, Marie en nourrice. Même le pouvoir est soulagé de le voir disparaître un moment.

Le 21 juillet, Alexandre et Belle montent dans la diligence de Montereau. Alexandre fera la totalité du voyage mais Belle s'arrêtera à Aix-les-Bains avant de rejoindre Alexandre pour visiter l'Italie.

L'itinéraire passe par Chalon, Lyon, Cerdon, Genève, Ferney, Lausanne, Moudon, Payerne, Avenches – vingt francs pour la calèche –, Morat – où Charles le Téméraire fut vaincu en 1476 –, Fribourg, Berne, Interlaken – « pèlerinage de bourgeois », on dirait Flaubert –, Lauterbrunnen, Kanderberg, Loëche et retour à Aix-les-Bains – « singulier mélange des positions sociales et des opinions politiques ».

Ensuite, c'est Lax, Altdorf et Lucerne, où Dumas est invité à déjeuner par Chateaubriand, « qui a frayé le chemin à la jeune littérature », puis, Sarnen, Weggis, le Righi-Kulm, Zurich. Le 11 septembre, Alexandre se régale de sa journée, partant le matin d'une principauté libre (Lichtenstein), longeant une république (Suisse), déjeunant dans un royaume (Lindau en Bavière) et couchant dans un grand-duché (Bade) – « le tout en dix-huit heures ». Il aime ces performances.

Le voyage continue par Constance, un dîner chez la reine Hortense – « vous êtes républicain », lui dit-elle –, Koenigsfelden, Neuchâtel – avec visite de la chambre de Rousseau en l'île Saint-Pierre –, Bex, l'hospice Saint-Bernard, Chamouny.

De Constance, Alexandre a écrit à son « cher petit Alexandre », promettant de lui rapporter une jolie montre, et à sa « chère maman » dont il n'a reçu aucune lettre, bien qu'ayant déjà écrit.

Et puis, c'est Milan, Pavie, Turin – où il voit le Saint-Suaire, « une rotonde de marbre noire avec un autel au milieu et les ornements d'argent, des étoiles de bronze doré, des colonnes, un chandelier de bronze ». Un air italien qui lui rappelle son père.

L'absence a duré trois mois lorsque Dumas rentre à Paris, ravagé par le choléra – 18 000 victimes. Harel est déçu : *Le Fils de l'émigré* n'a tenu que neuf représentations, mais heureusement *La Tour de Nesle* a été rejouée : une rente que cette pièce !

Alexandre écrit alors des nouvelles historiques pour la *Revue des Deux-Mondes*, imagine une suite de romans allant du règne de Charles VII à la période contemporaine et constate que *Périnet Leclerc* rapporte assez d'argent pour couvrir ses dépenses en cours, engendrées par les quatre foyers de notre héros : celui de sa mère, celui de Laure Labay et de son fils Alexandre, celui de Belle et de sa petite fille, celui d'Ida. Quel homme y parviendrait ?

Le 6 novembre, la duchesse de Berry est arrêtée à Nantes par le général Dermoncourt, l'ami du général Dumas : la nostalgie envahit Alexandre, dont l'engouement républicain ressent comme un regain, allant jusqu'à envisager un duel collectif, qui finalement n'aura pas lieu.

Va-t-il poursuivre son œuvre théâtrale ? Pourquoi ne pas écrire des impressions de voyage pour *La Revue des Deux-Mondes* ? Mais d'abord, il donne un bal pour narguer la monarchie bourgeoise. Un logement étant disponible sur le même palier que le sien, il le propose au décorateur du Français et de l'Opéra et bientôt les cartons partent : on est invité le samedi 30 mars 1833, à dix heures, 40, rue Saint-Lazare. En costume, bien entendu.

Pour le buffet, pas de problème ; Dumas chasseur va tirer en forêt de la Ferté-Vidame : neuf chevreuils et trois lièvres qu'il échange avec un traiteur ; saumon, galantine et trois bêtes rôties formeront le menu sans bourse délier. Trois cents bouteilles de bordeaux – autant de bourgogne – plus cinq cents de champagne sont préparées.

Pour le décor, Delacroix apporte dessin et couleurs, l'orchestre est prêt. Il ne reste plus que les costumes ; un habit renaissance (vert d'eau, broché d'or, rouge et blanc) pour Alexandre et Ida (velours noir), qui accueillent Charles IX, Charles VII, Cinq-Mars, un officier mexicain, un Turc, un magicien, un matelot, combien d'autres. Le Tout-Paris vient se divertir, y compris La Fayette, en domino. On danse, on trinque, on soupe à trois heures du matin et à neuf, on forme une sarabande en pleine rue.

Deux absents à cette fête : Hugo et Vigny ; ce dernier, au chevet de sa mère malade, « flirte » avec Marie Dorval, amie de George Sand, qui « rencontre » Prosper Mérimée. Un soir, Alexandre fait une allusion à une « panne » de ce dernier, dont Sand se sent insultée : Dumas doit être puni. On le provoque, un duel est envisagé, on se donne des témoins, avant qu'Alexandre ne présente ses excuses : « Je suis un imbécile. » L'honneur est sauf, mais Sand lui en gardera longtemps rancune.

Dumas continue de creuser son sillon avec *Gaule et France* à paraître, une affaire de librairie – *La Vendée et Madame* en compagnie de Dermoncourt, témoignage sur l'arrestation de la duchesse de Berry –, un nouveau drame, *L'Échelle des femmes* – qui sera rebaptisé *Angèle* ; un voyage en Dauphiné pour rencontrer un cousin de Stendhal, faire la connaissance d'une charmante Henriette – et intégrer les marches en Vanoise dans ses *Impressions de voyage*.

Dumas est toujours en mouvement, quittant la rue Saint-Lazare – et Belle également – pour redevenir célibataire et se loger seul, tandis qu'Ida habite rue Lancry. Harel, toujours en verve commerciale, annonce : « Incessamment *Marie Tudor*. Prochainement *Angèle* », jouant cette fois sur les noms d'Hugo et de Dumas.

Mais Hugo en prend ombrage, soupçonne Dumas d'être de mèche avec Harel et se fâche avec Alexandre, lequel se fait accusateur, à la lecture d'un article des *Débats* : après Sand, un nouveau conflit personnel.

Harel « joue » Dumas contre Hugo et les deux auteurs s'affrontent en essayant de sauver les apparences. Alexandre pardonnerait volontiers – il n'est pas homme de rancune – mais Hugo est fier : c'est la brouille officielle.

Novembre 1833. Alexandre aimerait conquérir Marie Dorval, amie de Vigny et mariée. Il s'arrange pour qu'un contrat lui soit signé, faisant débuter Marie Dorval à la Comédie-Française dans « son » *Antony* ; peu après, elle sera sa maîtresse grâce aux soins attentifs de la soubrette de Marie qui évite Vigny ou le mari. « J'ai osé me donner à vous », écrit-elle, ajoutant : « et puis je ne sais, quand nous sommes ensemble, nous sommes si bons tous deux, que tout prend le caractère enfant, il ne nous semble pas que nous soyons bien coupables... Brûle cette lettre, si tu m'aimes, brûle-la... »

Belle, délaissée, écrit sèchement, en janvier 1834 : « Vous pourrez donc, lorsque vous le voudrez, remplir vos intentions à mon égard, en attendant je vous prierai de vouloir bien m'envoyer le mois de la petite... Votre amie Mélanie Serre. »

Alexandre est à nouveau sur la route de Rouen, où joue une Marie enflammée : « Je t'envoie aussi... une vilaine petite bourse que j'ai cousue hier auprès du feu. C'est tout ce que j'ai à t'envoyer. Pour ta bague, il me faut la main. »

Mots hasardeux, car Marie apprend qu'Alexandre a renoué avec Ida et connu une liaison avec Eugénie Sauvage. Pour *La Gazette des comédiens*, Dumas « est l'une des plus curieuses expressions de l'époque actuelle. Passionné par tempérament, rusé par instinct, courageux par vanité, bon de cœur, faible de raison, imprévoyant de caractère, c'est tout Antony ; nègre d'origine et Français de naissance, il est léger même dans ses plus fougueuses ardeurs, son sang est une lave et sa pensée une étincelle. Vain comme femme, ferme comme homme, égoïste comme Dieu. »

Le portrait est vrai, malgré sa dose de racisme : Alexandre quitte Marie, qui « paye » le prix des enjeux de théâtre ; elle débutera finalement dans *Une liaison* et *Antony* sera mis en répétition, c'est promis !

Hélas, un député grincheux dénonce dans *Le Constitutionnel* la subvention – la guerre des théâtres publics et privés – qui permet de jouer *Antony*, « l'ouvrage le plus hardiment obscène qui ait paru dans ces temps d'obscénité ». Pour Alexandre, c'en est trop : il fait un procès à la Comédie-Française au printemps 1834, au moment où un éditeur l'attaque pour l'exclusivité de publication de ses œuvres complètes, promise à un autre éditeur, Charpentier.

Premier jugement défavorable à Alexandre qui, en digne petit-fils du marquis Davy de la Pailleterie, attaque un journal l'ayant décrié : « J'accepte le titre de gentilhomme que vous m'y donnez. L'arme du gentilhomme est l'épée. Je vous attends avec deux épées pour savoir si vous êtes un faquin. »

Un duel nécessite un témoin ; Alexandre choisit Victor Hugo, Alexandre Bixio et le général Dermoncourt, les hommes-symboles de son existence. L'adversaire tente de se dérober mais Alexandre tient à se battre et le duel aura lieu, même si l'on murmure qu'il est « arrangé ». Quant au procès avec l'éditeur Charpentier, ce dernier pourra continuer, moyennant quelques dommages-intérêts.

La production dumasienne s'en ressent ; *La Vénitienne* fait vingt-sept représentations en mars-avril et *Catherine Howard* n'emballe pas la critique. Dure période, car Ida le trompe avec Roger de Beauvoir, ce qui fait s'insurger Alexandre contre une « Madame Claude » qui réplique vertement : « elle ne vous demande pas la permission de vous faire COCU lorsque cela lui convient, du reste, elle ferait bien de le faire souvent, afin de la mettre à même de pouvoir payer trente mille francs de dettes. Un jaloux est un imbécile, un COCU est un homme d'esprit quand il sait se taire ».

Il faut faire le vide et partir. Pour le théâtre, on s'accorde : la Comédie-Française paie six mille francs et *Antony* n'y sera pas joué ; pour le voyage, ce sera un périple méditerranéen, financé en partie par le ministère de l'Instruction publique, au titre d'un voyage scientifique.

Avant le départ, revient l'affaire Gaillardet dont *Lectures du soir* affirme qu'il est l'auteur de *La Tour de Nesle*. Dumas répond dans le *Musée des Familles* (4 septembre 1834) en se moquant de Gaillardet qui ne lui aurait apporté qu'un manuscrit informe. Gaillardet demande un duel.

Avant que la commission des auteurs dramatiques ait pu régler le cas, Alexandre – histoire de s'entraîner ? – est lui-même témoin du directeur de la *Revue des Colonies* (anti-esclavagiste) dans un autre duel. Gaillardet refuse l'arbitrage, mais qu'importe ! Dumas part pour Marseille.

A son retour, *La Gazette des Théâtres* fournit la version de Gaillardet sur la genèse de *La Tour de Nesle*. Le duel a lieu le 17 octobre, dans l'après-midi, à Saint-Mandé, au bois de Vincennes. Au pistolet. Gaillardet tire le premier et rate. Alexandre tire au hasard – volontairement ? – et ne l'atteint pas. Faut-il aller plus loin ? Ce sera pour une autre fois, les témoins refusant de recharger les armes.

Soulagé, Alexandre part le soir même pour Rouen, où il inaugure la statue de Corneille, « libre par son génie, captif par sa fortune, aigle qui se serait constamment perdu au ciel ». Alexandre séduit son public ou l'irrite, c'est selon. Le général Thiébault – un raciste préférant « subir l'opération la plus opposée à celle du Saint-Esprit » pour lui éviter de se « reproduire en procréant un moricaud », accueille néanmoins Alexandre « en mémoire de son père républicain ».

La description est sans fard : un « jeune homme à la peau d'un métis, la chevelure crépue et épaisse d'un nègre, les lèvres africaines, les ongles de son espèce, les pieds aplatis ; mais sa taille était svelte et élevée, sa physionomie assez noble ; son regard grave, doux, contemplatif, lui donnait une sorte d'onction, qui résultait d'une apparence de mélancolie et d'un sentiment profond ».

Pourtant, Thiébault confirmera dans ses *Mémoires* cette affirmation d'Alexandre : « Tous ceux qui ont connu mon père en parlent avec admiration ; aussi sa mémoire est-elle un culte pour moi. » Voilà pourquoi Dumas se présente officiellement comme Davy de la Pailleterie, ce que l'on souligne à l'occasion de son passage à Rouen, terre de ses ancêtres.

27 – EN MÉDITERRANÉE, AVEC UN NOUVEL AMOUR…

Le projet de Dumas est touristique, littéraire et économique ; il propose une souscription pour « une expédition d'art et de science » accréditée par le gouvernement, accompagné par « trois de nos premiers artistes », un statuaire, un architecte, un médecin, plus un géologue et un banquier, gages de sérieux.

Le 7 novembre partent, outre Alexandre, un paysagiste (Godefroy Jadin) – auquel se joindra Amaury-Duval à Florence – et un camarade de rencontre, Jules Lecomte. On passe par Nevers et Lyon, où une représentation théâtrale permet à Alexandre d'admirer la comédienne Hyacinthe Meinier dans le rôle d'Adèle d'*Antony*… et de tenter de la séduire.

Mais Hyacinthe ne répond aux lettres d'Alexandre que pour affirmer : « Vous avez cru voir en moi de la coquetterie, non, il y avait de l'ivresse en mon cœur, car j'admirais en vous, tout ce qui peut faire croire à la divinité. »

Le voyage continue par Avignon, Nîmes, Beaucaire, Port-de-Bouc et Marseille, où il retrouve son ami Méry avec la fierté et la joie d'être joué : *Catherine Howard* et *Charles VII et ses vassaux* sont à l'affiche. En décembre, par une mer houleuse, Alexandre se rend au château d'If, en face de Marseille. Si Edmond Dantès n'est pas encore en lui, le décor est fascinant et les images s'incrustent dans son esprit. Quelle cellule visite-t-il ?

Va-t-on partir enfin ? Non, car on manque d'argent, le versement du ministère de l'Instruction publique n'étant pas parvenu. Demi-tour par Lyon – en essayant de convaincre Hyacinthe qui envoie des lettres enflammées et qu'il recommande au directeur du théâtre de Rouen – pour tenter de « boucler » son budget et repartir.

En janvier 1835, il crée une société avec un éditeur pour cent actions de mille francs, qu'il suffira de placer, puis il peaufine l'itinéraire en demandant des détails à Hyacinthe et rédige deux volumes, *Chroniques de France* et *Isabel de Bourgogne*, scènes préalablement publiées et développées avec son talent habituel. Il publie également *La Rose Rouge*, nouvelle version d'un écrit datant de 1826 et mettant en scène les guerres de Vendée. Un des personnages, de « taille herculéenne, de force presque surnaturelle et au teint basané », se nomme tout simplement Davy de la Pailleterie et aurait publié des *Mémoires*. L'hommage au père et aux ancêtres ne saurait être plus clair.

Les finances ne suivent toujours pas, la société change de partenaires et Dumas place quelques actions auprès de Victor Hugo, du peintre Descamps, de Gérard de Nerval, qui « investit » un héritage ; cela prend corps, Jadin sera du voyage, ainsi que Jules Lecomte, lequel joue à l'espion et laisse entendre à la cour de Naples que le « vrai motif du voyage » est de joindre le « nouveau Comité des révolutionnaires italiens », afin de lui fournir 2 000 fusils.

Sans se douter le moins du monde de cette trahison, Alexandre « finalise » le financement : il rassemble des nouvelles et publie *Souvenirs d'Antony*, collabore au drame *Cromwell et Charles Ier*, en promet un autre contre prime : enfin le groupe – auquel Ida s'est adjointe – s'ébranle le 12 mai 1835 et traverse Chalon, Lyon, Avignon, Aix, Marseille à nouveau,

Toulon où Ida se prélasse, Jadin dessine et Alexandre écrit (*Don Juan de Marana* ou *la Chute d'un Ange*).

Seul, il visite le bagne de Toulon et fait une excursion en Corse, tout en alignant les vers de sa pièce. Le 15 juin, c'est le vrai départ : Draguignan, Grasse, Antibes, le Golfe-Juan – on pense à l'Empereur –, Nice (on salue le consul), enfin Gênes, avec ses palais « magnifiques, mais tombant en ruines » et ses processions, Livourne, Pise, Florence – où l'on récupère Amaury-Duval –, Pérouse et Rome. A chaque étape, et durant le parcours, Alexandre prend des notes, habitué à « crayonner » ce qu'il voit et à ressentir les émotions.

L'ambassadeur de Naples à Rome lui refuse un visa ? Qu'à cela ne tienne ! Ingres, directeur de l'École française, lui fournit le passeport d'un élève nommé Guichard et le 1er août, Dumas-Guichard et Jadin s'en vont, pistés par deux « barbouzes » du pape qui croient espionner un « émissaire du Comité révolutionnaire de Paris ». Avec Dumas, la vie n'est jamais triste... même s'il risque cinq ans de galères !

A Naples, Dumas rencontre un de ses fervents partisans, Pier Angelo Fiorentino (un futur collaborateur), visite la ville, admire la mer ; comme il a un contrat avec la *Revue et Gazette musicale de Paris* de Schlésinger, il note tout ce qui a rapport avec la musique et cela ne manque pas ! Au San Carlo, jouent Ronconi, baryton, la Malibran et la belle Caroline Ungher – une *Norma* de trente ans, rencontrée à Paris –, fiancée au vicomte de Ruolz-Monchal, déjà ami d'Alexandre.

La tentation est trop forte, même si Ida est exclusive : il lui faut conquérir Caroline. L'occasion ? Un engagement de cette dernière à l'opéra de Palerme.

Alexandre loue un *speronare*, barque manœuvrée par dix matelots, invite Caroline et son futur, ainsi que Jadin ; il a réussi à convaincre Ida de rester à terre. La traversée commence, mais bientôt un orage épouvantable survient : la nuit d'août est d'exception : sur le pont, Ruolz, malade, et

Jadin. Sous la tente, Alexandre et Caroline. Une nuit d'amour, après laquelle il visite la Sicile d'un cœur léger.

Caroline le quitte à Messine – mais on doit se retrouver à Palerme. La visite touche Taormine, Catane, Syracuse, Porri, Agrigente ; il gravit l'Etna, il s'extasie aux ruines antiques, enfin il est de retour à Palerme, où la belle attend à l'hôtel des Quatre-Nations, décidée à renoncer à son vicomte ; heureuse, elle triomphe dans la *Norma* puis dans *Parisina* et fait promettre le mariage à Dumas.

Mais le *speronare* repart avec Jadin vers Lipari, essuie une nouvelle tempête, connaît un tremblement de terre à San Giovanni – Dumas, pendant ce temps, écrit un drame *Le Capitaine Paul* – et loue mulets et guides pour continuer. Sauvage Calabre, avec ses images de brigands ! Enfin, on reprend le *speronare* pour toucher Paestrum et Salerne, avant de revenir par Nocera, Pompéi, Resina sur Naples. Bien entendu, des lettres enflammées sont échangées entre la belle Caroline et Dumas ! C'est le grand amour, pourvu qu'Ida, à Naples...

Sur place, Dumas rencontre le comte de Syracuse, qui refuse un plan de conspiration proposé contre son propre frère. Alors, Dumas espion ? Attendons encore. Sur place, on joue un drame lyrique – *Lara* – écrit par Ruolz et soutenu par Dumas. C'est finalement un succès, grâce à lui. Alors, la liaison Caroline-Alexandre ?

Caroline quitte Palerme pour Venise et Alexandre s'en va de Naples par nécessité : la police a percé le secret du faux passeport ; « le célèbre Alexandre Dumas... républicain, bavard, fanfaron » se trouve dans le pays sous le nom de Guichard, qui « est le nom de la mère d'Alexandre Dumas » – comme quoi les meilleurs limiers peuvent se tromper.

Alexandre passe par Capodichino, Caserte, pour atteindre Rome où il est reçu en audience par le pape Grégoire XVI avant de rencontrer Stendhal et de retrouver Caroline dans un rendez-vous secret. Il embarque à Ancône et s'arrête à

Civita Castellana pour déchiffrer une inscription ancienne : las ! deux carabiniers du pape l'agrippent et le conduisent à un bureau où on lui ordonne de quitter les États Pontificaux, sinon la sentence des cinq ans de galères s'appliquera.

On l'embarque de force, ce qui n'empêche pas le public de Pérouse de saluer avec des salves d'applaudissement à la fois le célèbre auteur dramatique et le « prisonnier » du pape. Il va à Florence, alors que Caroline l'attend à Venise, écrivant : « Tu dois m'aimer aussi pour ma pauvre mère que j'ai perdue. »

Mais Alexandre rentre à Paris, où les affaires le reprennent. Caroline triomphante dans *Belisario* peut bien lui crier son amour, elle sent Alexandre l'abandonner. Elle lui rend sa liberté et portera son bracelet « comme la religieuse porte le cilice ». Nouvel amour déçu, terminé.

28 – LE FEUILLETON : UNE TROUVAILLE ?

Alexandre Dumas, revenu avec deux nouvelles pièces écrites « et deux dans la tête », réclame à Harel une forte prime, négociant également un roman, des albums de voyages et peut-être une biographie de sa chère Mélanie Waldor, suggérée par Marceline Desbordes-Valmore, qu'il a revue à Lyon.

C'est un retour en force : *La Revue des Deux-Mondes* le publie, ainsi que *L'Ariel* et le théâtre se propose de jouer *Don Juan de Marana* ainsi que *Kean*, sur une idée de deux auteurs que Frédérick Lemaître aimerait voir réalisée à son intention. Il touche juste, car Kean, ami des princes et grand séducteur, permet à Dumas d'envisager une œuvre autobiographique.

C'est *Don Juan de Marana* qui est joué le premier, avec Ida en Ange : mais elle a pris du poids et les journaux se moquent quelque peu ; si George Sand est chaleureuse, le public boude. Dumas est troublé : il ne reconquiert pas vraiment Paris. Que faire ? Regarder vers Émile de Girardin qui vient de créer, début 1836, un nouveau type de journal, à bas prix, dont la grande diffusion et les « annonces publicitaires » expliquent l'intérêt. Girardin pense à Dumas dans la partie littéraire pour enjôler le public.

Dumas sera d'abord chroniqueur, avec des articles critiques ou politiques et rendra compte dans *La Presse* des pièces jouées au Théâtre-Français ou à la Porte-Saint-Martin ; surtout, il donnera en feuilleton, le dimanche matin, des scènes historiques extraites de l'Histoire de France et commençant à Philippe de Valois. C'est la naissance du journalisme moderne, inventé par Girardin et auquel Dumas ajoute sa « patte » à raison d'un franc la ligne pour les articles et d'un franc vingt-cinq pour les feuilletons ; plus une loge au théâtre et huit *coupons* de deux cent cinquante francs, validés après un an de collaboration.

Le 15 juillet 1836, Alexandre Dumas expose dans *La Presse* ses vues sur le feuilleton historique et deux jours plus tard, commence avec les *Règnes de Philippe VI de France et d'Édouard III d'Angleterre ;* en septembre, ce seront les *Règnes d'Édouard III, de David Bruce d'Écosse et de Philippe VI de Valois,* ultérieurement publiés en volumes : *La Comtesse de Salisbury.*

Les réactions à la nouvelle formule sont vives et une polémique naît : comment peut-on aussi vulgairement attirer les lecteurs ? Armand Carrel, dans *Le National*, est acide et Girardin réplique de telle sorte qu'ils se retrouvent en duel au bois de Vincennes : les deux protagonistes sont blessés mais Carrel en meurt. Alexandre Dumas, qui admirait ce bon républicain, hésite à poursuivre sa collaboration avec Girardin.

Fin juillet, *La Presse,* soulagée, annonce la poursuite des feuilletons consacrés à *Murat, Pascal Bruno* – souvenirs d'Italie –, à des témoignages personnels *(Mes infortunes de garde national)*, ainsi qu'à ses travaux de critique « théâtral » qui ne l'enthousiasment guère ; il fait passer ses idées sur LE théâtre dans ses chroniques, apparaissant comme le héraut du « ticket » Dumas-Hugo, réconcilié depuis peu.

Ses résultats sont cependant mitigés : réussite pour *Kean*, insuccès pour *Don Juan de Marana*, refus du *Capitaine Paul* à la Porte-Saint-Martin ; à la « maison », une Ida envahissante élève Marie, la fille de Belle, essaie de s'attacher Alexandre fils – douze ans –, tente de chasser les parasites et surveille son territoire : les femmes rôdent autour de Dumas, comme Virginie Bourbier, connue jadis et revenue de Russie avec une robe de chambre et du tabac turc pour Alexandre !

Dumas en perd presque sa bonne humeur, d'autant qu'il doit passer deux semaines en prison – en septembre-octobre 1836 – pour avoir refusé la garde nationale. Mais Virginie parvient à fléchir le geôlier avant son départ et Dumas profite du séjour forcé pour préparer *Piquillo*, que Nerval affinera.

La Presse annonçant quinze mille abonnés, Dumas se fait exigeant et demande cinq mille francs de prime pour une tragédie et l'engagement d'Ida à la Comédie-Française. Ce sera pour six mois (octobre 1837-mars 1838) et un traitement de quatre mille francs, à la satisfaction d'Alexandre.

Et la tragédie ? Dumas demande la reprise de *Charles VII chez ses grands vassaux*, dont il surveillera les répétitions malgré un nouveau séjour en prison – la garde nationale, encore, mais pour deux jours en mai. Au total, il affirme sa prééminence étant à la fois critique, feuilletoniste, installé à la Comédie-Française et chevalier de la Légion d'Honneur (Hugo est officier) – même si Louis-Philippe a d'abord rayé son nom : c'est dire que les jalousies ne manquent pas envers un homme exaspérant.

Alors, cette tragédie ? Ce sera *Caligula* et la Rome débauchée, à laquelle il travaille activement. Le duc d'Orléans, installé au camp de Compiègne pour les manœuvres d'été, invite Dumas qui trouve une maison de garde à Saint-Corneille pour écrire. En septembre, c'est la lecture : reçu à l'unanimité. Pour Dumas, « ce sera de l'argent pour mon hiver », car les dépenses sont importantes : déjeuners, thés, dîners, tant rue Bleue qu'au 22, rue de Rivoli, sa nouvelle adresse.

Dumas est à nouveau entré dans un cycle de démesure, sa pièce en témoigne : cent soixante costumes; des femmes – remplaçant quatre chevaux ! – pour tirer le char de Caligula. Mais le public est fasciné et le 26 décembre, c'est le succès, en présence du duc et de la duchesse d'Orléans, un succès un peu « forcé » par le jeu des acteurs, le comportement des personnages et une médaille commémorative représentant le profil gauche de l'auteur. « On n'a jamais rien vu de pareil », s'esclaffe un témoin.

Est-ce le même succès que jadis ? Dumas n'est pas dupe, après la vingtaine de représentations, il abandonne la tragédie dont il a offert un manuscrit à la duchesse, recevant en remerciements un bronze qu'il conservera toute sa vie.

En janvier 1838, on reprend *Angèle* à l'Odéon, mais un incident, occasionné par Ida, entraîne un nouvel échec. Dumas est effondré, somatise par des maux divers et renâcle devant Ida qui se montre de plus en plus jalouse. Rien ne va plus. Il faudrait à nouveau partir, mais avec quel argent ?

Dumas négocie ses feuilletons vendus en librairie, travaille avec Dauzats à *Quinze jours au Sinaï* et réussit à « placer » *Le Capitaine Paul* non en drame mais en roman; ce sera sa voie pour les prochaines années. Pour l'heure, il propose *Histoire d'un ténor* (Néron, « rencontré » dans ses recherches sur Caligula) qui s'appellera finalement *Acté*, son premier roman historique à la *Revue et gazette musicale de Paris*.

Désormais, Dumas peut songer à partir. Brouillé avec Girardin, il signe avec *Le Siècle*, mais n'est plus exactement le maître; comme à la Comédie-Française, où ses excès, ses frasques et le comportement d'Ida ont altéré les relations. Ne serait-ce pas plutôt une fuite ?

29 – LE MARIAGE.

L'état de santé de Mme Dumas s'altère : victime d'une attaque d'apoplexie il y a neuf ans, elle est souvent alitée ; ses rares plaisirs sont la visite attendue d'Alexandre et la compagnie de son petit-fils, le dimanche, lorsqu'il sort de pension.

Alexandre, comme un grand enfant qu'il est resté, pleure devant la détérioration physique de sa mère, ce qui agace Ida, qui abhorre la famille ; seul consolateur, le duc d'Orléans, auquel Dumas écrit une touchante lettre et comprise puisque le prince vient en visite. Hélas, le 2 août 1838, tout est fini.

La veuve Dumas s'éteint, trente-deux ans après son héros de mari, le général, auquel elle n'a jamais cessé de penser ; elle a été le dépositaire du secret des Davy de la Pailleterie à Jérémie et à Monte-Cristo. Son dernier bonheur a été d'apprendre l'arrestation de la duchesse de Berry par Dermoncourt, l'ancien aide de camp du général Dumas.

Aimée Dumas, la sœur, s'occupe des démarches : l'inhumation a lieu au cimetière de Villers-Cotterêts et Victor Hugo assiste à la levée du corps. Le chagrin d'Alexandre n'est pas feint : des Haïtiens lui ayant écrit pour lui proposer d'élever une statue du général Dumas dans l'île, il répond à ses « chers compatriotes : Vous m'exprimez des regrets qui adouciraient ma douleur, si la douleur d'un fils qui perd sa mère pouvait être adoucie ». Pour lui aussi Jérémie, Monte-Cristo, les Davy de la Pailleterie, les parents, sont le jardin secret d'Alexandre...

Or, au même moment, un notaire parisien enregistre une transaction, aboutissement d'innombrables années de procé-

Le château de Bielleville-en-Caux, où vivaient les Davy de la Pailleterie, ancêtres de Dumas. La lucarne centrale porte la date de construction : 1602. COLLECTION DE L'AUTEUR

L'église de Bielleville-en-Caux, où étaient baptisés les Davy de la Pailleterie ; sur le mur intérieur de la sacristie, leurs armoiries sont peintes : d'azur à trois aigles d'or. COLLECTION DE L'AUTEUR

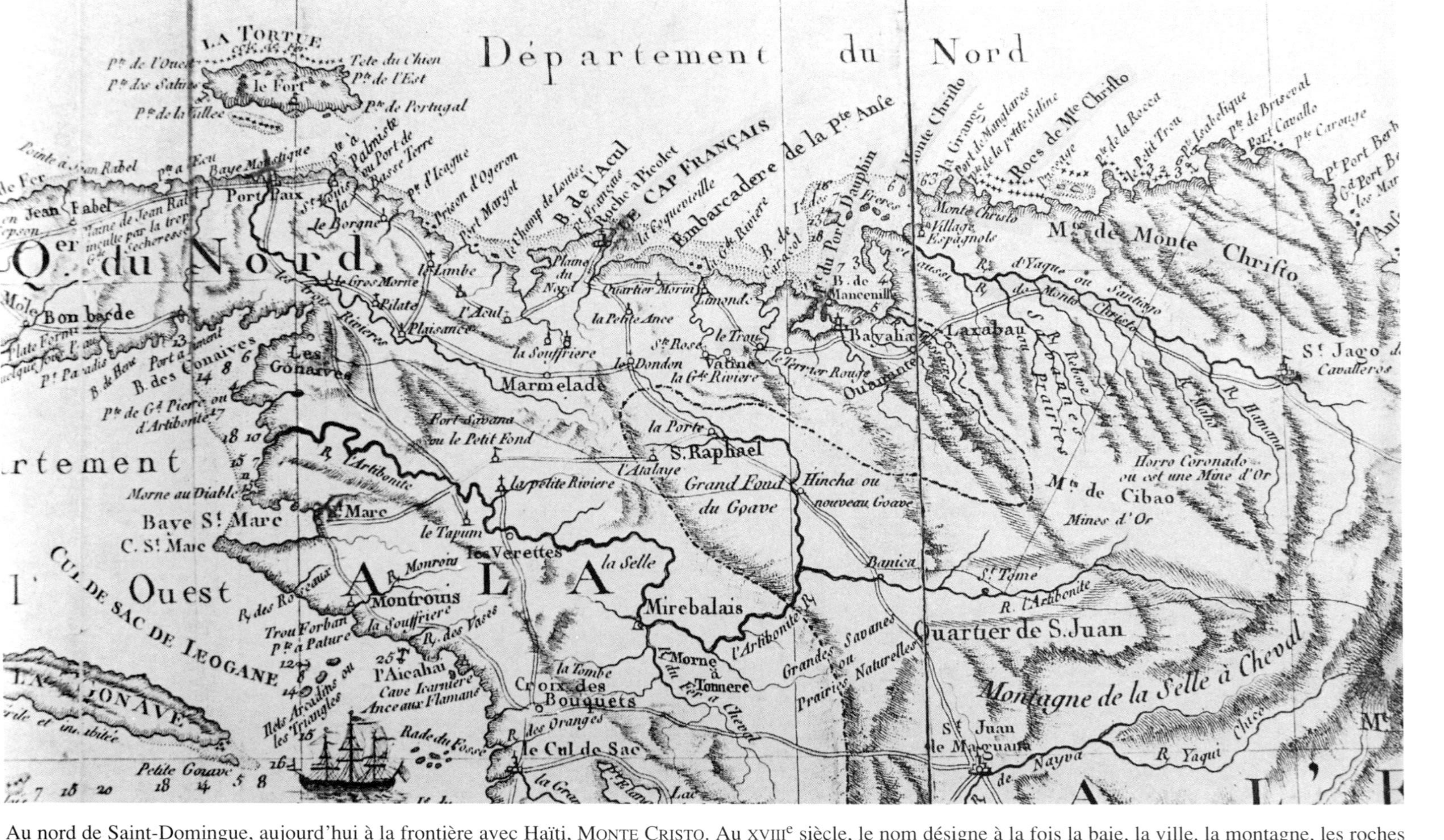

Au nord de Saint-Domingue, aujourd'hui à la frontière avec Haïti, MONTE CRISTO. Au XVIIIe siècle, le nom désigne à la fois la baie, la ville, la montagne, les roches et l'île sur laquelle se trouvait le débarcadère du grand-oncle négrier de Dumas. Là, s'est forgé le *secret de Monte Cristo*...

La *Sierra de Monte Cristo* (ou Monte Cristi), lieu sauvage et difficile à atteindre, était un enjeu stratégique : en 1864, les Dominicains y sont défaits par les Espagnols. ROGER-VIOLLET

En juin 1793, les Noirs de Saint-Domingue se révoltent et massacrent les Blancs. Le comte de Maulde, héritier de la Pailleterie, réussit à embarquer pour Philadelphie mais meurt en mer, laissant une famille désemparée. ROGER-VIOLLET

Fils du marquis de la Pailleterie et de Marie-Césette Dumas, Thomas-Alexandre, s'engageant dans les dragons, prend le nom de sa mère : DUMAS. Soldat intrépide mais intelligent, on le surnomme l'*Horatius Coclès du Tyrol* ou *Le Diable Noir*. ROGER-VIOLLET

Alexandre Dumas à 37 ans : Ce *géant au physique, ce lion au moral*, règne sur le théâtre parisien. Ses cheveux bruns crépus, son visage pâle et ses yeux saphir ont conquis Laure, Mélanie, Belle, Marie, Hyacinthe, Caroline et bientôt Ida...

Malgré l'opposition de son fils, Alexandre Dumas épouse Ida Ferrier, à Paris, avec pour témoins deux pairs de France, Chateaubriand et Villemain, ministre. ROGER-VIOLLET

Le Comte de Monte Cristo assure un immortel succès à son auteur. Les lecteurs frémissent lorsque les gardiens jettent à la mer le sac qu'ils croient contenir la dépouille de l'abbé Faria. Chez les Dumas, on aime les histoires de *revenant*. ROGER-VIOLLET

En 1846, Alexandre Dumas est chargé « d'une mission littéraire en Algérie ». Avant d'embarquer à Cadix, il visite l'Espagne à dos de mulet, accompagné de son fils, de son collaborateur Maquet, du peintre Giraud, d'amis et de son domestique, Eau-de-Benjoin. ROGER-VIOLLET

À Port-Marly, Alexandre Dumas fait construire une demeure à la gloire de la littérature et la baptise de ce nom qui marque le destin familial : MONTE CRISTO. On pend la crémaillère en juillet 1847. ALAIN BÉTRY

Lors de son séjour à Tunis, Dumas apprécie le travail « à la manière arabe » d'un sculpteur, Younis. C'est décidé : Monte Cristo sera décoré d'un splendide salon mauresque, réalisé par Younis — et restauré il y a quelques années. ALAIN BÉTRY

Au château de Monte Cristo, Dumas reçoit ses amis ; mais pour travailler au calme, il s'installe en face, dans son « pavillon d'If », dont les murs portent le nom de ses innombrables succès.

Les portraits de Dumas père sont nombreux ; ici, la photographie le représente au côté de sa fille Marie, née en 1831. Rare moment de bonheur familial.

Alexandre Dumas fils (1824-1895) est le premier auteur de « pièces à thèses » : *Le Demi-Monde*, *Le Fils naturel*, *L'Ami des Femmes*, *La Question du divorce*. Il a acquis la célébrité avec *La Dame aux Camélias*. ROGER-VIOLLET

Suivant la mode des plages, Alexandre Dumas fils achète un chalet à Puys, près de Dieppe, proche du lieu d'origine des Davy de la Pailleterie : c'est là que Dumas père vient finir ses jours, en 1870. C'est le retour aux ancêtres. ROGER-VIOLLET

La maison du souvenir dumasien, à Port-Marly. Cette propriété est léguée par un vieil ami de Dumas père à Dumas fils, qui en fait sa demeure. Aujourd'hui, Christiane et Digby Neave continuent, avec passion, d'y faire vivre « *Les Dumas* ». ALAIN BÉTRY

dure judiciaire : les héritiers Defos, de Bordeaux et les héritiers de Maulde « de l'avis de leurs conseils respectifs », décident d'en terminer et de se répartir l'indemnité payée par l'État pour les habitations de la Pailleterie à Saint-Domingue ; les quatre cinquièmes iront aux Defos, le reste aux de Maulde. Qu'elle était lourde la succession de Charles Davy de la Pailleterie, pour durer encore ! Qu'en pense Alexandre Dumas, qui n'a pas été sans recevoir l'écho des tractations ?

La vie continue et le voyage envisagé ne sera pas remis : Ida et Alexandre arrivent à Bruxelles en août. Tel un prince ? Il a été fait chevalier de l'ordre civil de Léopold et écrit à un correspondant noble : « Appartenant moi-même à une ancienne famille dont par une suite de circonstances étranges je ne porte plus le nom, j'ai toujours pris à tâche malgré mes opinions à peu près républicaines de grandir notre vieille noblesse. » Le républicain conserve le souvenir des ancêtres...

Le voyage passe par Waterloo, Anvers, Gand, Bruges, Malines, Liège, où le carnet s'emplit de nombreuses notes – qui serviront ; puis c'est Aix-la-Chapelle, Cologne et Bonn ; Ida – qui parle parfaitement l'allemand – facilite les démarches du voyage : on emprunte le bateau à vapeur sur le Rhin et l'on atteint Coblence, autre ville du souvenir ; c'est là que repose le général Marceau, compagnon d'armes du général Dumas.

Suivent Holzenfels, Mayence, Francfort, où le couple Dumas est reçu chez les Durand ; lui est directeur du journal français de la ville, elle – Octavie, vingt-trois ans, « une poitrine de sphinx » – sera bientôt sa maîtresse. Mais le travail ne cesse pas pour autant et Alexandre attend des nouvelles de Gérard de Nerval, avec lequel il prépare *Léo Burckhart*, inspiré de l'assassinat d'un dramaturge allemand par un étudiant.

Nerval arrive le 15 septembre et l'enquête auprès des témoins de l'affaire se poursuit activement, au milieu des réceptions – y compris chez les Rothschild ; sur le bateau, se trouvent trois hommes, Alexandre, Gérard et un jeune partenaire, deux femmes, Ida et Octavie : Alexandre est le seigneur.

Après Heidelberg, Karlsruhe et Rastadt, le retour s'effectue par Baden et Strasbourg, les Dumas atteignant Paris début octobre. Dès lors, il faut exploiter les notes, qui se transforment en textes pour la *Revue de Paris (La Belgique et la Confédération germanique)* et pour *Le Siècle (Othon l'archer, Chronique de Charlemagne)*.

En même temps, une affaire naît à propos de *Paul Jones*, joué au Panthéon puis Alexandre propose au Théâtre de la Renaissance son *Léo Burckhart* (écrit avec Nerval), difficilement accepté face à *Un soir de carnaval* d'Augustus Mac-Keat, pseudonyme d'Auguste Maquet. Moment important, car l'avenir en découlera : Alexandre récrit la pièce de Maquet qui devient *Bastille* et comporte un rôle pour Ida ; la machine semble relancée avec un nouveau projet d'Alexandre : écrire une comédie pour le Théâtre-Français.

Début décembre, la pièce est prête : ce sera *Mademoiselle de Belle-Isle*, mettant en scène le duc de Richelieu dont Alexandre conserve le souvenir parce qu'il aurait eu pour compagnon de bataille, Alexandre Davy de la Pailleterie. Avec Dumas, l'histoire familiale n'est jamais loin...

La pièce est reçue en janvier 1839 avec une prime de deux mille cinq cents francs, offrant un rôle à Mlle Mars – à soixante ans, qui joue une ingénue de vingt – et le soir de la première, le 2 avril, en présence de Marie Dorval, la critique salue la pièce d'un « grand succès », y compris Jules Janin, il y a peu adversaire d'Alexandre.

Au théâtre de la Renaissance, huit jours plus tard, malgré un Frédérick Lemaître en bonne forme et une Ida somptueusement habillée, *L'Alchimiste* obtient un résultat plus modeste ; à la Porte-Saint-Martin, *Léo Burckhart* est carrément un insuccès, ce qui désespère Nerval.

Mais Alexandre a tellement de cordes à son arc qu'il est partout présent : *La Revue de Paris, Le Journal des enfants, Le Siècle,* donnent ses dernières livraisons, dont *Vie et aventures de John Davys* – on pense à une homonymie des ancêtres – ainsi que *Crimes célèbres*. Avec une telle profusion, il faut des participations ou des collaborations : celle de Pier Angelo Fiorentino, rencontré lors du voyage à Naples, et celle d'Auguste Maquet, qui « fournit » la matière des *Crimes célèbres*.

Pourquoi tant écrire ? Si vite, sur tant de sujets et de genres ? Alexandre Dumas a toujours besoin d'argent. A tel point qu'il accepte la proposition d'un ami recommandé par Ida, Jacques Domange, de lui racheter ses dettes, à bon compte : la recette de *Mademoiselle de Belle-Isle* abondera le compte !

La course infernale d'Alexandre va lui coûter cher, en argent et en liberté. Si l'on en croit un témoin, Ida aurait fait racheter toutes les créances par Domange, ne laissant à Dumas d'autre alternative que la prison pour dettes... ou le mariage.

Un traité de mariage est effectivement préparé chez maître Outrebon, à Paris, en février 1840, et les bans sont publiés. Oh ! cela ne plaît pas à tout le monde et, en particulier, au petit Alexandre : Mélanie Waldor s'oppose au mariage pour défendre le jeune garçon – dorénavant inscrit à la pension Hénon, rue de Courcelles –, qui abhorre Ida.

Alexandre fils rédige la lettre d'opposition que Mélanie Waldor fait porter chez Domange et envisage de contacter les témoins du mariage. Alexandre, rageur et douloureux, répond à son fils : « Mon cher enfant, ce n'est point ma faute mais la tienne, si les relations de père à fils ont tout à coup cessé entre nous ; l'état dont tu te plains a duré six ans. Je n'ai pas eu d'enfant depuis six ans. »

Alexandre se défend d'être un mauvais père ; il est convaincu de faire le bien de tout le monde et ne pense guère à sa vie dissipée ; en outre, il ajoute ce P.S. à une lettre de janvier 1840 : « Tu devrais au lieu de signer Alex Dumas comme moi ce qui peut avoir pour nous deux, un jour, un grave inconvénient, puisque nos deux écritures sont pareilles, signer Dumas Davy. Mon nom est trop connu, tu comprends, pour qu'il y ait doute, et je ne puis ajouter père : je suis trop jeune pour cela. »

Passons sur l'appréciation; ce qui intéresse, c'est le nom qu'il veut voir porter par son fils, *Dumas Davy*, celui de son propre père, futur général, lorsque le « revenant » lui faisait donner des cours à Saint-Germain-en-Laye. Même pour un motif contestable, Dumas fait référence aux Davy de la Pailleterie.

Le contrat de mariage est passé devant maître Desmanèches, à La Villette, le 1er février; Alexandre apporte deux cent mille francs provenant de ses ouvrages, Ida vingt mille francs de bijoux et cent mille francs « en deniers comptants ». Quatre jours plus tard, le mariage est enregistré à la mairie du premier arrondissement de Paris, avec pour témoins Chateaubriand, pair de France et Villemain, ministre de l'Instruction publique, puis célébré le lendemain à Saint-Roch.

La qualité des témoins fait penser à un « grand » mariage, mais il n'y a que des dettes et Alexandre peine à payer la pension de son fils. Encore une fois, il faut partir...

30 – SÉJOUR A FLORENCE.

Dumas, organisé, emporte des albums de voyage, des notes, des scenarii à développer, autant de futurs ouvrages à proposer au public et sa préparation est méthodique : ainsi, il indique à Maquet qu'il retient le plan d'un certain Latour

« dont je prends l'idée première et que je retourne à ma façon, que j'écrirai entièrement, et dont il n'aurait plus à s'occuper le moins du monde ».

En outre, il demande à Maquet de travailler à un autre plan, qu'il reverra en cas de besoin, car « cela me paraît plus juste que la première combinaison en ce que de cette manière, chaque œuvre cesse au bout d'un certain temps d'être grevée de son collaborateur et devient personnelle à celui qui a mis son nom ».

Ainsi travaille Dumas, en partie : on lui apporte des idées, il les transforme et les magnifie grâce à son don d'écriture et le résultat plaît au public, qui en redemande...

Ses instructions sont simples envers le Théâtre-Français : reprise d'*Henri III* et de *Christine*, un drame en cinq actes pour décembre et le souhait de traduire « et imiter » en vers *Hamlet*, *Macbeth* et *Jules César*, de Shakespeare. Domange, propriétaire de ses droits d'auteur, est désormais porteur de sa procuration générale pour gérer ses intérêts.

On part ! Première étape à Marseille où l'on reste cinq jours – confirmant l'intérêt de Dumas pour la cité phocéenne et son amitié pour Méry, bibliothécaire – et le 7 juin, Ida et Alexandre s'installent à Florence. D'emblée, il écrit à Mlle Mars pour l'inviter à les rejoindre dans leur palais comportant belvédère, salle de spectacle, douze chambres, jardin et fontaines.

Alexandre s'ennuie pourtant et c'est la raison de son geste, bien qu'il soit lui-même invité par Jérôme Bonaparte, ancien roi de Westphalie. Mais l'ennui s'abrège, puisqu'il a du travail : une publication par la ville de Florence de la Galerie des Offices – trois cent cinquante portraits de peintres –, pour laquelle Alexandre toucherait dix mille francs dans l'édition en français.

Reste à trouver un documentaliste – Hector de Garriod – et un graveur – Amaury-Duval. L'argent rentre et rembourse les dettes – sans écorner un train de vie fastueux, qui fait jaser les mauvaises langues. Dumas rêve, songe à une candidature à l'Académie française et s'en ouvre à Victor Hugo. Son papier à lettre est symbolique, portant écus accolés et chiffre.

Il ne lui reste plus qu'à se préoccuper de son fils, malheureux enfant auquel il annonce son absence jusqu'en janvier, pour raison d'économies, ajoutant ces conseils : « apprends bien l'allemand... ne néglige pas le grec non plus. Tu n'as pas besoin de rêver à moi pour être sûr que je pense à toi ».

De loin, les choses sont toujours plus faciles à exprimer. Et le travail continue ; en octobre, les impressions de voyage en Belgique et sur les bords du Rhin sont terminées, celles sur l'Italie le sont aux trois quarts et il propose – pour *La Revue de Paris* – ses *Médicis*, rédigés pour *La Galerie de Florence*.

Alors, les affaires sont meilleures ? Non, selon Ida, ils ont de « maigres ressources » et connaissent des « privations en tous genres ; Paris est impossible pour nous », compte tenu de leurs revenus : il faut d'ailleurs quitter le palais pour une maison plus modeste, via Rondinelli : Alexandre y travaille dans une sorte de réduit avec un lit immense – il a l'habitude de ce décor familier –, débute le *Chevalier d'Harmental, Le Corricolo* et rédige *Le Speronare* en entier.

En guise de distraction, il visite l'île d'Elbe en octobre et réfléchit à la distribution des rôles de pièces de théâtre pas encore écrites, mais qu'il porte déjà en lui : il pense à Mlles Plessy, Doze, Mars et MM. Beauvallet, Ligier, Menjaud, le « gratin » des comédiens.

Il se donne totalement à son œuvre mais se soucie tout de même de ses tracas financiers à Paris ; on fait les comptes : des dizaines de milliers de francs entrent et sortent, à l'image des Davy de la Pailleterie et de Maulde qui comptaient les milliers de livres. Il en ressent des douleurs à l'estomac et des défauts visuels – sorte d'ophtalmie, comme le général Dumas en Italie : le mimétisme est-il symbolique ?

Bientôt, *Excursions sur les bords du Rhin* et *Souvenirs de voyage (Midi de la France)* sont terminés et Alexandre exprime sa tendresse envers son fils en lui écrivant en novembre 1840 : « C'est toujours que j'aurai soin de toi jusqu'à ce que tu puisses te tirer d'affaire. »

Il a en tête une pièce de trois actes qui s'allonge en cinq, *Un mariage sous Louis XV*, future *Un mariage d'aujourd'hui*. Courant décembre, la meilleure société de Florence en entend la lecture et est enthousiasmée. Alexandre – qui s'est surpassé, selon Ida – est fait grand-croix par le duc de Lucques et achète des aunes de rubans : il faut porter les décorations, que diable, et Alexandre en a cinq !

La santé reste préoccupante par les maux oculaires ; les médecins sont formels dans leur diagnostic : il faut du repos. Mais un Alexandre Dumas ne saurait s'arrêter, l'écriture et la maturation s'imposant à lui. *Un mariage sous Louis XV* sera lu fin décembre 1840, à la Comédie-Française... mais reçu à corrections. Lui qui rêvait de voir son fils à l'orchestre, pour suivre la pièce ! Au fait, quelle éducation reçoit ce dernier ?

Le père écrit aussi à son fils, l'intéressant aux vers latins, à la scansion des vers d'Horace et de Virgile, recommande la lecture du grec et de l'allemand (plus tard on verra pour l'anglais et l'italien), la pratique du dessin, l'étude de la Bible, la lecture de Molière, Corneille, Chénier, Hugo, Lamartine et ajoute cet ultime conseil : « Travaille et repose-toi par la variété même de ton travail. » On dirait le programme de Grandgousier à son fils Gargantua !

Les problèmes se multiplient : la prime attachée à la pièce – cinq mille francs – attend encore, *Le Chevalier d'Harmental* (sur un premier jet de Maquet) est terminé, la candidature à l'Académie française doit progresser, de nombreux contrats sont à négocier à Paris – Domange est en butte avec les éditeurs –, aussi n'y a-t-il qu'une solution : revenir à Paris, même pour un court séjour.

Début mars 1841, Dumas annonce à Domange : « J'arrive mon très cher. J'apporterai avec moi les deux premiers volumes du roman... arrangez-vous que je trouve cinq cents francs poste restante à Marseille. »

Car l'argent est son sujet immuable, alors qu'il confie à Domange la « réalisation » de l'appartement de la rue du Roule où sa mère est décédée. Surtout, qu'il ne jette pas mille choses précieuses, comme le chapeau de son père, le carton noir contenant cinquante lettres autographes de Napoléon, Bernadotte, Murat et autres, ainsi que les livres que sa mère lisait et qu'il veut conserver... à tout prix. C'est l'importance du sang chez Dumas.

Après dix mois d'absence, Alexandre se retrouve à Paris en mars 1841 ; sa première visite est pour son « petit enfant chéri », non point son fils Alexandre, mais Henriette Chevallier – Mlle Laurence au théâtre – connue avant son départ. Elle aussi a fait des dettes et a demandé à son protecteur de payer ; comment ne le ferait-il pas ?

Le retour est morose : Domange a certes réglé les différends avec Buloz, *Un mariage sous Louis XV* est distribué, mais la candidature à l'Académie n'a pas avancé et les négociations avec *La Revue de Paris* sont au point mort ; seule satisfaction, *Le Siècle* publiera *Le Chevalier d'Harmental*.

Sa pièce est jouée début juin 1841 mais Alexandre n'assiste pas à la première, qui connaît un succès d'estime, avant de retourner à Florence. Il a juste apprécié que son fils se consacre à la poésie, à dix-huit ans, comme lui-même jadis. Lorsqu'il reçoit ses vers, il est enchanté et répond par des conseils prosaïques : Alexandre fils doit passer ses vacances chez sa tante, n'apprendre à chasser qu'avec son oncle et surtout ne pas nager en rivière : il y a tout de même une fibre paternelle !

Alexandre fait un autre voyage-éclair en octobre-novembre 1841 pour lire *Lorenzino* au Théâtre-Français, auquel il est reçu avec une prime – la dernière – de deux mille cinq cents francs et pour faire jouer *Jeannic-le-Breton*, interprété par Bocage, à la Porte-Saint-Martin. De retour à Florence, il demande à son fils de surveiller les répétitions de sa pièce, lui passant symboliquement un relais : *Lorenzino* sera jouée en février prochain, mais ne connaîtra que sept représentations.

Probablement se trouve-t-il en février 1842 à Rome, où il assiste au carnaval, qui lui inspirera des scènes du *Comte de Monte-Cristo* : une œuvre est un kaléidoscope et les composantes de Dumas sont diverses, sa mémoire amalgamant au mieux de l'œuvre. Lorsque *Lorenzino* chute, Dumas écrit à Buloz de la retirer, au bénéfice d'un *Hamlet*, la prime s'appliquant toujours.

Ce renoncement est inhabituel chez le gagneur qu'est Alexandre ; peut-être provient-il de sa vive douleur due à une enflure du côté droit du visage, traduisant l'intensité de ses souffrances. Dumas revient vers le 20 avril à Paris avec un *Hamlet*, repris sur une version de Paul Meurice, mais son séjour sera peu productif ; il repart vers l'Italie par Lyon, où il retrouve Virginie Bourbier, à laquelle il laisse en juin 1842 une lettre pour son fils. « Elle t'embrassera pour moi », dit-il.

A Florence, il entre en amitié avec le prince Napoléon, fils de Jérôme, l'ancien roi de Westphalie, qui a quitté la cour de Wurtemberg pour s'occuper de son rejeton. Le jeune prince – appelé Napoléon Bonaparte – n'a pas vingt ans, mais Dumas apprécie en lui des « qualités extraordinaires ».

Alexandre s'enthousiasme pour ce jeune qui possède « une étude étrangement exacte de l'Europe » et commande à un armurier un fourniment de chasse pareil au sien, gravé d'un aigle impérial et des mots « Napoléon Bonaparte ». Cette fois, il prend l'avantage, en mentor généreux, sur Napoléon, et venge le général Dumas en étant l'ami d'un Napoléon...

Il propose une excursion-pèlerinage à l'île d'Elbe, partant avec mille francs en poche et un valet de chambre ; à

Livourne, on embarque sur *Le Duc de Reichstadt* pour joindre Porto Ferrajo, on visite Elbe, on chasse sur l'île de Pianosa, apercevant au loin une autre île, hantée par des chèvres sauvages : Monte-Cristo. Il la contourne et promet d'intituler un jour un de ses romans, *L'Île de Monte-Cristo*...

En juillet 1842, invité chez le prince Napoléon au Quarto, Alexandre apprend le décès du duc d'Orléans, « mort à trente et un ans, mort si jeune, si beau, si noble ». Il embarque à Livourne, débarque à Gênes à cause du mal de mer, remonte en malle-poste à Chambéry en compagnie d'Adolphe d'Ennery – composant ensemble une comédie, *Halifax* – et assiste aux obsèques à Notre-Dame, dans la foule considérable éclairée par trente mille cierges sur fond noir. Il est témoin de l'inhumation, à Dreux, d'autant plus sensible que c'est la date anniversaire de la mort de sa mère – quatre ans déjà !

Dumas est effondré : le duc d'Orléans était pour lui un gage de progrès futur, la garantie d'un passage sans heurts de la monarchie à la république. Il reste plusieurs mois à Paris, loin d'Ida et Mlle Mars révèle la véritable cause de ce séjour prolongé : « Mme Ida est à son second amant, c'est maintenant le comte Pouchin qui règne ; Dumas sait tout, il a quitté Florence convaincu de son malheur. »

En février 1843, il a écrit trois volumes de *Sylvandire* (dont Maquet a trouvé le sujet dans les *Mémoires de la marquise de Fresne*, de Gatien de Courtilz), deux volumes de *Georges* où il décrit « des frères de race et des amis de couleur » autobiographiques, *Halifax*, *La Vivandière* en répétition, soit cinq volumes et deux pièces, alors que Domange fait fructifier ses droits.

Georges, « le premier des chefs-d'œuvre romanesques d'Alexandre », est aussi « le seul roman de Dumas sur la question raciale » (*Alexandre Dumas le Grand*, op. cité) ; un sujet difficile à traiter, apporté par Félicien Mallefille : « le mulâtre, et tout ce que lui fait souffrir, parmi ces Blancs, fiers de leur sang pâle, l'orgueil des créoles insolents, qui sont venus d'Europe, pour occuper une terre qui n'était pas à eux ». Dumas, nous y reviendrons, a souffert du racisme mais a aussi « participé » : n'a-t-il pas eu deux serviteurs plus noirs que lui, le Cubain Alexis, « un nègre » offert par Marie Dorval dans un grand panier et l'Abyssin Paul, dit Eau-de-Benjoin, amateur de rhum, parlant cinq langues, dont l'arabe ?

La production romanesque l'emporte alors et c'est la raison de sa collaboration avec des auteurs qui viennent lui soumettre un texte que Dumas reprend et récrit, lui donnant son âme véritable. Le roman sera l'outil principal des victoires à venir, *Halifax* connaissant un échec cuisant au Théâtre des Variétés en décembre 1842.

Dumas connaît pourtant un nouveau bon moment de théâtre avec le *Mariage au tambour*, écrit sur une idée de son vieil ami Leuven, destiné à Virginie Dejazet et promis au succès en mars 1843. Il faut continuer ! Dumas écrit donc, en compagnie de Brunswick et de Leuven, les quatre premiers actes de cette nouvelle pièce et improvise littéralement le cinquième devant le comité de lecture : c'est le véritable Dumas, avec sa force d'imagination et sa puissance de création immédiate !

Début avril, Alexandre retourne à Florence rejoindre Ida, écrivant auparavant au chargé d'affaires concernant son épouse : « Donnez-lui son passeport, je vous prie, au nom de la marquise Davy de la Pailleterie, vous savez que c'est le même nom que le mien », ne manquant pas l'occasion de rappeler l'importance des ancêtres, cette sacrée famille !

Le 2 mai, il est parti, laissant à Leuven le soin de surveiller les répétitions des *Demoiselles de Saint-Cyr*, pour la Comédie-Française. En arrivant, il retrouve Jules Lecomte voulant se rabibocher avec lui, mais occasionnant un nouvel incident, source de duel ; Alexandre est amené à faire un nouveau voyage-éclair à Paris pour récupérer des preuves contre Lecomte.

Il en profite pour assister à une représentation de *Phèdre*, à l'issue de laquelle il est présenté à Rachel, puis repart en compagnie de son fils vers la Belgique et le Rhin, chemin le plus court pour rallier Marseille et Florence ! A Marseille, il retrouve Rachel en tournée – ce n'est pas le fruit du hasard, mais la marque de sa volonté ; tout le monde dîne au Prado avec l'ami Méry, les Dumas, Rachel et son amant, Waleski ; après une promenade sur la plage où l'actrice ramasse et lui offre un petit morceau de marbre, Alexandre tombe amoureux de *l'enchanteresse* ; il lui écrit : « Je vous aime Rachel, je vous aime beaucoup. »

Mais il se trompe ! Rachel répond : « Je suis forcée de vous prier de cesser une correspondance dont je suis et dois être blessée. » Alexandre, vexé, rajoute : « Puisque vous le voulez absolument restons-en où nous en sommes », sur quoi la belle conclut en renvoyant les quelques lignes écrites par Dumas. On ne gagne pas toutes les femmes !

Alexandre prend vraiment son temps : le 25 juillet, il se trouve à la « première » des *Demoiselles de Saint-Cyr*, éreintée par le critique Jules Janin – autre occasion de duel qui n'aura pas lieu –, mais qui connaît un succès appréciable avec trente-six représentations. Cette fois, il rallie Florence mais en décidant d'un retour définitif à Paris, 45 rue du Mont-Blanc. Tout recommence !

31 – QUATRE GARÇONS DANS LE VENT ET UNE ÎLE AU TRÉSOR.

Dumas est de retour ! La capitale a retrouvé son animateur. Chaque mercredi, entre vingt-trois heures et minuit, tout le « show-business » vient s'attabler chez l'écrivain pour un souper généralement composé d'un pâté, d'un rôti, d'un poisson et d'une salade. Dumas, gourmet et fin cuisinier, a inventé une sauce pour les poissons à l'huile, dont chacun se régale.

Seul le jeune Alexandre n'est pas de la fête, en raison de la haine qu'il voue à Ida, sa belle-mère ; son père est obligé de lui écrire, longuement, en essayant d'amadouer le jeune homme, qui ne lui est guère attaché et veut s'en aller en Espagne ou en Italie : « Je ne fais pas de grands mots avec toi. Je ne fais pas de gentilhommerie avec Mme Dumas ; j'ai cru que je pouvais faire de toi un ami, je me suis trompé. Je suis fâché qu'à dix-neuf ans tu aies trop de confiance en toi. Aller hors de Paris n'est pas se créer un avenir. Tu sais que Mme Dumas n'est Mme Dumas que de nom tandis que toi tu es véritablement mon fils. On nous voit tellement toujours ensemble qu'on en est venu à ne pas séparer nos deux noms. Si un avenir quelconque t'attend, c'est à Paris. »

Alexandre « relancé » a une production vertigineuse : *Ascanio* (roman historique), *Le Château d'Eppstein* (roman fantastique), *Amaury* (roman sentimental), *Gabriel Lambert* (roman réaliste). Le roman est désormais le genre dumasien et les demandes ou offres de collaboration ne manquent pas : Paul Meurice, Hippolyte Auger, Louis Lefèvre, sans oublier Leuven et surtout Maquet, qui donnent corps au « nègre d'Alexandre Dumas » exploité par son désopilant et abusif patron. Mais quels qu'ils soient, jamais ils n'atteindront la qualité d'écriture de Dumas, véritable magicien des mots et des situations, scénariste génial et travailleur acharné.

En effet, « quand les autres auteurs écrivent, ils sont arrêtés à chaque instant par un renseignement à chercher, une indication à demander, un doute, une absence de mémoire, un obstacle quelconque ; lui n'est jamais arrêté par rien ; de plus, l'habitude d'écrire pour la scène lui donne une grande agilité de composition. Il dessine aussi vite que Scribe chiffonne une pièce. Joignez à cela un esprit étincelant, une gaieté, une verve intarissable, et vous comprendrez à merveille comment, avec de semblables ressources, un homme peut obtenir dans son travail une incroyable rapidité, sans jamais sacrifier l'habileté de sa construction, sans jamais nuire à la qualité et à la solidité de son œuvre » (*Alexandre Dumas le Grand*, op. cité).

En fait « Dumas a pris son époque à bras-le-corps, mais sa reconstruction d'une histoire romanesque était aussi une façon de s'en évader. Disons : de se redonner des ancêtres, tout en réinventant le monde. » (*Ce sont les poètes qui font l'histoire*, Philippe de Saint-Robert, in *Le Grand Livre de Dumas*, Les Belles Lettres, 1997.)

Éric-Emmanuel Schmitt, en homme de théâtre, considère que Dumas apporte « le palpitant sur scène ; rien d'abstrait... mais du désir. On veut savoir ce qui va arriver... » Dumas devient donc logiquement le maître du coup de théâtre qui exprime le destin et de l'improvisation héroïque, qui exprime le libre arbitre. « En fait, il inventait le cinéma. »

« Tout l'indique. Ses pièces ont de l'épaisseur romanesque, le goût du pittoresque, du voyage dans l'espace et le temps, choses que permet tellement mieux la caméra que les planches. Dumas demande des choses très difficiles au théâtre et qui sont l'essence même du cinéma. » (*Lorsque Dumas inventait le cinéma*, Eric-Emmanuel Schmitt, in *Le Grand Livre de Dumas*, op. cité.)

L'association Maquet-Dumas a essuyé un échec au théâtre avec *Le Laird de Dumbiky*, fin décembre 1843. Qu'en sera-t-il du nouveau projet, un roman, préparé à partir des *Mémoires de M. d'Artagnan*, de Courtilz de Sandras empruntés en juin dernier et jamais rendus à la bibliothèque de Marseille ?

Maquet, à la demande de Dumas, a déjà tracé le plan des premiers chapitres, mais Alexandre veut leur donner un autre corps, mêler des personnages historiques comme Louis XIII,

Richelieu, Buckingham, Anne d'Autriche ; toute une époque ! Aussi Dumas demande-t-il à Maquet de lui procurer *L'Histoire de Louis XIII* traitant du procès Chalais puis attend « de la copie le plus vite possible ».

Car le travail est inspiré, Dumas s'y sent bien et surtout les premiers volumes sont à remettre au *Siècle*, fin février 1844, sous le titre *Athos, Porthos et Aramis* ; mais le directeur, affolé des remarques de ses vingt mille abonnés, aurait proposé *Les Trois Mousquetaires*, à quoi Dumas aurait répondu : « Je suis d'autant plus de votre avis que, comme ils sont quatre, le titre sera absurde, ce qui promet au roman le plus grand succès. »

Pour l'heure, Dumas répartit ses productions : *Gabriel Lambert* à *La Chronique*, *Une fille du Régent, Les Frères Corses, Le Chevalier de Maison-Rouge, La Reine Margot, La Guerre des Femmes, Vingt ans après* suite des *Trois Mousquetaires* feront la joie des éditeurs et propriétaires de journaux jusqu'en janvier 1846, sans oublier *Impressions de voyage dans Paris* qui deviendra *Le Comte de Monte-Cristo*. Une production effervescente, qu'aucun autre homme que Dumas ne réaliserait.

Pourtant, il travaille sur une grande table de bois blanc, se contente d'un canapé, de deux chaises, d'un lit de fer et de quelques livres posés sur la cheminée. Vêtu d'un pantalon à pieds, en manches de chemise retroussées jusqu'au coude, le cou dégagé, il écrit de sept heures du matin jusqu'à sept heures du soir – selon les souvenirs de son fils – sans manger parfois le plat préparé. C'est cela la création ! Une passion et un don total de soi. Et le père a alors le même âge que son fils : vingt ans. Jubilatoire !

Pourtant, Alexandre fils s'est enfui chez l'ami Méry, à Marseille, se reposer d'une vie déjà passablement dissipée d'où peuvent surgir la syphilis ou la phtisie pulmonaire. Aussitôt, Dumas père écrit en proposant un voyage en Corse, en Espagne, en Italie, voire en Algérie ou de reprendre le travail sur les peintres de la *Galerie de Florence*, ou encore d' « arranger » une *Histoire du château de Versailles*.

Dumas père essaie de faire revenir Dumas fils, à l'heure où la séparation d'avec Ida – véritable seconde mère pour la jeune Marie, treize ans – semble inévitable : il prévoit en voyage des escaliers dérobés, afin de pouvoir rencontrer qui il veut : Mlle Doze, Eugénie Scrivaneck – qui propose de voyager « en garçon » et sert de secrétaire à l'écrivain.

En attendant le départ, Dumas père poursuit les aventures des *Trois Mousquetaires* et trouve un endroit pour écrire au calme ; c'est à Saint-Germain-en-Laye, chez le restaurateur Collinet, hormis le dimanche car les Parisiens viennent en villégiature. Durant l'été 1844, il découvre, en revenant à pied, un lieu merveilleux, les Montferrands, situé à Port-Marly. Coup de cœur : Dumas n'a de cesse d'acheter, en une douzaine d'opérations notariées, des parcelles de terre pour constituer un domaine sur lequel il rêve de construire une demeure.

En août, Alexandre part à Trouville en compagnie de Maquet et d'Eugénie – qui parle un charabia polonais, selon un témoin – pour y écrire *Marseille*, la première partie du *Comte de Monte-Cristo*, qui commence en feuilleton dans *Les Débats* du 27 août 1844. Intérêt immédiat, succès immédiat. Il faut suivre. Alexandre suit.

D'abord, il faut quitter Ida – devenue énorme – après dix ans de vie commune ; chacun vit de son côté : Alexandre au 10, rue Joubert et c'est la petite Marie, en pension, qui transmet les différentes tractations. Ida est devenue l'amante du prince de Villafranca, un grand d'Espagne de vingt-six ans, baron, seigneur et marquis digne des Davy de la Pailleterie.

En octobre, un voyage emmène le père et le fils, plus le gérant de *La Presse* et un historien – tous prénommés Alexandre (le chiffre quatre est-il alors symbolique pour Dumas ?) –, vers la Belgique ; au passage, on s'arrête au fort de Ham, où Dumas rend une visite autorisée au prince Louis Bonaparte emprisonné, sous couvert de traiter des conditions éditoriales d'un manuscrit du général Montholon sur la captivité de l'Empereur.

Au retour, les quatre Alexandre, comme des mousquetaires affamés, s'arrêtent à Compiègne et dînent à l'auberge *De la Cloche et de la Bouteille*, tenue par un ancien camarade d'enfance de Dumas ; la création littéraire est ainsi faite : l'auberge servira de décor à l'arrestation de Cavalcanti dans *Le Comte de Monte-Cristo*.

L'heure est aux règlements de comptes entre Alexandre et Buloz. Alexandre, imprudent, tire à boulets rouges et cela ressemble fort à une attaque contre le pouvoir. Les retombées ne se font pas attendre : menace de procès et articles incendiaires dans la *Revue des Deux-Mondes*, le *Journal des Artistes* et le *Corsaire-Satan*.

Mais ce n'est rien par rapport au libelle *Sur le mercantilisme littéraire* d'un certain Jacquot de Mirecourt, à la Société des Gens de Lettres. Un texte brutal, hargneux, raciste, indigne, mais qui fait mal.

L'actualité fait que le feuilleton de Balzac, *Paysans*, doit cesser, faute de public ; il faut donc passer au texte suivant, qui est *La Reine Margot*, de Dumas, au grand dam de Balzac, qui s'écrie : « Vous n'allez pas me comparer à ce nègre ! » Il faut donc, impérativement, que Dumas se remette au travail, quitte à abandonner *Le Comte de Monte-Cristo*, qui nécessite de nombreuses recherches pour suivre le héros dans son séjour à Paris.

Il applique sa recette à son texte : « commencer par l'intérêt, au lieu de commencer par l'ennui ; commencer par l'action, au lieu de commencer par la préparation ; parler des personnages après les avoir fait paraître, au lieu de les faire paraître après avoir parlé d'eux ».

Résultat, Dumas s'oppose à Dumas dans la presse : *Vingt ans après* contre *La Guerre des femmes*. Et puis soudain, en janvier 1845, le libelle de Mirecourt fait son œuvre ; on lit dans les vitrines : « Fabrique de roman. Maison A. Dumas et compagnie. » Si le texte est *bête*, selon Balzac, il est vrai et l'on voit poindre à sa lecture un nègre plagiaire qui vole le travail de ses collaborateurs, Félicien, Mallefille, Meurice, Augier, Pier Angelo Fiorentino et Maquet, auxquels il est demandé d'abandonner leur *prostitution*.

Mirecourt donne dans le gros, mais c'est aussi l'époque : « Le physique de M. Dumas est assez connu : stature de tambour-major, membres d'Hercule dans toute l'expression possible, lèvres saillantes, nez africain, tête crépue, visage bronzé. Son origine est écrite d'un bout à l'autre de sa personne; mais elle se révèle beaucoup plus encore dans son caractère.

« Grattez l'écorce de M. Dumas et vous trouverez le sauvage. Il tient du nègre et du marquis tout ensemble... Le marquis joue son rôle en public, le nègre se trahit dans l'intimité... Nègre ! »

Un racisme exacerbé ? Non, un racisme « ordinaire », de l'essence de celui qui fera un siècle plus tard des millions de morts en Europe. Dumas, comme Pouchkine et son ancêtre africain, ressent tout cela et la vie mouvementée de ses ancêtres est le parfait résumé des rapports Blanc-Noir-Créole. Peut-être est-ce pour cela qu'il ne s'en est pas ouvert dans ses *Mémoires*...

Quoi qu'il en soit, Dumas se défend, contre-attaque en se justifiant et dénombrant les travaux réalisés : une comptabilité édifiante qui ne tient pas compte du génie littéraire, le seul véritable argument. Il envisage le duel, assigne Jacquot devant le tribunal : malgré quinze jours de prison et quelques mois de contrainte par corps contre Mirecourt, le mal est fait. Dumas n'a qu'une solution : travailler. Il appelle Maquet au secours : « J'attends. J'attends. J'attends. » De la copie, cela s'entend.

Maquet – pour qui la collaboration « s'est toujours passée de chiffres et de contrats » et semble n'avoir connu qu'une

« bonne amitié » et une « parole loyale » – continue sa « pioche », au pas de charge : *Le Bâtard de Mauléon* doit paraître en Espagne puis en France.

Cela n'empêche pas la fête : le 7 mars 1845, Anaïs Liévenne, actrice, maîtresse de Dumas fils, organise une soirée avec de Flers, de Beauvoir, Dujarier, Beauvalon, d'autres invités et les deux Dumas : on est entre bons vivants, on joue mais une querelle éclate ; Beauvoir et Dujarier provoquent Beauvalon en duel. Pour le public, cela n'est qu'un épisode de la « guerre des feuilletons ». Hélas, le duel tourne au drame : Dujarier est tué et comme les circonstances sont troubles, le scandale est de mise.

Alexandre enterre son ami et traite avec de Girardin : *La Dame de Montsoreau, Les Quarante-cinq, Jacques Ravaillac* ; vingt-quatre volumes de 5 626 lignes à 80 centimes la ligne. Finalement *La Presse* et *Le Constitutionnel* auront chacun neuf volumes à 3 500 francs l'unité.

Dumas reprend alors *Le Comte de Monte-Cristo*, lance *Le Fils de Milady (Vingt ans après), Le Vicomte de Bragelonne, Le Chevalier de Maison-Rouge*. Cela devrait tout de même faciliter la réduction de la dette envers Domange, avec lequel il signe un nouvel « arrangement ».

Cette reprise du *Comte de Monte-Cristo* permet de mesurer ce qui différencie ce roman des *Trois Mousquetaires*, ce qui donne d'Alexandre Dumas un double visage du « magicien du réel » qu'il est (Philippe de Saint-Robert, op. cité).

« Aux mousquetaires la bonne humeur, l'appétit de vivre, l'abondance de tous les biens ; à Monte-Cristo, la privation, le dégoût, le mépris. Aux uns les amours, les écus, les brevets, récompenses de l'audace et du courage ; à l'autre, l'amère rétribution de la vengeance. Aux uns l'avenir, et son mode de surgissement qui est l'aventure ; à l'autre le passé, et son mode de permanence qui est le ressassement. » (François Taillandier, *Drôles d'amis*, in *Le Grand Livre de Dumas*, op. cité.)

Le 15 avril 1845, Ida retourne à Florence, accompagnée par la petite Marie à l'heure où le prince de Montfort – nom d'emprunt de Napoléon Bonaparte – vient de Florence à Paris, dûment autorisé, occasion pour Dumas de lui présenter l'intelligentsia : ne dirait-on pas Mortcerf et Monte-Cristo ?

Puis Alexandre s'installe à la villa Médicis de Saint-Germain-en-Laye, en attendant que son château de Port-Marly, à la gloire de la littérature et à la sienne, soit construit. Maquet habitant Bougival, l'association fonctionne sans difficultés, Dumas continuant de recevoir de nombreux amis et inconnus, mais surtout continuant de tracer sur le papier bleu les lignes qui racontent le rêve historique que demande le public.

Son château nécessite de l'argent, beaucoup d'argent. Dumas cède en exclusivité sur vingt ans dans un nouveau journal et par une édition dite Charpentier ses œuvres complètes, moyennant six cents francs par volume. Un pactole qui n'empêche pas les avatars ; son chien le mord : la main est « à moitié coupée ». Comment faire ? Dumas introduit le bâton de la plume dans une espèce de pince entre index, médium et annulaire et parvient à écrire : *Vingt ans après*. *Le Chevalier de Maison-Rouge* et *Le Comte de Monte-Cristo* attendent.

Il arrive également que le rouleau transmis par Maquet soit perdu : c'est toute l'organisation qui est remise en cause ; le domestique couchera à Paris s'il le faut, mais les deux paquets seront réécrits ! A-t-il le temps de faire autre chose que du roman ? Oui, en donnant *Les Mousquetaires*, pièce jouée à l'Ambigu-Comique, le 27 octobre 1845, en présence du prince de Montpensier.

32 – LE MARQUIS DE MONTE-CRISTO, PROPAGANDISTE EN ALGÉRIE.

Alexandre Dumas est en 1846 l'homme le plus lu de France. Il va bientôt pouvoir entrer dans son temple-château de Port-Marly honorant la littérature, avec une frise de médaillons représentant Homère, Sophocle, Shakespeare, Goethe, Byron, Hugo et – surévalué – Casimir Delavigne ; il salue les visiteurs dès l'entrée par sa devise forgée dans le fer : « J'aime qui m'aime. »

Il est totalement un Davy de la Pailleterie : le 18 février 1846, il demande la permission d'ouvrir un « théâtre de drame, de comédie et de féerie sur le boulevard du Temple » en signant Alex Dumas, marquis de la Pailleterie ; il obtiendra le privilège et le théâtre (600 000 francs d'achat, 800 000 francs de travaux) s'appellera Théâtre Montpensier ; Dumas devient légitimement le *MARQUIS DE MONTE-CRISTO*, puisqu'il donne ce nom à son domaine. Marquis de Monte-Cristo comme l'était son grand-oncle, « aux Isles », à Saint-Domingue, il y a quatre-vingt-dix ans.

Le marquis a une réputation un peu sulfureuse : le tribunal de Rouen le reçoit pour témoigner dans le procès Beauvalon et là – est-ce parce qu'il est en sa terre normande ? – Dumas irrite le président. A la question concernant sa profession, Alexandre répond : « Je dirais auteur dramatique, si je n'étais dans la patrie de Corneille », avant de se lancer dans un long développement mal venu sur le point d'honneur, car Dumas fils l'accompagne et tous deux sont au bras de leur maîtresse. La société bourgeoise est choquée du comportement.

A ce compte, même le public peut griffer et il siffle *Une fille du Régent*, le 1er avril au Théâtre-Français, lorsque le mot gentilhomme est prononcé : la pièce fait seulement seize représentations. Qu'importe pour Dumas : *Le Comte de*

Monte-Cristo s'est achevé le 15 janvier 1846 dans les *Débats* et *La Dame de Montsoreau* va commencer dans *Le Constitutionnel*, alors que *Mémoires d'un médecin, Joseph Balsamo*, a déjà commencé dans *La Presse* ; en septembre, devant Théophile Gautier, Gérard de Nerval, Jules Janin, de Banville, Arago, réunis au théâtre de Saint-Germain, on joue *Hamlet, prince de Danemark*, une adaptation dumasienne de Shakespeare, avec la jeune Béatrix Person en Ophélie. Peut-il enfin souffler ?

Le gouvernement a voulu convaincre les Français de s'installer en Algérie comme colons ; avec un maigre résultat. Qui pourrait opérer une action quasi publicitaire ? Alexandre Dumas ! Avec deux ou trois volumes qu'il écrirait pour trois millions de lecteurs, on trouverait certainement cinquante à soixante mille volontaires, tel est l'avis d'un proche du ministre de l'Instruction publique, Salvandy.

C'est une véritable mission officielle qui est confiée à Alexandre Dumas : en passant par Madrid, il assistera au double mariage de la reine Isabelle II avec l'infant et de l'infante Louise-Fernande avec le duc de Montpensier ; puis il remplira une « mission littéraire en Algérie » (arrêté du 29 septembre 1846) ; le financement vient des ministères de l'Instruction publique et de l'Intérieur, le duc de Montpensier mettant la main à sa bourse : 18 000 francs plus 5 000 francs d'indemnités diverses. « Cela paiera toujours mes guides ! » lance Alexandre qui vend, à réméré, sa propriété littéraire pour 100 000 francs. Comme jadis son père a été ainsi vendu...

Chemin de fer, poste, mules, tout est bon pour gagner du temps dans le voyage, tel un héros de Jules Verne. Dumas est en Espagne, où on le publie ; il est invité par le duc d'Ossuna, suit des corridas et voit la mort de quarante-six taureaux. Tout le monde est content : Dumas père, Dumas fils, le peintre Giraud, Maquet, Desbarolles, Boulanger, le serviteur Eau-de-Benjoin visitent l'Escurial, Tolède, Grenade, Cordoue, Cadix, Séville avec son bal superbe et « chaud ».

La corvette *Le Véloce* attend en rade de Cadix, selon l'ordre de Salvandy. On embarque le 18 novembre 1846 pour débarquer près de Tanger; Dumas est à pied d'œuvre pour chanter la conquête de l'Algérie et faire venir les colons. A Tanger, on pêche, on chasse; à Gibraltar, on retrouve Dumas fils qui a fait une fugue amoureuse depuis Cordoue; à Djema-R'Azouat, on récupère des prisonniers libérés après rançon; à Alger, on constate l'absence du général Bugeaud : on se rend donc en Tunisie, le commandant Bérard mettant *Le Véloce* à disposition.

Le 4 décembre 1846, Dumas touche Tunis, dont le Dey effectue un voyage officiel en France, mais est reçu partout : à Carthage, il visite le tombeau de Saint-Louis, dont l'intérieur est sculpté à la manière arabe. L'artiste – Younis – travaille au tombeau du Bey. Dumas veut l'embaucher, ayant décidé de créer un « salon mauresque » dans son château de Monte-Cristo ! Qu'à cela ne tienne, son désir devient un ordre.

Bône, Constantine, la Stora avec le cadeau d'un superbe et dangereux vautour, Alger la Blanche et la rencontre de Bugeaud qui, malgré sa réserve, l'invite à l'investiture du cheikh El-Mokrani, fête inoubliable.

Le 3 janvier 1847, les voyageurs accompagnés de Younis et de son fils Mohamed, embarquent sur l'*Orénoque* et atteignent Toulon le lendemain, en cette France où l'attendent « les petits ennemis et les longues haines ».

De fait : Ida affirme qu'elle ne pouvait supposer qu'il « laisserait sa femme et sa fille dans une véritable détresse à cinq cents lieues de Paris », d'autant que sa santé et celle de sa belle-fille ont « succombé aux angoisses de cette vie au jour le jour ». Ida demande « l'application loyale » du traité signé.

Par ailleurs, on a débaptisé le Théâtre Montpensier en Théâtre-Historique; peu importe à Dumas qui admire la façade de son bâtiment, « appuyé sur l'art antique, la tragédie et la comédie ». En ouverture, on donnera un tout frais texte, *La Reine Margot*, adapté du roman.

Enfin, Girardin et Véron réclament, par procès, neuf volumes de romans, alors qu'il n'a fourni que *La Dame de Montsoreau* et une partie de *Balsamo*.

L'année 1847 s'ouvre donc sur ce procès dans lequel Dumas se défend lui-même : le public adore et trépigne quand il entend ces mots : « J'avais deux ans pour écrire ces volumes à raison de 80 000 lignes par année. Je défie MM. de l'Académie d'en faire autant. Et, pourtant, ils sont quarante... »

Tout le monde n'apprécie pas sa manière et un curieux pamphlet à trente centimes est publié à *La Librairie du passage du Grand Cerf*, intitulé : « Alexandre Dumas dévoilé par le marquis de la Pailleterie, marchand de lignes pour la France et l'exportation, co-missionnaire français en Espagne et en Afrique, tueur de lions, protecteur d'Abd el-Kader, sauveur des sauvés, plaqué de l'ordre de Charles III, pendu du Nischam, chevalier d'une légion d'honneur et d'une foule d'autres pailleteries. »

On voit le ton, précisé dès les premières lignes : « Qui que tu sois, lecteur, marquis ou sot, pair de France ou idiot, député ou ventriloque, rédacteur d'un grand journal ou saltimbanque, abonné au *Siècle* ou imbécile ; que tu aies été inondé par le sable de la Loire ou par celui de Balsamo, voici la grande histoire du jour, histoire inouïe, d'autant qu'elle est vraie.

« C'est l'histoire du grand Alexandre Dumas, faite, découverte, dévoilée, analysée, improvisée et racontée par Davy, marquis de la Pailleterie, de gaillarde mémoire. »

On y parle de cet « Alexandre le Grand tout court » qui possède « l'île de Monte-Cristo à Saint-Germain », un tricorne de marquis et des culottes de pailleterie, sorte de baron de Munchhausen : bataille de chiffonniers où tous les coups sont permis et où Dumas est insulté ; pourtant, on y cite des extraits de lettres de médecins consultés par Dumas et donnant leur diagnostic : « ces douleurs de la région de l'estomac et du ventre caractérisaient une véritable névrose » (Dr Pasquier) ; « Je vous l'ai déjà dit vingt fois. Vous faites un métier à tuer un cheval de labour » (Dr Gaudinot).

Malgré sa faconde, Dumas est condamné à six mille francs d'amende et à livrer quatorze volumes au total à Girardin et à Véron. Il n'a plus qu'à « supporter » la jeune Béatrix, qui débute au théâtre avec le rôle de Catherine de Médicis...

Mais « l'Affaire Dumas » éclate le 11 février, dans *Le Moniteur* qui rapporte les propos de M. de Castellane dénonçant « l'entrepreneur de feuilletons chargé d'une mission pour aller explorer l'Algérie ». On parle de malentendu, on cite ouvertement le nom du marquis de la Pailleterie, qui réagit vivement dans les journaux : mon passeport « émane du ministre des Affaires étrangères » et « *Le Véloce* m'a été parfaitement envoyé à Cadix par M. le maréchal Bugeaud ». Dumas demande réparation, par duel. Une boutade faussement désabusée clôt l'affaire : « M. de Castellane est beaucoup plus un (simple) monsieur qu'Alexandre Dumas. »

Lequel se félicite de ce vacarme, qui apporte des spectateurs au Théâtre-Historique, le 19 février, en une interminable soirée de théâtre, entrecoupée de collations. Désormais, Alexandre peut compter sur une rentrée annuelle de cent cinquante mille francs et affirme que la salle pourrait être « plus justement nommée Théâtre-Européen ».

« Son » Théâtre joue en effet *Hamlet, Intrigue et Amour* de Schiller, mais aussi Vigny, Hugo, Balzac, et Dumas, bien entendu. C'est la génération de 1830 qui, dix-sept ans plus tard, reprend le dessus théâtral, grâce à Alexandre ; mais « Athos-Hugo est pair de France, Porthos-Balzac s'est marié dans l'aristocratie, Aramis-Vigny s'est retiré dans sa tour d'ivoire, seul d'Artagnan-Dumas bataille encore » (*Dumas, le génie de la vie*, par Claude Schopp, Fayard, 1997).

Il bataille en apportant la transformation visuelle de ses feuilletons sur la scène ; de nos jours, il écrirait pour la télévision et le cinéma, raison pour laquelle l'adaptation du *Comte de Monte-Cristo* par Didier Decoin est une réussite.

Le succès est encore là, ainsi que les fêtes : en avril 1847, à l'Arsenal, en juillet, au parc des minimes, à Vincennes, où l'on a disposé des tentes historiques, mais où la foule a eu des « mouvements divers » annonciateurs de changement et, le 25 juillet 1847, enfin, où l'on pend la crémaillère à Monte-Cristo.

Tout est terminé : Younis a réussi le « salon mauresque » au premier étage et Dumas, qui vient d'avoir quarante-six ans, contemple le château, empli de six cents amis venus l'honorer en cette soirée. Au crépuscule, Dumas père passe les bras autour des épaules de Dumas fils qui murmure : « C'est beau » ; le père répond : « C'était beau. » Prémonition ? Tout va si vite...

QUATRIÈME PARTIE

HISTOIRE D'UN CHEF-D'ŒUVRE

33 – LES PRÉPARATIFS.

« Il me semble que dans ce livre on touche au secret même de Dumas. Il vivait mal son sang noir... », explique Didier Decoin, président des Amis d'Alexandre Dumas et auteur de l'adaptation télévisée du *Comte de Monte-Cristo,* avec Gérard Depardieu en Edmond Dantès.

Le Comte de Monte-Cristo et *Les Trois Mousquetaires* figurent parmi les romans les plus lus au monde, romans populaires qui ont scellé la renommée universelle d'Alexandre Dumas.

Faut-il rappeler le sujet de *Monte-Cristo*? Le marin Edmond Dantès, après avoir été enfermé sur dénonciation calomnieuse pendant quinze ans au château d'If, à Marseille, s'en évade et retrouve, sur les indications d'un compagnon de captivité, l'abbé Faria, un trésor caché dans l'île de Monte-Cristo. Grâce à ce trésor, il se venge en châtiant ses ennemis et vient en aide à ses amis.

On peut aussi dire que c'est l'histoire d'un homme mystérieux qui, après ses années de prison et d'initiation, surgit tel un magicien de l'Orient à Paris où, du printemps à l'automne, il punit des méchants avant de retourner au silence de la mer et à l'insondable mystère d'où il est sorti.

En 1843, Dumas publie *Le château d'Eppstein* et *Ascanio* – dans lequel un prisonnier creuse une galerie avec un poignard offert par un autre détenu –, s'apprêtant à réaliser son premier roman de mœurs « et non point essentiellement d'histoire, d'amour, ou d'aventures pures », comme les précédents (J.H. Bornecque, *Introduction au Comte de Monte-Cristo*, Garnier, 1962). Il termine l'année sur de nombreuses préparations : *Les Demoiselles de Saint-Cyr, Louis XIV et son siècle,* deux romans, deux comédies et un drame.

Dumas travaille à un rythme hallucinant : un quart d'heure par page « de quarante lignes pour cinquante lettres à la ligne, deux mille lettres environ. Bon jour, mauvais jour, j'écris quelque chose comme vingt-quatre mille lettres dans mes vingt-quatre heures », presque sans ratures et sans ponctuation : il n'a pas le temps, on reprendra derrière lui. Aujourd'hui, un quart d'heure d'ordinateur aboutit à une page de 1 500 signes...

Il œuvre avec ses amis Leuven, Brunswick ou Maquet, qui apporte toujours une documentation de qualité ; ensemble, ils établissent un plan et se répartissent la tâche, Alexandre assurant le « liant » grâce au génie de son écriture. S'il écrit seul, Dumas mène simultanément plusieurs livres, toujours à raison d'un quart d'heure par page, taillant ou rajoutant à ses sources pour livrer un texte qui subjuguera le lecteur.

Où travaille-t-il ? En s'isolant à Saint-Germain-en-Laye, lieu de mémoire, puisque y sont décédés son grand-père Alexandre Davy de la Pailleterie en 1786, Marie Retou sa veuve en 1799 et la sœur de cette dernière en 1821. Là, a également grandi son père, Thomas Rétoré, alias Dumas-Davy, adversaire des deux sœurs avant de devenir général : autant de raisons pour l'écrivain de se livrer à l'irrépressible alchimie qui livrera ce joyau : *Le Comte de Monte-Cristo*.

Le magicien Alexandre donne un feu d'artifice à partir de mars 1844, une année « vertigineuse, avec huit romans publiés ou en cours de parution, dont trois chefs-d'œuvre absolus ! » : *Les Trois Mousquetaires* paraissent dans *Le Siècle*, tandis que *Le Commerce* publie *Une fille du Régent* ; *Le Comte de Monte-Cristo* commence à paraître en août dans *Le Journal des Débats* et à la fin de l'année, ce sera *La Reine Margot* dans *La Presse*, précédant de peu *La Dame de Montsoreau*, dans *Le Constitutionnel*. Tout cela sans préjudice de deux romans fantastiques pour la jeunesse, de quelques nouvelles et de deux romans contemporains, *Les Frères Corses* et *Gabriel Lambert* !

Quant à *Monte-Cristo*, Dumas précisera sur la fin de sa vie qu'il l'a achevé à « Pompadour... que hante encore l'ombre de l'illustre marquise », à l'occasion du mariage de la fille de Vuillemot, son camarade de Villers-Cotterêts, cuisinier de qualité, dont Alexandre est le témoin.

Dumas, devant le succès de son héros, voudra lui donner une suite comme aux *Trois Mousquetaires* et à *La Reine Margot*, ce que réalisera Jules Larmina avec un *Fils de Monte-Cristo* et *La Mort de Monte-Cristo*. C'est dire l'engouement pour ce personnage.

Qui est ce comte de Monte-Cristo ? Existe-t-il un modèle ? On connaît alors un homme riche et énigmatique, célèbre par ses bizarreries et son tapage, Lord Seymour, alias « Mylord l'Arsouille, un type étrange dans lequel se trouvaient réunies toutes les exubérances nées de la richesse, du courage, de la force physique, de l'excentricité, de l'humeur la plus incroyable... » (J.H. Bornecque, *op. cité*).

Mais Alexandre Dumas se projette dans le personnage de Dantès-Monte-Cristo ; il écrira plus tard : « Au fur et à mesure que j'avance vers l'avenir, j'entraîne avec moi tout ce qui a eu part à mon passé, tout ce qui se mêle à mon présent. »

Manière de signifier qu'il y a dans le sang d'Edmond Dantès et du comte de Monte-Cristo un peu du sang noir et bleu d'Alexandre Dumas, « romantique à la recherche du temps perdu » et authentique marquis Davy de la Pailleterie.

Pauline (1838) a été une ébauche mettant en scène le comte de Beuzeval – nom plutôt normand –, puis Dumas, sensible aux atteintes racistes, publie en 1843 *Georges*, dans lequel « un chapitre entier est consacré à la philosophie du négrier car (son) frère... est un vendeur de chair humaine » (Calixthe Beyala, 1998). Comment ne pas penser au marquis de la Pailleterie et à son frère, négrier à Monte-Cristo ? D'ailleurs, ce roman est « un splendide hommage trop souvent ignoré qu'Alexandre a rendu à sa grand-mère, la Marie du mas, à son oncle et à ses deux tantes, le frère et les sœurs du général vendus par le petit-marquis de la Pailleterie » (*Alexandre Dumas le Grand, op. cité*).

Le sujet ? Georges, fils d'un planteur mulâtre de l'île de France un jour profondément humilié par un Blanc, s'expatrie, étudie à Paris et prépare une revanche qui durera quatorze ans – le temps que Monte-Cristo passe en prison.

Georges est dans un certain sens le modèle préparatoire de *Monte-Cristo* en ce qui concerne le mythe de la disparition, du retour et de la vengeance ; lorsque dans une soirée, on annonce Georges Munier, « quoique le nom fût bien connu à l'île de France, celui qui le portait était depuis si longtemps éloigné, qu'on avait à peu près oublié qu'il existât » : c'est à la fois Dantès et Alexandre Davy de la Pailleterie. *Georges* est ainsi révélateur de la « pensée noire » de Dumas et de son histoire autobiographique.

Dans ce roman, est citée une courageuse « batterie Dumas » défendue par le nègre Pierre Munier, père de Georges, qui possède « le génie d'un général » et « le courage d'un soldat ». On croit en connaître le modèle.

Dans ce roman encore, Nazim *Cerf d'Anjouan* prépare Laïza *Le Lion* à devenir marron : avec un verre, il coupe ses cheveux et enduit ses membres d'huile de coco, afin d'échapper à toute prise physique. C'est « la toilette du nègre marron », qu'ont dû connaître Catin, Rodrigue et Cupidon, lorsqu'ils ont fui, en 1748, avec Alexandre Davy de la Pailleterie...

Dans ce roman enfin, un chapitre est intitulé « le négrier » ; c'est Jacques Munier, le frère de Georges, « revenu incognito » et qui pouvait « étudier son ennemi » ; une nuit, des signaux sont échangés, deux chaloupes amènent au rivage douze matelots et une soixantaine de nègres... et les Munier se retrouvent après quatorze ans de silence ! Dumas conclut : « Le hasard réunissait dans la même famille l'homme qui avait toute sa vie plié sous le préjugé de la couleur, l'homme qui faisait sa fortune en l'exploitant, et l'homme qui était prêt à risquer sa vie pour le combattre. » On pense aux Davy de la Pailleterie.

Jacques, quant à lui, en authentique négrier, arbore un pavillon, « trois têtes de Noirs, posées deux et une sur champ de gueules », qui transpose le blason des Davy, « trois aigles d'or posés deux et un sur champ d'azur ».

Si Dumas égratigne les « races noires » dans *Georges*, en parlant de leur fétichisme – par exemple envers un parapluie – ou de leur attrait pour le rhum, il livre aussi de son intimité car « Georges, mulâtre, fils de mulâtre, aime une Blanche » ; et que sont les mulâtres ? – *Des nègres blancs, pas autre chose.*

Surtout, Georges y préfigure le Comte de Monte-Cristo : « grâce à son admirable puissance sur lui-même, il cacha sous un impassible et éternel sourire d'insoucieux dédain les différentes émotions dont il était assailli ».

C'est dire que le statut et l'origine d'Alexandre Dumas jouent un grand rôle dans la genèse du *Comte de Monte-Cristo*. Calixthe Beyala souligne que Dumas a souffert des préjugés de couleur, *Georges* étant sa réponse au racisme. C'est vrai : il rétorque un jour à un impudent lui demandant s'il a du sang noir dans les veines : « J'en ai certainement, monsieur, du sang noir ! Mon père était mulâtre, mon grand-père était un nègre, mon arrière-grand-père était un singe. Vous voyez, monsieur, que ma famille commence où la vôtre finit ! »

Alexandre Dumas père, quarteron de naissance et victime du racisme, s'en ouvre d'emblée dans *Charles VII chez ses grands vassaux* : Bérengère fait assassiner Yaquoub, l'homme qu'elle aime, par un Sarrasin : certaines répliques fustigent les préjugés raciaux, entraînant les sifflets du public, à la « première ».

Lorsqu'il essaie de charmer Marie Dorval, Dumas, rival de Vigny, déclare avec amertume : « En ce cas, ma chère, reçois mes sincères compliments : d'abord, de Vigny est un poète d'un immense talent ; ensuite c'est un vrai gentilhomme : cela vaut mieux que moi, qui suis un mulâtre. »

Il n'oublie pas le « Ça pue le nègre ici », lancé par Mlle Mars ; en 1838, il écrit un *Capitaine Pamphile* qui rapporte une cargaison de 230 nègres risquant de « s'avarier » comme une marchandise. Heureusement, ils n'ont pas la « face stupide et l'apathie animale des nègres du Congo ». Plus tard, dans *Ingénue*, il défendra « les malheureux nègres » marqués au fer rouge.

Il a bien entendu en tête le sort de son père, le général, appelé le « nègre Dumas » par Bonaparte, après l'orageuse explication d'Égypte ; il connaît surtout la repartie paternelle, lorsqu'en 1802, Bonaparte – pour s'en venger ? – lui propose d'aller mater les rebelles de Saint-Domingue : « Citoyen Consul, vous oubliez que ma mère était une négresse. Comment pourrais-je vous obéir ? Je suis d'origine nègre. Je n'irai pas apporter la chaîne et le déshonneur à ma terre natale et à des hommes de ma race. »

Et Dumas fils aussi ressentira le racisme, écrivant en 1866 à propos d'un de ses personnages qu'il vient de « tuer » dans un roman : « Jusque-là son meurtrier... a travaillé comme un des Nègres dont il descend dans la ligne paternelle. » L'obsession de l'origine noire est donc très présente chez les Dumas et nous ramène à l'histoire des Davy de la Pailleterie.

Mais d'abord, laissons Dumas raconter, en septembre 1857, comment il a créé son chef-d'œuvre, entre une partie de chasse à Saint-Bris et un voyage à Bruxelles. Cela s'intitule :

34 – UN MOT À PROPOS DE MONTE-CRISTO.

« On s'est toujours fort inquiété de savoir comment s'étaient faits mes livres, et surtout qui les avait faits. Il était si simple de croire que c'était moi, que l'on n'en a pas eu l'idée. Ainsi, en Italie, on croit généralement que c'est Fiorentino qui a fait *Le Comte de Monte-Cristo*. Pourquoi ne croit-on pas que c'est moi qui ai fait *La Divine Comédie* ? J'y ai exactement autant de droits... Disons donc aujourd'hui ce que j'ai oublié de dire en 1845, c'est la façon dont se fit *Le Comte de Monte-Cristo*.

« En 1841 j'habitais Florence, la colonie française avait pour centre la charmante villa de Quarto, habitée par le prince Jérôme Bonaparte et par la princesse Mathilde, sa fille... Le roi Jérôme me voua, dès cette époque, une amitié qu'il m'a conservée, j'espère, mais dont il peut dire que je n'abuse pas.

« Un jour, il me dit, c'était au commencement de 1842, Napoléon quitte le service de Wurtemberg et revient de Florence. Il ne veut pas, comme tu le comprends bien, être exposé à servir contre la France. Une fois ici, je te le recommande.

« – Vous me recommandez un prince, à moi, Sire ! Et à quoi puis-je lui être bon ?

« – A lui apprendre la France, qu'il ne connaît pas, et à faire avec lui quelques courses en Italie, si tu en as le temps.

« – A-t-il vu l'île d'Elbe ?

« – Non.

« – Eh bien, je le conduirai à l'île d'Elbe, si cela peut vous être agréable. Il est bon que le neveu de l'Empereur termine son éducation par ce pèlerinage historique.

« – Cela m'est agréable et je retiens tes paroles.

« ... Le prince avait alors 19 ans et moi 39. Nous partîmes pour Livourne dans la calèche de voyage du prince, notre valet de chambre partageant le siège du postillon. »

Mais comme il n'y a rien à voir à Livourne, ils décident d'aller à Porto-Ferrajo, empruntant un bateau du nom de *Duc de Reichstad*. Malgré la légèreté de l'embarcation, ils négocient la traversée pour huit paoli.

« ... On ne pouvait aller au diable à meilleur marché. Au reste, les matelots livournais ne doutent de rien ; lorsque nous leur demandâmes s'ils pouvaient nous conduire à l'île d'Elbe dans leur coquille de noix : " En Afrique, si c'est le bon plaisir de Leurs Excellences ", répondirent-ils. »

Avec sa faconde habituelle, Dumas raconte comment le bateau et ses passagers essuient une terrible tempête. Puis « ... Le lendemain, à cinq heures, nous abordions à Porto-Ferrajo. Mais, me direz-vous, chers lecteurs, jusqu'à présent, *Le Comte de Monte-Cristo* n'a pas grand-chose à voir avec ce que vous nous racontez. Patience, nous y arrivons.

« Après avoir parcouru l'île d'Elbe en tous sens, nous résolûmes d'aller faire une partie de chasse à la Pianosa. La Pianosa est une île plate, s'élevant à peine de dix pieds au-dessus du niveau de la mer. L'Empereur en avait fait son haras. Elle abonde en lapins et en perdrix rouges. Malheureusement, nous avions oublié d'emmener un chien !

« ... Un bonhomme, heureux possesseur d'un roquet blanc et noir, s'offrit à porter notre carnier, moyennant deux paoli, et à nous prêter son chien par-dessus le marché. Le chien nous fit tuer une douzaine de perdrix que le maître porta consciencieusement. A chaque perdrix que le bonhomme fourrait dans sa sacoche, il disait, en poussant un soupir et en jetant un coup d'œil sur un magnifique rocher en pain de sucre qui s'élevait à deux ou trois cents mètres au-dessus de la mer : " Oh ! Excellences, c'est si vous alliez là-bas, que vous feriez une belle chasse ! "

« – Qu'y a-t-il donc là-bas ? lui demandai-je enfin.

« – Des chèvres sauvages par bandes ; l'île en est pleine.

« – Et comment s'appelle cette île bienheureuse ?

« – Elle s'appelle l'île de Monte-Cristo !

« Ce fut la première fois et dans cette circonstance que le nom de Monte-Cristo résonna à mon oreille.

« – Eh bien, dis-je au prince, si nous allions à l'île de Monte-Cristo, Monseigneur ?

« – Va pour l'île de Monte-Cristo, dit le prince.

« Le lendemain, nous partîmes pour l'île de Monte-Cristo. Le temps était magnifique cette fois ; nous avions juste ce qu'il fallait de vent pour aller à la voile, et cette voile, secondée par les rames de nos deux matelots, nous faisait faire trois lieues à l'heure. A mesure que nous avancions, Monte-Cristo semblait sortir du sein de la mer et grandissait comme le géant Adamastor.

« Je n'ai jamais vu plus beau manteau d'azur que celui que le soleil levant lui jeta sur les épaules. A onze heures du matin, nous n'avions plus que trois ou quatre coups de rame à donner pour aborder au centre d'un petit port. Nous tenions déjà nos fusils à la main, prêts à sauter à terre, quand un des deux rameurs nous dit :

« – Leurs Excellences savent que l'île de Monte-Cristo est en contumace.

« – En contumace ! demandai-je, que veut dire ceci ?

« – Cela veut dire que, comme l'île est déserte et que tous les bâtiments y abordent sans patente, à quelque port que nous rentrions après avoir abordé à Monte-Cristo, nous serons forcés de faire cinq ou six jours de quarantaine.

« – Eh ! monseigneur, que dites-vous de cela ?

« – Je dis que ce garçon a bien fait de nous prévenir avant que nous n'abordions, mais qu'il eût mieux fait encore de nous prévenir avant que nous partions.

« – Monseigneur ne pense pas que cinq ou six chèvres, que nous ne tuerons peut-être pas, vaillent cinq ou six jours de quarantaine que nous ferons sûrement.

« – Et vous ?

« – Moi, je n'aime pas les chèvres de passion, et j'ai la quarantaine en horreur ; de sorte que, si monseigneur veut...

« – Quoi ?

« – Nous ferons tout simplement le tour de l'île.

« – Dans quel but ?

« – Pour relever sa position géographique, monseigneur, après quoi, nous retournerons à la Pianosa.

« – Relevons la position géographique de l'île de Monte-Cristo, soit ; mais à quoi cela nous servira-t-il ?

« – A donner, en mémoire de ce voyage que j'ai l'honneur d'accomplir avec vous, le titre de l'île de Monte-Cristo à quelque roman que j'écrirai plus tard.

« – Faisons le tour de l'île de Monte-Cristo, dit le prince, et envoyez-moi le premier exemplaire de votre roman.

« Le lendemain, nous étions de retour à la Pianosa ; huit jours après, à Florence. Vers 1843, rentré en France, je passai un traité avec MM. Béthune et Plon pour leur faire huit volumes intitulés : *Impressions de voyage dans Paris*.

« J'avais d'abord cru faire la chose tout simplement, lorsqu'un beau matin Béthune vint me dire... qu'il entendait avoir un roman dont le fond serait ce que je voudrais, pourvu que ce fond fût intéressant, et dont les *Impressions de voyage dans Paris* ne seraient que les détails. Il avait la tête montée par le succès d'Eugène Sue.

« ... je me mis à chercher une espèce d'intrigue pour le livre de MM. Béthune et Plon. J'avais depuis longtemps fait une corne, dans la Police dévoilée de Peuchet, à une anecdote d'une vingtaine de pages, intitulée : *le Diamant et la Vengeance.*

« Tel que cela était, c'était tout simplement idiot ; si l'on en doute, on peut le lire. Il n'en est pas moins vrai qu'au fond de cette huître il y avait une perle ; perle informe, perle brute, perle sans valeur aucune, et qui attendait son lapidaire. Je résolus d'appliquer aux *Impressions de voyage dans Paris* l'intrigue que je tirerais de cette anecdote.

« Je me mis, en conséquence, à ce travail de tête qui précède toujours chez moi le travail matériel et définitif. La première intrigue était celle-ci : Un seigneur très riche, habitant Rome et se nommant le comte de Monte-Cristo, rendrait un grand service à un jeune voyageur français, et, en échange de ce service, le prierait de lui servir de guide quand, à son tour, il visiterait Paris.

« Cette visite à Paris, ou plutôt dans Paris, aurait pour apparence la curiosité ; pour réalité, la vengeance. Dans ses courses à travers Paris, le comte de Monte-Cristo devait découvrir ses ennemis cachés, qui l'avaient condamné dans sa jeunesse à une captivité de dix ans. Sa fortune devait lui fournir ses moyens de vengeance.

« Je commençai l'ouvrage sur cette base, et j'en fis ainsi un volume et demi, à peu près. J'en étais là de mon travail, lorsque j'en parlai à Maquet, avec lequel j'avais déjà travaillé en collaboration.

« – Je crois, me dit-il, que vous passez par-dessus la période la plus intéressante de la vie de votre héros, c'est-à-dire par-dessus ses amours avec la Catalane, par-dessus la trahison de Danglars et de Fernand, et par-dessus les dix années de prison avec l'abbé Faria.

« – Je raconterai tout cela, lui dis-je.

« – Vous ne pourrez pas raconter quatre ou cinq volumes, et il y a quatre ou cinq volumes là-dedans.

« – Vous avez peut-être raison ; revenez donc dîner avec moi demain, nous causerons de cela.

« Pendant la soirée, la nuit et la matinée, j'avais pensé à son observation, et elle m'avait paru tellement juste, qu'elle avait prévalu sur mon idée première. Aussi, lorsque Maquet vint le lendemain, trouva-t-il l'ouvrage coupé en trois parties bien distinctes : Marseille, Rome, Paris.

« Le même soir, nous fîmes ensemble le plan des cinq premiers volumes ; de ces cinq volumes, un devait être consacré à l'exposition, trois à la captivité et les deux derniers à l'évasion et à la récompense de la famille Morel. Le reste, sans être fini complètement, était à peu près débrouillé. Maquet croyait m'avoir rendu simplement un service d'ami. Je tins à ce qu'il eût fait œuvre de collaborateur.

« Voilà comment *Le Comte de Monte-Cristo*, commencé par moi en impressions de voyage, tourna peu à peu au roman et se trouva fini en collaboration par Maquet et moi.

« Et maintenant, libre à chacun de chercher au *Comte de Monte-Cristo* une autre source que celle que j'indique ici ; mais bien malin celui qui la trouvera. »

Ainsi, Dumas aurait rencontré le nom de Monte-Cristo « par accident ». Suivons donc l'évolution du roman pour lequel, effectivement, la collaboration de Maquet est conséquente.

Le Diamant et la Vengeance est une histoire vraie : un ouvrier cordonnier, Pierre-François Picaud, est fiancé, dans le Paris de 1807, à une orpheline aisée, Marguerite Vigoroux, dont les biens – cent mille francs-or – font des jaloux : les « amis » de Picaud le dénoncent à la police comme agent secret de Louis XVIII et des Anglais.

La veille de son mariage, Picaud disparaît et va passer sept ans dans la forteresse de Fenestrelle, en Piémont, où il se lie d'amitié avec un prêtre italien, le père Baldini, prisonnier politique. A l'heure de la mort, ce dernier révèle à Picaud, qui l'a soigné, le secret d'un trésor à Milan.

Libéré, Picaud récupère le trésor et organise sa vengeance, sous le nom de Joseph Lucher. Mais l'un des « amis », victime désignée, Antoine Allut, le contre et l'assassine à son tour. Quelques années plus tard, cet assassin à l'article de la mort en Angleterre se confesse à un prêtre français, demandant de faire connaître la vérité à la justice française. Après enquête, ses indications sont reconnues exactes et les trois meurtres sont élucidés.

Ces dernières volontés, déposées aux Archives de la Police, ont été retrouvées par Jacques Peuchet (1758-1830, avocat, censeur de la presse éliminé par Barras, archiviste mis à la retraite à l'avènement de Charles X). C'est lui qui a donné le texte dans *Mémoires tirés des Archives de la Police de Paris*, publiés en 1838... trois ans avant le voyage de Dumas en Italie.

On le voit, ce texte où Marseille ne figure pas, n'a rien « d'idiot », d'autant moins que les faits crapuleux sont réels.

35 – QUELLE PISTE SUIVRE ?

Rédigé treize ans après la parution du roman, *Un mot à propos du Comte de Monte-Cristo* en devient la postface, avant d'être intégré, légèrement remanié, dans les *Causeries*, sous le titre : *L'État-civil du Comte de Monte-Cristo*. C'est dire combien Dumas tient à ce texte, « version officielle » de sa création.

Dès lors, on retient cette phrase sibylline : « Et maintenant, libre à chacun de chercher au *Comte de Monte-Cristo* une autre source que celle que j'indique ici ; mais bien malin celui qui la trouvera. »

Si le succès du *Comte de Monte-Cristo* a incité Dumas à utiliser ce nom porte-bonheur, est-ce seulement pour avoir fait le tour d'une île italienne sans y avoir posé le pied ? L'explication paraît un peu « courte ». N'y aurait-il pas une autre source, comme la phrase de Dumas en donne la possibilité ?

Lorsque Dumas décide de faire construire un manoir à Port-Marly, il le baptise *Monte-Cristo*. Certes, c'est l'épouse de Mélingue, son acteur fétiche, qui lance l'appellation, mais il la reprend aussitôt à son compte, tant elle lui plaît.

Lorsqu'il plante un arbre de la liberté – à Saint-Germain-en-Laye – pour célébrer la Révolution, en mars 1848, il utilise un peuplier venant de sa propriété : *peuplier de Monte-Cristo*.

Lorsqu'il offre un bijou à sa fille Marie, c'est en provenance de ses biens et l'appelle : *bijou de Monte-Cristo*.

Lorsqu'il décide, en 1854, de lancer un journal pour retrouver un lectorat qui s'éloigne, il l'appelle *Monte-Cristo I*, renouvelant l'opération en 1867 avec le *Monte-Cristo II*.

Lorsqu'en 1859, il acquiert un bateau à Marseille – ville-fétiche – il l'appelle *Monte-Cristo*, comme plus tard il appellera un autre bateau *Emma* pour honorer son dernier grand amour, Emma Mannoury-Lacour ; c'est dire la signification personnelle de ses choix.

Les succès de son roman et de la pièce qui en est tirée, donnée du Théâtre-Historique en février 1848, dernier événement théâtral de la Monarchie de Juillet, suffisent-ils à expliquer une telle fidélité ?

Jusqu'à la fin de sa vie, *Monte-Cristo* restera un mot magique pour Dumas : peu avant sa mort, il accorde aux ouvriers cubains qui roulent les feuilles de tabac pour en faire des cigares en écoutant un *lector* à lunettes et chapeau à larges bords leur faire la lecture, de baptiser ces cigares : *Monte-Cristo*.

On le sent, ce nom primordial et symbolique pour Dumas vient naturellement se positionner comme une solution d'importance à la fameuse phrase : « Et maintenant, libre à chacun de chercher au *Comte de Monte-Cristo* une autre source que celle que j'indique ici. »

Cette phrase possède deux sens ; le premier signifie : « Il n'y a réellement rien d'autre », le second suggère de rechercher... « une autre source », mais laquelle ?

*
* *

Lors de la construction de son manoir, Dumas fait placer ses initiales sur la grille d'entrée – A et D entrelacés –, tenant à honorer ses ancêtres, les Davy de la Pailleterie, nom qu'il déclare dans tous ses actes officiels : au rez-de-chaussée du petit château d'If, les armes des Davy de la Pailleterie sont sculptées sur la cheminée. Et « tout en haut de la façade » du manoir, « sur un fronton courbe, flamboient les armes des Davy de la Pailleterie, ancêtres de Dumas, soulignées de la devise qu'il s'est forgée, bien à son image, " J'aime qui m'aime ". Quant à celle des Davy, " Au vent la flamme ! Au seigneur l'âme ! ", elle se retrouve sur les deux girouettes, découpée dans des banderoles de zinc » (Georges Poisson, *Un château de roman*, Éditions Champflour, 1987). C'est dire l'importance des Davy de la Pailleterie pour l'écrivain.

Bien entendu, « Dumas n'a pas été le seul à puiser dans les archives de la Préfecture de Police : Xavier de Montépin en a fait autant pour *La Sirène de Paris* », dit René Réouven (*Souvenez-vous de Monte-Cristo*, Denoël, 1996), racontant que Picaud aurait disparu, en 1814-1815, pour aller où ? En Haïti, où il aurait rencontré une belle Créole.

Il ajoute que Dumas se serait rendu au pays de ses ancêtres pour rechercher les descendants de Picaud et compléter sa documentation sur Haïti considérant *Le Comte de Monte-Cristo* comme une bible au point qu'un célèbre écrivain haïtien se nomme effectivement Dantès Bellegarde (*Haïti et son peuple*, 1953). Saint-Domingue est primordial chez Dumas.

Dans *Mémoires de Monte-Cristo* (François Taillandier, de Fallois, 1994), Dantès livre ses secrets, essayant de montrer quel homme se cache derrière le Justicier aux multiples masques. Possédant deux passeports, aux noms de Lord Wilmore et de Moses, capitaine de navire, il s'interroge : « Qui suis-je ? Quel est mon nom ? Je me le demande parfois. » « Comte de Monte-Cristo » est un masque pour celui qui s'est retrouvé seul sur l'île conique au milieu de la mer, avec rochers, chênes nains, senteurs, lapins et chèvres sauvages et la grotte aux lingots, monnaies, diamants, entassés là depuis trois siècles ! C'est dire le sens de ces termes chez Dumas : *Comte de Monte-Cristo*.

En conséquence, l'« île au trésor, l'île de Monte-Cristo », sorte d'île de la Tortue est-elle située en Italie ou ailleurs ?

Pour Isabelle Jan (*Alexandre Dumas romancier*, Les Éditions Ouvrières, 1973), « à l'origine, il y a une donnée première et fondamentale : l'Histoire... Les romans de Dumas sont bâtis à l'aide de documents ». L'auteur ajoute : « Pour qu'il y ait roman, il faut qu'il y ait secret » et « l'élément tutélaire, dans *Monte-Cristo*, n'est pas l'air, mais la mer... »

La mer nous pousse vers l'Océan et les « Isles », l'Histoire, c'est le terrain de prédilection d'Alexandre Dumas dont on connaît la réponse à quelqu'un lui reprochant de la violer dans ses romans : « Oui, je la viole, mais je lui fais de si beaux enfants ! »

On a vu comment, début XVIIIe, les trois frères Davy de la Pailleterie, tels les trois aigles d'or de leurs armoiries, prennent leur envol. L'un part vers Saint-Domingue pour faire fortune dans l'indigo et le sucre puis le commerce négrier. Rejoint par son frère qui cède à la langueur créole, une rixe les oppose : Alexandre, le marquis, s'enfuit, « marron », avec des esclaves. Scandale. Malgré les recherches, il disparaît. Le temps passe et le second, Charles, meurt en 1773.

Aussitôt, un certain Antoine Delisle, qui vit à Jérémie, rentre précipitamment en France et se fait reconnaître : vingt-sept ans après sa disparition, c'est Alexandre, marquis de la Pailleterie. Le « revenant » se venge en vendant les biens que la justice vient de lui rendre, au détriment de son neveu qui a courageusement assumé la succession.

Le marquis de Monte-Cristo, du nom de l'île et du débarcadère situés au nord de Saint-Domingue, à la frontière actuelle avec Haïti, se venge : les biens vendus, il s'enfuit par étapes, menant partout une vie scandaleuse avec à ses côtés Thomas Alexandre, fils mulâtre qu'il a eu de la négresse Césette Dumas ; dernière provocation, il épouse sa servante, dont il fait une marquise, peu de temps avant de mourir.

Ile de Monte-Cristo, disparition mystérieuse, retour incognito, utilisation de pseudonyme, vengeance programmée, sont les thèmes du *Comte de Monte-Cristo* : on les trouve dans l'histoire des Davy de la Pailleterie, ancêtres de l'écrivain.

A l'objection : « Comment Dumas a-t-il connu l'aventure aux Isles ? » Nous avons déjà répondu : « Par le général, son père, qui l'a vécue, et par sa mère, à qui son mari a eu le temps de la raconter, entre leur rencontre en 1789 et son décès en 1806. »

Comment Alexandre Dumas n'aurait-il rien su de son aïeul le marquis de Monte-Cristo mort à Saint-Germain-en-Laye, où sa veuve a vécu ainsi que la sœur de cette dernière, toutes deux ayant agi en justice contre le futur général ?

Ce dernier a fait établir juridiquement de nombreux actes relatifs aux affaires de Saint-Domingue et n'en aurait rien retenu, n'aurait rien raconté à sa femme, Marie Labouret, la mère du romancier, décédée en 1838 ? Même si elle est à demi paralysée à partir de 1829, elle a eu plusieurs années pour en parler à son fils...

Alexandre, dans ses *Mémoires*, se rappelle quelques épisodes racontés par son père « j'étais bien enfant, puisque mon père est mort en 1806 et que je suis né en 1802 », « je me rappelle, dis-je, avoir entendu raconter à mon père qu'un jour... » Suit une histoire de caïman, où le créole le dispute à l'extraordinaire. Alexandre a gardé le souvenir de ce récit parce que son père le lui a raconté. Il n'avait pas quatre ans. Il a donc pu en garder d'autres dans sa mémoire.

Ainsi, il évoque un autre souvenir remontant à 1805 – à trois ans : il accompagne son père en cabriolet au château de Montgobert, où demeure Pauline Bonaparte, veuve du général Leclerc – que Bonaparte a envoyé « pacifier » Saint-Domingue à la place de Dumas – et séparée de son nouveau mari ; Pauline, « toute petite, toute gracieuse », les reçoit dans son boudoir, fait asseoir le général à ses genoux, donne une bonbonnière au jeune Alexandre et parle tendrement avec son père.

Une chasse traverse le parc, elle veut la voir et le général la prend « dans ses deux mains » pour la porter à la fenêtre, la tenant ainsi pendant dix minutes. Pauline Bonaparte – dont les ruines du palais construit au nord du Cap Haïtien sont à quelques kilomètres des propriétés de Charles Davy de la Pailleterie... – et Thomas Alexandre Dumas allèrent-ils plus loin ? « Je ne sais plus ce qui se passa derrière moi », élude Alexandre, mais là n'est pas l'intérêt. Pourquoi n'aurait-il pas gardé l'histoire des Davy secrètement au fond de son cœur ? D'autant que les *Mémoires* sont inachevés...

Nous disons que lorsque Dumas écrit : « Et maintenant, libre à chacun de chercher au *Comte de Monte-Cristo* une autre source que celle que j'indique ici », il a en tête l'histoire de ses ancêtres Davy de la Pailleterie à Monte-Cristo : ce nom l'a marqué pour la vie.

Certes, on peut objecter que Dumas ne parle pas, dans ses *Mémoires*, du domaine de la Pailleterie qui a vu vivre ses ancêtres et que lui-même, deux ans avant sa mort, raconte : « Moi qui connais toute la côte depuis Dunkerque jusqu'à

Brest, et depuis Brest jusqu'à Bordeaux, l'an dernier encore je ne connaissais pas Fécamp » (*Cinquième Causerie*). Et encore s'y rend-il, selon ses dires, parce qu'Alexandre Dumas fils, dans sa pièce *Les Idées de Madame Aubray*, a parlé dédaigneusement de ce port normand, qu'il a voulu visiter. La Pailleterie est située à quinze kilomètres de Fécamp.

Quand faut-il croire un conteur-né ? Dumas écrit aussi : « Je m'aperçois que tout en vous disant que je ne vous raconterai pas l'histoire du poulpe d'Ellien, je viens de vous la raconter tout entière. Que voulez-vous ? J'éprouve un entraînement invincible vers l'invraisemblable » *(Sixième Causerie)*.

La Normandie est pour lui LA référence géographique, il l'avoue : « Dans tous les pays du monde où j'ai été, au pied de la Casbah de Tanger... à Alger... à Constantine... à Tripoli... au Bosphore... à Bakou... à Pétersbourg... à Athènes... à Naples... à Rome... dans le désert de Djem-Djem... j'ai dit avec un soupir : – Une petite maison couverte d'ardoises, avec un filet d'eau et de grands arbres, dans un coin de la Normandie ! on peut, en effet, courir le monde entier sans voir quelque chose de plus frais, de plus vert, de mieux ensoleillé le jour, de mieux éclairé la nuit, que cette route que nous avons faite hier à neuf heures du matin, et refaite de nuit à deux heures » *(Treizième Causerie)*. Dumas connaît bien sa région.

Nous ajoutons que le voyage de 1842 à l'île italienne de Monte-Cristo a un effet mnémotechnique et rappelle à Dumas « son » histoire de Monte-Cristo, qu'il ne lui reste plus qu'à greffer sur la documentation préparée par Peuchet et Maquet.

La trame du *Comte de Monte-Cristo* se trouve donc à la fois dans le terrible sort de François Picaud et dans l'exaltante aventure des ancêtres, Dumas transformant la perle grossière en joyau et lui choisissant pour écrin, une île.

L'île des ancêtres se nomme Monte-Cristo ; située au nord de l'actuel Saint-Domingue, elle évoque la liberté : au

XIXe siècle, elle a été la patrie de la fameuse actrice – connue de Dumas – Lola Montès ; en notre siècle, elle a abrité un certain Carlos, terroriste rouge. Et à l'orée de l'an 2000, les Dominicains, selon un récent guide de voyages, « prétendent que cet îlot – le promontoire rocheux El Morro en forme de dromadaire couché – inspira Alexandre Dumas lorsqu'il écrivit le *Comte de Monte " Cristi "* » (orthographe actuelle) !

Son héros allant en prison, la seule île-prison que Dumas connaisse est à Marseille, l'île d'If. Là, Dantès est enfermé, là il découvre Faria et la « vraie » histoire rencontre celle qui est « imaginée ».

Un authentique abbé, José de Faria, né en 1756 à Goa, aux Indes Portugaises, a vécu un temps à Marseille, où il a enseigné la philosophie et été membre de la Société Médicale ; enseignant la philosophie, il a (peut-être) été emprisonné à If ! Cet homme d'église a été un actif propagandiste révolutionnaire en 1795 à Paris et publie en 1819 un ouvrage intitulé *De la cause du sommeil lucide,* base de la doctrine de l'École de Nancy dont Charcot s'inspirera pour ses travaux sur les maladies nerveuses. Est-ce un hasard si Dumas s'intéresse au magnétisme ?

On peut dire que la boucle est bouclée en 1864, lorsque Dumas retourne à Marseille, pour diriger les répétitions des *Mohicans de Paris* : « Allez au château d'If et vous trouverez une concierge qui vous racontera toute cette longue légende... les cachots de Dantès et de Faria » *(Sixième Causerie Familière)*. Tous deux se disputent sur l'orientation du cachot et Dumas conclut, bonhomme : « Vous pourriez bien avoir raison et ce pourrait être M. Dumas qui ait tort. » La fiction dépasse vraiment la réalité ! D'autant que le conseil municipal de Marseille autorise Dumas à « mettre le château d'If au chef de (ses) armes » et que l'ex-propriétaire des Catalans lui offre « le terrain où étaient situés la maison et le jardin de Mercédès »...

36 – VOUS, MAÎTRE, QUI AVEZ SI BIEN SU JOUER AVEC NOS CHRONIQUES ET NOS MÉMOIRES...

« ... que la postérité ne saura plus démêler le vrai du faux, et chargera de vos inventions tous les personnages historiques que vous avez appelés à figurer dans vos romans. »

Cette dédicace de Gérard de Nerval à Dumas figure dans son édition des *Filles du Feu* (1853) et trace la voie.

Les belles énigmes passent volontiers de l'histoire à la littérature : ainsi des *Trois Mousquetaires*, du *Masque de Fer* qu'Alexandre Dumas a intégré à son *Vicomte de Bragelonne* ou d'*Ange Pitou* : « Force me fut alors de raconter qu'Ange Pitou, pas plus que Monte-Cristo, pas plus qu'Athos, Porthos et Aramis n'avaient jamais existé, et qu'ils étaient tout simplement des bâtards de mon imagination, reconnus par le public » (*Le Pays natal*, 1864).

Les *Trois Mousquetaires* seraient donc une pure fiction? L'historien J.-P. Petitfils a prouvé que les trois mousquetaires – les quatre, même –, ont réellement existé.

Après la bravoure des « mousquetaires de la maison militaire du roi » à l'île de Ré, au Pas-de-Suse et contre les Lorrains, Louis XIII – qui remplace leur carabine par un mousquet, d'où le nom – se met à leur tête et choisit comme capitaine-lieutenant la fine lame Jean de Peyré, comte de Troisville, le *Tréville* de Dumas.

Charles de Batz adopte le nom de sa mère en entrant chez les mousquetaires : il est chevalier d'Artagnan, terre située près de Vic-de-Bigorre et son ancêtre était écuyer du roi de Navarre. D'Artagnan a connu François de Montlezun, marquis de Besmaux dont Dumas fera un protagoniste du *Masque de Fer*.

Athos est un petit village sur le gave d'Oléron. Vers 1617, naît Armand de Sillègue d'Athos d'Autevielle, dont la mère est une cousine germaine de M. de Tréville; devenu mousquetaire, il meurt à Paris en 1643, sans doute des suites d'un duel, et son acte de décès figure dans le registre de Saint-Sulpice.

Isaac de Portau – noblesse protestante du Béarn, père officier de cuisine d'Henri IV – est baptisé à Pau le 2 février 1617 ; soldat à la compagnie des Essarts, il n'est pas certain qu'il soit mousquetaire et ne devient pas seigneur de Bracieux : en 1650, il est garde des munitions à la citadelle de Navarrenx, sans doute après avoir été blessé. L'herculéen Porthos sera la transfiguration du général Dumas.

Aramitz est un paisible village de la vallée du Barétous. Là, naît vers 1620, Henri d'Aramitz, d'une vieille famille militaire béarnaise. Entré dans les mousquetaires vers 1641, il revient se marier au pays et rédige son testament avant de s'éteindre en 1672.

D'Artagnan a-t-il connu Athos, Portau et Aramitz ? Il y a forte probabilité selon J.-P. Petitfils, car Béarnais et Gascons formaient à Paris de petits clans soudés. Quoi qu'il en soit, ils ont RÉELLEMENT vécu... comme les Davy de la Pailleterie.

Puisque la réalité de Charles d'Artagnan, d'Armand Athos, d'Isaac de Portau et d'Henri Aramitz est patente, il faut aussi accepter que les aventures vécues par les Davy de la Pailleterie aient inspiré à Alexandre Dumas son *Comte de Monte-Cristo*, le livre de Peuchet et la visite à l'île italienne servant de révélateur au *jardin secret* de Dumas.

Pour finir, mentionnons un certain Georges Watson Taylor, riche Londonien, qui en 1852, achète l'île italienne de Monte-Cristo au Français Abrial pour la somme de 50 000 lires, au moment même où Dumas réside en Italie ! (Ouvrage du « dottore V.M. Elbano », Bibliothèque Foresiana de Portoferraio. Traduction de Jean-Ghislain Lepoivre, 1998.)

Taylor décrit l'île de Monte-Cristo, entièrement granitique, très blanche, avec ses plages d'un sable unique – « ses petits grains de quartz mêlés à ceux de tourmaline et d'améthyste, provoquent une vision enchanteresse lorsqu'on le jette en l'air, qui rappelle les fameuses cascades de diamants du fabuleux comte de Monte-Cristo » – que l'on aperçoit de loin dans l'archipel Toscan. Elle est aussi très riche en poissons, crustacés et chênes-verts, en raison des sources d'eau potable.

Ce Monte-Cristo est entré dans l'histoire en 455 avec Mamilien, évêque de Palerme, venu s'y réfugier pour échapper aux Vandales, l'ermitage initial faisant place à un riche monastère grâce aux dons, de Corses en particulier. Une tradition d'énorme richesse s'attache à l'île et un parchemin de 1277 mentionne le « trésor de l'église », que Côme de Médicis veut retrouver ; plus tard, les seigneurs de Piombino envoient une expédition rechercher ce fabuleux trésor, dont la tradition est établie lorsque Dumas la voit.

Taylor, à la fois Mathias Sandorf, Phileas Fogg, capitaine Nemo, Robinson Crusoé et Jean de Florette, devient « comte de Monte-Cristo » et poursuit la colonisation de son prédécesseur, s'établissant à demeure et se déplaçant grâce à un yacht construit à Livourne ; quatre-vingts ouvriers et artisans lui bâtissent deux maisons et un port – pour un million de lires – et Taylor veut interdire tout débarquement aux pêcheurs elbains. Mais il se ruine par sa prodigalité et s'enfuit, laissant ses riches parents régler les dettes. « Son souvenir dura longtemps. »

D'autant que Taylor a beaucoup travaillé : « ... cette petite vallée a été en grande partie débarrassée des maquis de bruyères qui l'occupaient auparavant et mise en état de culture... une vigne a été plantée... les orangers et les citronniers se cultivent avec succès. » Taylor, vrai comte de Monte-Cristo, a fait de l'île un petit paradis où il s'est ruiné.

L'île appartient ensuite à un marquis Ginori, à Victor-Emmanuel III de Savoie qui réside dans la villa de Taylor, ainsi qu'au port de Cala Maestra. Quant à l'herbier réalisé par

Taylor, recensant 335 espèces de plantes, il fait le bonheur de la Société italienne des Sciences naturelles.

En 1948, un cinéaste veut filmer les véritables aventures de François Picaud, « laid, borgne et cruel », sous le titre *Le Secret de Monte-Cristo*... Son projet, pour diverses raisons, n'aboutira pas. Aujourd'hui, que l'histoire complète des sources est connue, à quand les aventures – au cinéma ou à la télévision – des Davy de la Pailleterie et du marquis de Monte-Cristo... ?

CINQUIÈME PARTIE

C'EST UN GÉANT

37 – 1848, UNE RÉVOLUTION.

Alors que les douze tableaux du *Chevalier de Maison-Rouge* concoctés par Dumas et Maquet aguichent le public – cent représentations en novembre –, des événements viennent choquer ce dernier : le ministre des Travaux publics trafique sur les mines de sel ; l'aide de camp du roi triche au jeu ; le prince d'Eckmühl poignarde sa maîtresse et le duc de Choiseul-Praslin tue son épouse. Le mécontentement gronde, pourtant Guizot refuse les réformes.

Dumas se distraie dans son château de Monte-Cristo : séances de magnétisme dont une implique Eau-de-Benjoin, ce pauvre Paul qui se meurt d'une typhoïde : le somnambule annonce le décès pour le mardi, alors que Paul s'est éteint la veille, mais Dumas reste convaincu du pouvoir de cette méthode, d'autant que les invités voient le magicien Alexis endormi par Dumas soi-même.

Par son ascendance « haïtienne », Alexandre croit peut-être plus volontiers à certaines manifestations non rationnelles : qu'on se rappelle ses réactions la nuit de la mort du général Dumas. Une mort qui rôde : elle a emporté Nodier, elle ravit Frédéric Soulié, le vieil ami et rival. L'heure est venue d'écrire des *Mémoires* et le 18 octobre, Dumas, isolé dans son château d'If, à Monte-Cristo, commence sa rédaction.

Il est morose, comme sa famille : la petite Marie – seize ans – écrit son désarroi à Ida : « La vie que je mène ici n'est pas tolérable... j'ai été blessée au cœur lorsque j'ai vu qu'il n'avait pas honte de me mettre la main dans celle d'une femme de mauvaise vie » – Béatrix Person, la « petite chatte ».

En décembre, Dumas est réélu commandant de la garde nationale de Saint-Germain-en-Laye ; en février 1848, des cris fusent « A bas Guizot ! Vive la République ! » La crise du régime est majeure ; la troupe tire sur la foule : seize morts. Il faut réagir. Alexandre suggère une marche contre le ministère des Affaires étrangères, des barricades s'élèvent, Louis-Philippe abdique : un gouvernement provisoire est nommé. Arago dit : « Le peuple de Paris semble avoir laissé tomber dans le plus dédaigneux oubli une royauté malfaisante. »

Dumas réaffirme ses sentiments dans *La Presse* : « Mon cher Girardin... à vous et au Constitutionnel mes romans, mes livres, ma vie littéraire enfin. Mais à la France, ma parole, mes opinions, ma vie politique. » Car après l'Académie, il rêve d'une écharpe de député.

Pour mener campagne, il faut un journal : ce sera *Le Mois*, entièrement réalisé par ses soins ; dans ses professions de foi, il rappelle son énorme travail – soixante-treize mille heures en vingt ans –, ses quatre cents volumes et trente-cinq drames qui ont donné du travail aux ouvriers.

Le 28 mars, il ouvre grand les portes de Monte-Cristo, accueille les autorités provisoires et prend le peuplier que le jardinier Michel a déterré : ce sera l'Arbre de la liberté de Saint-Germain-en-Laye. Le troisième, en fait. Le premier, en 1789, représentait la Liberté ; le second, en 1830, vantait l'Égalité ; le troisième est à la fois la Liberté, l'Égalité, la Fraternité. En chœur, la foule et Dumas crient : « Vive la République ! »

Le candidat Dumas multiplie les professions de foi, dénonce la royauté, les privilèges, la paresse, clame « Tout Français est citoyen » et attend les résultats ; catastrophiques. Le vainqueur l'emporte avec 75 000 voix et lui ne figure pas sur la liste centralisatrice, obtenant 226 voix sur Saint-Germain. Dur à encaisser, d'autant qu'un *Monte-Cristo*, drame en deux soirées, a été donné juste avant la Révolution et a connu un « four ».

Dumas n'abdique pas et se présente aux élections complémentaires, malgré les rebuffades. Dans l'Yonne, un ouvrier l'apostrophe : « Oh ! le marquis ! Oh ! le nègre ! » Le fils du général empoigne le perturbateur par les fesses et va le suspendre au-dessus du parapet de la rivière, le sommant de demander pardon, sinon il le flanque à l'eau. L'intéressé présente ses excuses et Dumas affirme qu'il est, lui aussi, un ouvrier, de l'écriture. Il reprend l'argument à Sens, Joigny, Auxerre : « Je suis un travailleur depuis vingt ans, soit soixante-douze mille heures d'histoire ! » L'électorat n'en a cure. Et s'il se présentait aux Antilles ? « Je leur enverrai une mèche de mes cheveux, ils verront que je suis des leurs. » Mais en juin, il se retrouve en cinquième position, avec 3 458 voix, derrière un certain Louis-Napoléon-Bonaparte (14 989 voix), lequel, élu dans quatre départements, démissionne, déclenchant une nouvelle élection.

Dumas se désiste pour le prince bonapartiste, « le parti de la France » et en novembre, recueille... 383 suffrages. Sa seule consolation est de constater que Louis est élu président de la République. Dumas est républicain. L'honneur est sauf. Pas sa bourse : les affaires vont mal, les théâtres sont vides ; il faut vendre les meubles de Monte-Cristo, comme jadis les Davy de la Pailleterie ont vendu ceux du domaine.

Il faut aussi essayer de sauver le Théâtre-Historique : en octobre, on joue *Catilina* avec un certain succès pour Mélingue et les deux maîtresses de Dumas, Béatrix Person et

Hortense Jouve. Mais il faut de l'argent frais, son partenaire voulant revoir le traité : Alexandre se sépare de ses chevaux, de deux singes, de son vautour et enfin cède Monte-Cristo à Doyen, un homme de paille, pour 30 000 francs. Le fisc recense quatre-vingt-treize hypothèques, dont celle d'Ida, s'élevant à 147 608 francs.

La révolution l'a plus été pour Dumas que pour les autres : il est ruiné, bien qu'étant pour une bonne part responsable. Il assume et crée : *La Jeunesse des Mousquetaires* fait 89 représentations et les lecteurs du *Collier de la Reine* sont fidèles, mais cela ne suffit pas. C'est l'heure des regrets : « Ce que mon regard rétrospectif cherche dans le passé, c'est la société qui s'en va. »

La mort dans l'âme, il « supprime » Porthos, début décembre 1849 dans *Le Vicomte de Bragelonne*, avouant à Dumas fils : « Je n'ai pu m'empêcher de pleurer sur lui. Pauvre Porthos. » Un regain de moral survient à l'occasion du couronnement d'un roi en Hollande à Amsterdam ; le 11 mai, accompagné de son fils et du peintre Biard, durant la cérémonie, il croit voir le roi lui faire un salut ; c'est vrai, lui confirme un ami – Dumas est l'auteur le plus lu – et la reine le reçoit deux fois.

Au retour, c'est la préparation du *Testament de César* donné à la Comédie-Française dans l'anonymat, puisque les traités l'exigent. En mai 1849, il reçoit un mot : « Mme Dorval se meurt. » Dumas accourt · « Je savais que tu viendrais », dit-elle. Elle veut mourir depuis le décès de Georges, son fils, mais elle manque d'argent et ne voudrait pas de la fosse commune. Dumas a compris : il trouvera six cents francs, même s'il n'en a que deux cents : il « tape » un ministre, Victor Hugo, et met en gage sa décoration du Nisham.

Marie Dorval est dignement inhumée et Alexandre pleure sur la tombe, sans pouvoir parler : « Adèle est morte, le vieil Antony sanglote » (Claude Schopp, *op. cité*).

38 – LA CHUTE.

Maigre année 1849 au Théâtre-Historique : *Le Chevalier d'Harmental, La Guerre des Femmes, Le Comte Hermann,* dernier succès pour Mélingue et Béatrix Person, en novembre. Dumas, qui a retenu les deux loges du duc de Montpensier, voit sa situation financière se détériorer et paie les comédiens au jour le jour.

Ni *La Chasse aux chantres* ni *Les Frères corses* n'emplissent la caisse : les comédiens, impayés, se rebiffent, refusent de jouer et demandent une déclaration de faillite ; au cours de l'enquête, des documents montrent que Dumas a participé directement à la direction du théâtre, s'engageant donc personnellement : en décembre 1850, le tribunal déclare Dumas et Doligny co-directeurs du Théâtre-Historique et la *Gazette des Tribunaux* publie la faillite.

Dumas fait appel à l'heure où Maquet définit son territoire personnel en recensant les ouvrages réalisés ensemble jusqu'à *Urbain Grandier* : c'est un avertissement solennel. Dumas traîne son malheur, livre *Pauline* et *Les Frères corses* (romans), participe aux *Chevaliers du Lansquenet,* joués à l'Ambigu-Comique, mais la collaboration avec Maquet est terminée.

Pourtant, le ressort est tendu ; Dumas reprend sa *Fille du Régent* et la transforme en un *Capitaine Lajonquière* pour Mélingue et Isabelle Constant, jeune actrice recommandée par Mlle Georges. Mais la situation s'aigrit entre Béatrix et Isabelle – Zirza pour Alexandre – qui joue le rôle d'Hélène.

Hélas, elle est si fragile ! Un médecin recommande la plus grande prudence et Dumas se fait nourrice au 96, boulevard Beaumarchais, où Isabelle s'affaiblit, malgré les promenades amoureuses au soleil. Alexandre se fait sage, apparemment.

Après avoir assisté aux funérailles de Balzac, en août, il s'est rendu à Londres, à l'occasion de la mort de Louis-Philippe ; mais on lui a fait comprendre qu'il était indésirable. Puisqu'il en est ainsi, il se recueille sur la tombe de Byron !

Il attend, comme les Français : la Constitution interdisant la réélection du président sortant en 1852, quelle sera l'issue ? Pour l'heure, il se remet à ses *Mémoires*, travaillant dans un petit appartement du boulevard Beaumarchais, contigu à celui d'Isabelle, toujours souffreteuse mais qui réussit à interpréter un rôle dans *La Barrière de Clichy*, un drame militaire. Alexandre, quant à lui, reprend *Ange Pitou*.

En mars 1851, il soutient Michelet lorsque le cours de ce dernier est supprimé au Collège de France : « Ma plume – mon cœur – toute ma personne enfin sont à votre disposition » ; mais il doit réduire ses textes, les journaux étant étranglés par le droit du timbre, manière pour le pouvoir de maîtriser la presse.

Mémoires, Ange Pitou : les souvenirs d'enfance lui reviennent à la mémoire et nourrissent le quotidien de l'écrivain, à l'heure de la dernière collaboration Dumas-Maquet, avec *Olympe de Clèves*, publiée dans *Le Siècle*.

Il semble que Dumas a fini sa carrière ; si son nom résonne encore, c'est grâce à Dumas fils, épris de Lydie Nesselrode, « la dame aux perles », habillée de rubis ou saphirs selon son humeur et sa robe. Après les présentations, Dumas a admiré les cheveux noirs tombant aux genoux et le triple fil de perles au cou.

La « dame aux perles » n'est pas n'importe qui : son mari Dimitri est le fils du ministre des Affaires étrangères de Russie, mais un ordre exprès du tsar lui ordonne de regagner Saint-Pétersbourg. Lydie s'exécute et Dumas fils la suit à travers l'Europe – Bruxelles, Dresde, Breslau –, attentif aux conseils de son père : « Prends garde seulement à la police russe brutale en diable. »

Alexandre fils est à la frontière russo-polonaise, à Myslowitz en Silésie, bloqué aux portes de la Russie. Il a peu d'argent et ce n'est pas son père qui peut lui en adresser, malgré la représentation de *La Barrière de Clichy*. Il passe le temps en lisant les lettres de George Sand à Chopin, car à la mort de ce dernier, sa sœur Louise a trouvé un paquet de lettres qu'elle a laissées à un ami avant d'entrer en Russie : Dumas fils a rencontré cet ami et ils ont causé ; les lettres sont entre ses mains.

Dumas fils prévient son père, qui alerte George Sand, laquelle vit ce retour au tendre passé avec une intense émotion ; Dumas père exprime son « espoir qu'il vous rapportera ces précieux morceaux à votre cœur ».

En juillet, Dumas père est couché dans l'herbe de Monte-Cristo, lorsqu'il voit arriver un jeune homme barbu : son fils qui revient de Myslowitz, ayant rayé l'oublieuse Lydie de son cœur et rapportant les lettres de Sand.

Cette dernière demande que le paquet soit remis à son homme d'affaires et invite les Dumas à Nohant : les lettres finiront un jour dans la cheminée, faisant disparaître à jamais les traces d'un amour fou, les vestiges du passé.

Pour Alexandre, qui tente encore un travail avec Maquet, c'est *Le Comte de Mortcerf, Villefort, Planchet et Cie* – des adaptations d'œuvres anciennes – et un drame, *Le Vampire*, pour l'Ambigu-Comique ; un rappel d'événements vécus trente ans auparavant et seulement destinés à donner un rôle à Isabelle, celui de la fée Mélusine.

En novembre, le procès en appel reprend à propos du Théâtre-Historique, redéballant les arguments – on s'étonne que Dumas ne soit pas plus riche avec ce qu'il a gagné – et déclarant : « Qu'est-ce donc que *Les Mousquetaires*, sinon un tableau d'histoire largement et fortement dessiné ? qu'est-ce donc que *Monte-Cristo*, sinon la puissance de l'homme élevée jusqu'au merveilleux pour la punition des méchants sur la terre ? »

On reproche à Dumas de s'être fait spéculateur et la déclaration de faillite doit l'atteindre, comme Doligny. Le jugement, confirmant le précédent, tombera le 11 décembre. Dans l'intervalle, dans la nuit du 1er au 2, Bonaparte réussit son coup d'État, dissout les Chambres représentatives et anéantit l'armée par quelques barricades.

Dumas a juste le temps d'écrire à Bocage, à l'intention de Victor Hugo : « Vous savez où il est. Que sous aucun prétexte il ne sorte. » Hugo s'est caché et s'enfuira à Bruxelles sous un faux nom. Les chantres du romantisme sont condamnés à l'exil...

39 – UN MOUSQUETAIRE A BRUXELLES, UN FILS AU ZÉNITH.

La veille du jugement, sans doute averti, Dumas fait viser son passeport et se prépare à la fuite, ne voulant pas d'une contrainte par corps. Dumas fils accompagne son père en le réconfortant et tous deux partent pour Bruxelles, rejoindre l'hôtel de l'Europe. Dès que Dumas père est installé, son fils le quitte, car il joue gros au théâtre, à Paris, où les répétitions de *La Dame aux Camélias* ont commencé.

Bruxelles est le lieu de rassemblement des exilés ; Hugo, Hetzel, Parfait, Esquiros, Duprat y enregistrent le plébiscite du 21 décembre et prennent l'habitude de se rassembler ; eux, sont exilés politiques, Dumas n'est qu'exilé volontaire, fuyant la justice.

Il a néanmoins des projets : avec deux libraires qui ont des succursales en Allemagne et en Italie, il monte une affaire pour diffuser ses *Mémoires*, par ailleurs plus ou moins censurés dans *La Presse*. Les épreuves sont préparées à Paris par Edmond Viellot, qui imite parfaitement l'écriture de Dumas :

ce dernier n'a plus qu'à corriger avant de passer le texte au libraire belge.

Ainsi Alexandre trouve-t-il quelques ressources, obligé d'assurer de strictes dépenses quotidiennes – chambre, serviteur, lampe et charbon, déjeuner, correspondance, lui coûtent vingt francs. Abandonnant le projet d'écrire *La Comtesse de Charny* faute de documentation, un des libraires lui propose de « développer » le texte d'un auteur flamand, *Le Conscrit*, afin d'en faire une sorte de *Mare au Diable*. On trouve un traducteur et le texte *Conscience l'innocent*, où Dumas évoque à nouveau ses souvenirs de Villers-Cotterêts.

Il écrit toujours vite : un volume tous les dix jours ; à cette vitesse, l'argent rentre un peu et Alexandre loue une maison au 73, boulevard Waterloo. L'avenir s'éclaircit, d'autant qu'à Paris, *La Dame aux Camélias* a fait un triomphe le 2 février 1852 : la gloire du fils rejoint celle du père après son fameux *Henri III et sa cour*. Sans doute Dumas père est-il heureux ? Il envoie ce mot un peu sec à Dumas fils : « Enchanté. Toutes mes embrassades », ajoutant « arrive avec le plus d'argent que tu pourras, attendu qu'il y a marée basse. » Difficile pour le père de voir le fils lui échapper, s'affirmer soi-même – surtout sur le plan littéraire – et devenir un « Alexandre Dumas » qui – sait-on jamais ? – pourra le concurrencer.

A Paris, la Porte-Saint-Martin va jouer *Ascanio*, un drame sur un plan de Meurice, récrit par Dumas ; mais Meurice est emprisonné pour un article demandant le droit d'asile pour les exilés ; Dumas écrit à son fils de demander à Meurice de mettre son seul nom à l'affiche, de toucher les deux parts de droits et de lui rétrocéder la part « dumasienne » qui échappera au syndic de faillite. Finalement la pièce, rebaptisée *Benvenuto Cellini*, est un succès auquel Alexandre assiste – grâce à un sauf-conduit exceptionnel – en mars 1852.

Retrouvant Isabelle et Béatrix Person, Alexandre se sent mieux et forme aussitôt un grand projet, un « immense roman en huit volumes », un « roman monstre », véritable épopée se déroulant sous les yeux du Juif errant, témoin passif ; toutes les époques seraient représentées : Néron, Charlemagne, Charles IX, Napoléon, l'avenir.

Cela mérite un beau cadre de vie : en avril, on pend la crémaillère dans la maison, où l'on admire de grands vases, un groupe de Barye, un meuble Mousquetaire, des candélabres, un lustre en bronze provenant de Monte-Cristo, des Delacroix et un Decamps. La maison a belle apparence : deux étages, portes cochères, balcon sur deux salons, salle de bain, chambre, boudoir où l'on admire des écussons aux armes de Chateaubriand, de Lamartine, d'Hugo et de Dumas – d'azur à trois aigles d'or –, le plafond d'azur étant lui-même semé d'étoiles d'or.

Tout en haut, sous les combles, une salle mansardée, le cabinet de travail d'Alexandre. C'est l'endroit le plus modeste d'où sortent tous les écrits. Alexandre est secondé par Noël Parfait, copiste-secrétaire-économe ; grâce à lui, les comptes sont gérés justement, ce qui lui vaut d'être surnommé « Jamais-Content » ; il est accompagné de Mme Parfait et de leur fille Léonie.

Il faut un Parfait pour tenir la maison, devenue le lieu de rencontre des exilés de toute la Belgique : outre Esquiros (spectateur des séances de magnétisme de Monte-Cristo), Duprat (ancien directeur de *La Revue Indépendante*), on rencontre Émile Deschanel (maître de conférences), Charras (un ancien de la Révolution de 1830), Madier de Montjau (avocat), Laussedat, Place, Testelin (médecins).

Tous ont table ouverte chez Dumas, comme Hugo qui ne vient pas assez souvent, à son goût. On discute évidemment – complote-t-on ? – et les femmes ont leur part. Dumas a aussi installé un boudoir au divan cerise, accueillant Isabelle (venue en février 1852), Marguerite Guidi (veuve d'un joaillier), Véronique-Marguerite Garreau, Louise Pradier ou

Nathalie (actrice de passage). Comme l'indique crûment Alexandre à son fils, « j'ai couché avec une très belle fille qui ne veut rien recevoir autre chose qu'un chapeau d'été ».

Ce comportement n'est pas du goût de Marie, installée avec son père le 1er mai. Pour éviter les rencontres gênantes, Alexandre loue la maison contiguë et fait abattre un mur pour passer d'une maison à l'autre : Marie ne manque pas d'occasions de s'offusquer.

Victor Hugo est prié de quitter Bruxelles ; pour son départ, il offre un banquet et dit à ses amis : « Pour moi, c'est l'exil. » Alexandre, en gilet blanc, suit Hugo à Anvers, où ce dernier embarque sur le *Ravensbourne* à destination de l'Angleterre ; il veut être le dernier à l'embrasser ; Hugo s'en souviendra, dans *Les Contemplations* :

Je n'ai pas oublié le quai d'Anvers, ami,
Ni le groupe, vaillant, toujours plus raffermi,
D'amis chers, de fronts purs, ni toi, ni cette foule.

Seul après le départ d'Hugo, Alexandre replonge dans son « roman monstre », *Isaac Laquedem*, dont les premières pages se déroulent sur la Via Appia, en Italie. Pour repérer les lieux, il part début août en compagnie de Mme Guidi jusqu'à Bade et remonte à Paris reprendre Isabelle, au grand dam de Marie, à laquelle il a promis le voyage jusqu'à Turin – où l'attend un contrat sur *La Maison de Savoie* (dont des exemplaires ont été récemment retrouvés).

Alexandre brouille les pistes afin de ne pas décevoir Marie et lui promet : « Nous ferons quelque autre voyage ensemble pour me consoler de celui-là. » Puis il emmène Isabelle à Rome, puisque *Isaac Laquedem* arrive dans les catacombes ; ce voyage d'amoureux et de repérage dure jusqu'à début octobre.

La préparation du roman l'occupe entièrement – il demande à un conservateur si le Christ parlait arabe – et écrit ses nuits durant dans sa mansarde. Parfait réalisant aussitôt plusieurs copies, dont une destinée au *Constitutionnel* pour publication. C'est « l'œuvre de ma vie... qui n'a son précédent en aucune littérature », annonce-t-il, alors qu'il y pense depuis vingt-deux ans. Aussi, lorsqu'en janvier 1853, le journal annonce à ses lecteurs l'arrêt du feuilleton « pour un sentiment de haute convenance », Dumas explose : « c'est une jésuiterie ».

Pour les tenants de l'Ordre, le texte constitue une infâme profanation. Dumas rentre à Paris et le 1er février, rencontre Napoléon, écrit au ministère de la Police, défend sa cause. En vain : la censure supprime quinze feuilletons et le journal interrompt la parution sur *Les Parques*, le dernier chapitre qui aura paru de cette œuvre essentielle pour son auteur. Mais peut-être n'est-ce pas seulement la censure qui est en cause : pour la première fois, le public n'a pas suivi Dumas. C'est un avertissement.

Dumas continue à partager sa vie entre Paris et Bruxelles – un concordat étant en vue dans son procès (153 créanciers) – entre sa fille et toutes les autres femmes, maîtresses régulières ou occasionnelles ; il lui faut donc souvent mentir : Mme Guidi lui fait une scène, en pleurs : « Qu'elle aille au diable » ; il fait un voyage à Paris : « Pas un mot à Isabelle » ; il oublie un paletot qu'on veut lui faire parvenir : « J'ai fait semblant de partir... » La pauvre Marie a des raisons d'être déroutée par le comportement de son père.

Ce dernier voudrait pourtant bien la convaincre, mais Marie – qui étudie assidûment la peinture – a toujours des raisons de réagir. Mlle Anna – une autre maîtresse, Anna Bauer, mère d'un bâtard prénommé Henri, né le 17 mars 1851 et qui ressemblera de manière troublante à son géniteur – l'y pousse. Un jour, il monte pour parler à Marie – Isabelle arrive le soir – et ne parvient pas à franchir son appréhension : « Ton visage est ma gaîté ou ma tristesse. » Peu après, Mme Guidi étant de retour, il faut enlever le portrait d'Isabelle dans sa chambre...

Une Isabelle dont il s'occupe bien, car elle est malade, faible au point de suivre la messe de Pâques dans son lit.

Les voyages à Paris ont aussi permis de renégocier avec les directeurs de théâtre, le concordat permettant de faire des projets, puisque les bénéfices pourront être répartis. Dumas travaille avec un certain Max de Goritz, un soi-disant comte hongrois capable de traduire les auteurs allemands, ce qui donnera *Les Forestiers, La Femmes sans amour, La Conscience, Le Marbrier* et *La Veillée allemande.*

Mais le plus urgent est le retour à la Comédie-Française, qu'administre son ami Arsène Houssaye : il va préparer *Louis XIV et sa cour* (rappel des glorieux débuts) tant à Paris qu'à Compiègne, retournant chez son ami Vuillemot, toujours propriétaire de l'hôtel de la Cloche et de la Bouteille. Finalement, la pièce est reçue à l'unanimité. Voilà Dumas relancé.

C'est compter sans la censure de Napoléon, exigeante : on murmure que la pièce sera arrêtée, car on craint qu'elle « ne renfermât des allusions au mariage de l'Empereur ». Dumas renouvelle ses démarches pour faire lever l'interdit et devant son échec, décide d'un geste fou en proposant à Houssaye *La Jeunesse de Louis XV*, sans rapport avec la précédente et qu'il terminera sous six jours.

Pari insensé? Pas pour Dumas : le premier acte est commencé le 11 octobre 1853 à sept heures du matin et terminé à deux heures et demie le lendemain; l'acte III est terminé le vendredi à dix-huit heures; l'acte IV le samedi à neuf heures du matin et après une seule heure de repos, terminé l'acte V à midi moins le quart! Le *Livre des Records* devrait enregistrer cette performance unique d'une pièce écrite en une centaine d'heures. La Comédie trouve le travail bon : la pièce est reçue par acclamations.

Vive « Le génie de la vie » (Claude Schopp), Alexandre Dumas, qui en profite pour demander un privilège théâtral – pourquoi pas un *Théâtre de Strasbourg* à Paris et créer un journal ?

40 – ALEXANDRE DUMAS, DIRECTEUR DE JOURNAL.

Il faut dire qu'en septembre, Alexandre a demandé à Marie de faire passer cette note : *Les Mémoires* d'Alexandre Dumas vont cesser de paraître dans *La Presse*, un avertissement ayant été donné à M. de Girardin par le chef de la censure.

Fin novembre, apparaît donc un nouveau journal, *Le Mousquetaire*, un mot-fétiche. Le contenu ? *Les Mémoires*, des anecdotes littéraires, la critique des critiques, des échos, le tout mené par la baguette de maestro Dumas qui croit au succès. Ce n'est pas le cas de tout le monde, car Noël Parfait écrit à son frère : « J'attends patiemment la débâcle. »

Les bureaux sont installés dans la cour de la Maison d'Or, un restaurant de la rue Laffitte : un local où tout le monde s'agite, sous le regard du « patron », installé au troisième étage, dans un cabinet avec une table de sapin recouverte d'un tapis rouge, trois chaises cannées, un encrier, des plumes et le fameux papier bleu. Comme dans la mansarde de Bruxelles.

Le Mousquetaire, journal de M. Alexandre Dumas, l'est réellement : c'est lui qui fournit l'essentiel des textes, entouré de Joseph Méry – ah, Marseille et Monte-Cristo ! – du jardinier Michel intronisé caissier, et aidé de Dumas fils, Octave Feuillet, Paul Bocage – le neveu du comédien –, Émile Deschamps, Henri de Luçay, futur Rochefort ; plus tard, viendra Albertine Philippe, pour le *Courrier des Femmes*. Gérard de Nerval, sollicité, fait une réponse dilatoire.

Le journal tire à dix mille exemplaires et Dumas augure bien de sa carrière. Pour autant, le privilège demandé pour un théâtre est refusé, *La Jeunesse de Louis XV* – malgré l'exploit – est taxée d'immoralité et Houssaye refuse une *Jeunesse de Lauzun*, proposée en remplacement. Le journal est donc l'activité principale de Dumas.

Une activité « surhumaine, étonnement perpétuel », pour Lamartine, que seul un « talent indomptable » peut mener selon Michelet, qui fait de Dumas la « suprême consolation pour la France humiliée et muette » pour Hugo. Un encouragement psychologique pour Dumas qui « passe » des vers d'Hugo éclaboussant Napoléon le Petit :

O de Soulouque deux burlesque cantonade !
O ducs de Trou-Bonbon, marquis de Cassonade...

et qui explose lui aussi, à propos du même : « ... il n'a pas dans les veines une goute de sang des Bonaparte. Toutes les chancelleries savent que c'est le fils d'Hortense Beauharnais et de l'amiral Woerhuel. Nous nous courbons devant un Hollandais ! »

Ce qui n'empêche pas Dumas de se rendre aux invitations de la princesse Mathilde et du prince Napoléon, « amis de Florence ». Il n'y a pas de contradiction pour lui : il apprécie des amis et laisse la politique de côté.

Son grand cœur transforme le Journal en support exaltant les bonnes actions : il lance une souscription pour la maison de Notre-Dame-des-Sept-Douleurs ; aide un comédien menacé de conscription ; demande de l'argent pour ériger un tombeau à Hégésippe Moreau, à Balzac, à Marie Dorval, à Frédéric Soulié.

C'est au peuple qu'il s'adresse, c'est le peuple qui répond : avec un cœur énorme.

Mais en février 1854, Max de Goritz, le traducteur en allemand de Dumas, sur plainte de la police de Vienne, doit révéler sa véritable identité : Mayer, israélite allemand qui vit avec une femme se prétendant la fille d'un des soi-disant Louis XVII, mais qui a volé et semble capable d'assassinat. On l'arrête et on l'incarcère. Conclusion de Noël Parfait : « Voilà de quels hommes est entouré... ce pauvre grand niais de tant d'esprit. »

A nouveau, l'argent manque : Marie est seule à Bruxelles, Goritz a effectivement volé Dumas à deux reprises et les pièces sont au point mort. Il faut trouver quelque chose. Ce seront *Les Mohicans de Paris*, long roman d'un million de mots, préparé avec Paul Bocage, dont la publication commence en mai et se poursuivra cinq ans. Cela relancera-t-il *Le Mousquetaire* ?

Dumas remplace Parfait par Hirschler qui essaie de gérer ce qui peut l'être, logeant rue d'Amsterdam, meublé avec des restes venus de Bruxelles. Et ce n'est pas l'arrivée dans « l'équipe » de la comtesse Dash, égérie des années 30, auteur de romans historiques, qui améliore l'ordinaire.

Côté directeurs de théâtre, ce n'est guère brillant ; Dumas propose *Romulus*, joué en janvier 1854 devant un maigre parterre, *Le Marbrier* – joué en l'absence de l'auteur –, *La Conscience*, pour laquelle il ouvre gratuitement les portes aux jeunes du Quartier Latin et qu'il dédie à Victor Hugo, qu'il ne saurait oublier. Ce ne sont pas de gros succès, mais on parle néanmoins de lui.

Cela est nécessaire pour le moral, car Dumas est maintenant presque seul au *Mousquetaire* ; déjà, quelqu'un se propose pour reprendre le journal, lorsque lui parvient une atroce nouvelle : Gérard de Nerval s'est pendu, rue de la Vieille-Lanterne.

Il se rend sur place, s'imprègne des lieux en pensant à son ami et porte un des coins du drap aux funérailles, proposant qu'une place soit laissée vacante en hommage : celle de Victor Hugo.

30 janvier 1855. Midi. Le corps de Gérard est présenté à Notre-Dame. Au moment de plonger la main dans le bénitier, la main gantée d'une femme le devance, laissant une trace parfumée ; la femme est maintenant derrière un pilier, on la devine grande et mince. Ce parfum de géranium, n'est-ce pas celui qu'exhalent certaines lettres contenant des dons pour les œuvres du *Mousquetaire* ?

Dumas rejoint la femme et est aussitôt charmé : yeux bleus, cheveux blonds, l'air un peu malheureux ; on se reverra. Vite. Alexandre fait la connaissance d'Emma – prénom littéraire s'il en est – Mannoury-Lacour ; deux fois mariée et vierge ; le mari possède un manoir à Monts-en-Bessin, entre Caen et Bayeux; ainsi qu'un titre de courtoisie, celui de comte. La mélancolie n'est pas feinte, Emma ne connaît pas la vraie vie. Elle va la découvrir avec Alexandre, qui la séduit sans contrainte ; Emma devient l'amie de la jeune Marie et la sincère amie de cœur de Dumas : « c'est le dernier amour de ma vie », écrit-il.

Malgré le travail que requiert *Le Mousquetaire*, Alexandre rejoint SA Normandie et s'arrête à Caen, en la maison d'Emma, au 17, rue des Vieilles-Carrières-Saint-Julien. Lorsqu'il arrive, la comtesse Emma se jette à son cou, bravant sa famille, folle d'amour !

Puis le couple rejoint, par Saint-Martin-de-Fontenay – où l'on déguste une collation avant de flâner le long de la rivière – et la forêt de Cinglais, Thury-Harcourt puis la propriété de Monts, au bout d'une allée. Plus tard, Dumas reparti, elle prendra le bateau pour Le Havre, où ils se retrouveront à l'hôtel d'Angleterre pour des « week-ends amoureux ».

Au printemps, Marie vient également à Monts, où elle dessine et entreprend, à la demande d'Emma, un portrait pour Alexandre. Elle travaille en cachette, mais ne dessine pas seulement Emma : elle dessine à même la paroi de la chambre, au premier étage de la tour d'entrée, un portrait au fusain récemment découvert. Le portrait d'un homme à moustache, jeune, sans doute Dumas fils ; dans l'épaisseur du mur, au-dessus de la cheminée, une signature : DUMAS. La marque de jours heureux...

Mais Emma est enceinte, ce qui révolte Marie, obligeant son père à tenter de justifier sa position : « Rien n'était plus facile au monde que de ne point donner naissance à un être auquel maintenant qu'il est fait sans exister encore, on refuse sa condition sociale. Les enfants adultérins ne peuvent être reconnus ni par le père ni par la mère. Celui-ci sera doublement adultérin. » Conclusion : « M. Anatole – le mari – est impuissant, tant pis pour lui. Mme Mannoury-Lacour a été faible, tant pis pour elle. Mais nul n'osera dire tant pis pour celui qui doit le jour à cette impuissance et à cette faiblesse... c'est une question que je débattrai avec elle. »

Alexandre n'a pas, pour autant, rompu avec Isabelle – ni avec aucune autre, d'ailleurs –, allant avec elle chez la Païva et au théâtre, sans remords.

Son espoir ? Un procès contre *Le Siècle* et les éditeurs Lévy frères, qui doit lui apporter la somme folle de 800 000 francs. L'affaire remonte à 1845 et à un droit exclusif de reproduction qui n'aurait pas été respecté, faute par Dumas d'avoir reçu les justificatifs de tirages.

Dumas a gagné la première manche, mais lors de l'appel, l'avocat de ses adversaires renverse la tendance ; Dumas contre-attaque, demandant l'annulation des contrats initiaux ; le jugement de décembre 1854 marque la faute des adversaires mais demande à établir le préjudice. Tout est à reprendre...

Et Emma ? Et Marie ? Cette dernière se rebelle et Parfait laisse entendre que Dumas la chasse de chez lui ; en tout cas, c'est une séparation fracassante. Il écrit des mots tendres à Emma : « Hélas, il n'y a que deux amours réels dans la vie : le premier, qui meurt – le dernier, dont on meurt. Je t'aime malheureusement de celui-là. » Répète-t-il ces mots à Isabelle ou à Aglaé Tellier, la « nouvelle » ?

De temps en temps, un télégramme arrive de Normandie : « Je suis au Havre. Viens. Emma. » Alexandre rejoint l'hôtel d'Angleterre, puis va passer trois jours à Monts – invitation par le comte Mannoury-Lacour – et se promène au bord de la mer avec Emma, qui réussit à lui cacher qu'elle est malade. Jusqu'à l'automne : Alexandre part le soir même pour Caen car « la personne que vous savez est en train de faire une fausse-couche, avec son mari à son chevet et sans pouvoir pousser un cri ».

Il n'y aura donc pas de petit Alexandre né en Normandie, pour continuer les générations des Davy de la Pailleterie ; ayant déjà un fils portant le nom, Dumas ne s'en assombrit pas.

En novembre 1855, nouveaux soucis de justice, ce qui lui fait écrire : « Mon corps est à Paris mais mon cœur est à Bruxelles et à Jersey », pour montrer son soutien aux proscrits. Il prépare *Le Lièvre de mon grand-père*, d'après un travail de Gaspard de Cherville, avec lequel il signe un traité pour son « apport ».

En attendant les mirifiques 521 354 francs de « l'affaire Lévy », Alexandre vend son nom à divers collaborateurs – la comtesse Dash *(Madame du Deffand)*, Victor Perceval alias Marie de Fernand *(Les mémoires d'un jeune cadet)* – et présente une tragédie, *L'Orestie*, à la Porte-Saint-Martin ; le 5 janvier 1856, il écrit à Victor Hugo : « Dans deux heures, on jouera *L'Orestie*... J'en profite pour vous écrire avant ma bataille... à chaque applaudissement, mon cher Victor, je vous en enverrai la moitié, les sifflets seront pour moi seul. »

Le public réserve un beau succès à cette pièce « dédiée au peuple » et pour laquelle Dumas reçoit une lettre de félicitations d'Hugo : « Bravo, océan, et bravo, Dumas ! »

Sa joie redouble avec le mariage de Marie, qui s'allie à Pierre-Olinde Petel, vingt ans, poète que Dumas a pris sous sa coupe créatrice : les jeunes gens se sont connus rue d'Amsterdam et le dérèglement de la vie « dumasienne » a accéléré leur union. Marie demande à Hugo d'être son témoin, représenté par Boulanger : « ce sera son titre de noblesse », ajoute le père.

Le contrat de mariage, passé devant maître Fould le 4 mai, signale 3 000 francs de meubles et 2 000 de vêtements ; un seul élément a de la valeur (9 000 francs), « le bijou de Monte-Cristo » – provient-il du trésor d'Edmond Dantès ?

On envoie des faire-part qui ressemblent beaucoup à celui des Davy de la Pailleterie, il y a un siècle : « Monsieur Alexandre Dumas Davy de la Pailleterie a l'honneur de vous faire part du mariage de Mademoiselle Marie Dumas Davy de la Pailleterie, sa fille, avec Monsieur Olinde Petel, propriétaire. Et vous prie d'assister à la bénédiction nuptiale qui leur sera donnée le mardi 6 mai 1856, à midi précis, en l'église Saint-Philippe-du-Roule. »

Une fois les jeunes mariés partis pour l'Italie, Alexandre ouvre *Les Contemplations* et goûte les vers de Victor Hugo, au chevet d'Isabelle. Jusqu'alors, Dumas a plutôt écrit sur une certaine période de l'histoire de France : cinq siècles et demi sont compris entre *La Comtesse de Salisbury* et *Le Comte de Monte-Cristo*. Si *La Comtesse de Charny* s'achève pendant la Terreur, Dumas constate qu'il n'a pas décrit le Directoire, ni le Consulat.

Qu'à cela ne tienne ! Grâce au matériau de Victor Perceval – alias Marie de Fernand, peut-être une institutrice anglaise –, il envisage de commencer *René d'Argonne*, histoire d'un volontaire de 1792, dont le premier chapitre se passerait le soir de l'arrestation du roi à Varennes. Il effectue un voyage sur place, mais décidément, le roman n'avance pas – Dumas s'occupe du mariage de sa fille avec Olinde Petel – et un soir, son fils lui conseille d'abandonner ; qu'il se consacre plutôt à un sujet, raconté naguère par Nodier : celui de quatre jeunes gens affiliés à la compagnie de Jéhu et qui furent exécutés à Bourg-en-Bresse.

Dumas fils suggère même à son père de créer deux personnages, un lord anglais et un capitaine français à la bravoure « dumasienne ». Le père n'attend pas et se retrouve à Bourg-en-Bresse en décembre pour travailler le décor. Il visite consciencieusement les localités, retrouve les archives du procès intenté à ses personnages et commence son roman, *Les Compagnons de Jéhu*, qui sera imprimé dans le *Journal pour tous* puis édité par Cadot, en 1857.

Rappelons qu'on appela *Compagnie de Jéhu* des bandes qui se formèrent et pourchassèrent les Jacobins du Midi et de la région lyonnaise, après la chute de Robespierre et l'échec de la révolution démocratique, le 9 thermidor 1794. A mesure que les Thermidoriens supprimaient les uns après les autres les organes de la centralisation montagnarde, les royalistes, pour se venger, poursuivirent leurs violences, supprimant nombre de partisans de la révolution en 1795.

Puis il reprend quelques courts voyages pour se documenter : la route de Varennes, Bourg-en-Bresse – pour *Les Compagnons de Jéhu*. *Le Mousquetaire* est maintenant sous la houlette de Xavier de Montépin, mais il a perdu de son importance.

Dumas est ailleurs ; en pensée, à Monts, où Emma rêve de lui et écrit ses poèmes touchants qu'il promet de publier un jour ; *Solitudes* paraîtra en effet, sous le nom d'Emma Mannoury-Lacour, œuvre croisée d'Alexandre et Emma. L'un des poèmes est révélateur :

Minuit sonna. Leurs mains, jusqu'alors enlacées,
Parurent à ce bruit, se quitter à regret.
– A demain ! dirent-ils ; et leurs lèvres glacées
Se joignirent encore dans un baiser muet.

Emma termine la rédaction de sa biographie : au moins, sa liaison avec Alexandre laissera-t-elle une trace... Mais sa santé décline et les médecins conseillent de passer l'été à Courseulles, où Alexandre la rejoint à plusieurs reprises, lui redonne le moral, lui permet de se remettre d'aplomb. Les poèmes qu'elle écrit, les lettres qu'il lui adresse sont d'intenses pages d'amour ; lequel des deux est le plus épris ?

41 – LE VOYAGE EN RUSSIE.

Depuis longtemps, Dumas souhaite faire en bateau le tour de la Méditerranée et parcourir cet « ancien monde, qui n'est rien autre chose que l'histoire de la civilisation ». Il recherche un bâtiment susceptible d'entrer dans les petits ports. Reste le financement. En attendant le pactole du procès Lévy, Dumas n'hésite pas et crée un nouveau journal. Il possède deux mots magiques, symboles du succès : *Mousquetaire* et *Monte-Cristo*. L'expérience *Mousquetaire* étant terminée, place au *Monte-Cristo* !

C'est un hebdomadaire, cette fois, de romans, d'histoire, de voyages et de poésie – un magazine moderne – entièrement réalisé par Alexandre, un libraire s'occupant de la diffusion. C'est aussi comme une lettre que Dumas adresserait à ses amis.

En mars 1857, il se rend à Londres comme envoyé spécial de *La Presse* aux élections anglaises. Véritable journaliste, Alexandre rédige ses textes, envoie ses comptes rendus et analyse la situation, puis vagabonde dans le Middlesex avant de rejoindre Guernesey, une idée en tête : il rend visite à Victor Hugo, qu'il n'a pas revu depuis cinq ans.

Les retrouvailles ont lieu à Saint-Pierre-Port et les deux hommes s'étreignent, profondément émus. Les journées se passent à parler, à évoquer le théâtre, la littérature, à rêver encore. Quelques jours après, il faut se séparer et Alexandre revient à Paris, puisqu'on ne lui demande pas d'autres articles.

Il peut se consacrer à son journal, bien qu'il s'inquiète d'une démarche de Maquet demandant à la justice de lui reconnaître la qualité de co-auteur pour les romans qu'ils ont réalisés. Enfin, le jeudi 23 avril, le premier numéro de *Monte-Cristo* paraît, illustré d'un Edmond Dantès se relevant sur les rochers, après son évasion d'If. On y trouve une *Causerie avec mes lecteurs*, un passage des *Mohicans de Paris*, les débuts de *Harold ou le Dernier des rois saxons* et *Octave Auguste*, enfin des nouvelles diverses.

Monte-Cristo démarre à dix mille exemplaires, moins que le *Mousquetaire*, mais le chiffre est prometteur. Chaque jeudi, Dumas donne véritablement de ses nouvelles à ses lecteurs, ce qu'il a vu, ce qu'il prépare, de sa plume inimitable et charmeuse. Les échos concernent ses voyages en Angleterre – derby d'Epsom, exposition de Manchester –, en Touraine – chasse au renard, pêche chez Prosper Vialon –, à Auxerre, Compiègne et Pierrefonds, où Ruggieri lui offre un feu d'artifice.

En septembre, bloqué à Paris par un genou récalcitrant, il se console en faisant la connaissance de Lilla von Bulyovski, belle comédienne hongroise de vingt-trois ans – à laquelle il sert de guide dans la capitale. Dumas se pique au jeu, suit la belle à Bruxelles, descend le Rhin jusqu'à Mayence et fin septembre, laisse Lilla à la tragédienne Sophie Schroeder : pour une fois, une femme ne s'est pas donnée à lui.

Au retour, il met la main à des romans préparés par Cherville, *Le Meneur de loups, Black, Les Louves de Machecoul*, avec le même rythme que du temps de Maquet et les mêmes habitudes : « Piochez ! Piochez ! » Suivent : *Mademoiselle de Chamblay* – où revit sa liaison amoureuse avec une Emma malade, qui ne quitte guère son lit –, ainsi qu'une comédie en un acte destinée au Gymnase et à permettre à Isabelle de jouer.

Rachel est inhumée le 11 janvier 1858 : six chevaux tirent le char funèbre dont Alexandre tient un gland, marchant jusqu'au Père-Lachaise entre deux haies de spectateurs attristés. Une joie, toutefois, cinq jours après : le Gymnase joue *Le Fils naturel*, un drame-comédie de Dumas fils. Le succès conduit le fils plus près encore du père sur l'autel de la renommée. Dans sa loge, Dumas père reçoit sa part d'applaudissements.

Le procès Maquet avance : en février, un jugement accorde à ce dernier un quart des droits d'auteur pour les dix-huit romans réalisés en collaboration avec Dumas, sans toutefois lui en reconnaître la propriété. Dépité, Alexandre se rend à Marseille, où on lui commande une pièce ; en quatre jours, il écrit *Les Gardes forestiers*, joués avec succès en mars, du moins l'écrit-il à ses lecteurs du *Monte-Cristo*. A Marseille, Dumas est vénéré, il est heureux, c'est la ville où commencent les aventures du *Comte de Monte-Cristo*...

En avril, Alexandre se rend au Havre pour la construction d'un yacht, passant par Caen et rendant visite à Emma, qui continue de lui envoyer des lettres enflammées ; devenu l'ami de la famille, il promet de revenir l'été suivant. Emma lit dans le *Monte-Cristo* du 8 juillet, le dernier chapitre de *Mademoiselle de Chamblay* : deux amants partent s'aimer dans une île perdue... n'est-ce pas leur rêve commun ?

Dumas est souvent imprévisible : alors qu'il doit se rendre à Rome, il prend la direction de la Russie. Il a rencontré à Paris le comte et la comtesse Koucheleff-Besborodko, qui voyagent en Europe, leur a été présenté et s'est laissé inviter en leurs propriétés gigantesques. Il part avec le comte et la comtesse, faisant soupirer Dumas fils, très attaché aux femmes russes, surtout à Nadedja Narychkine, la « sirène aux yeux verts ».

Alexandre embrasse Isabelle, emmène le peintre Moynet et un intendant, monte dans le train à la Gare du Nord. Il a certes deux romans en cours, mais il donnera des nouvelles si pittoresques à ses lecteurs du *Monte-Cristo* !

On passe par Berlin et Stettin, Cronstadt et Saint-Pétersbourg, on l'installe dans la superbe villa Besborodko. Quel faste : deux mille serfs à qui l'on vient d'octroyer la liberté, les fameuses nuits blanches sur la Neva, un décor féerique où Alexandre retrouve Jenny Falcon, la sœur de la cantatrice, connue en 1832, et qui est venue à Saint-Pétersbourg sur les instances du comte Narychkine.

Charmé, Alexandre n'oublie pas ses lecteurs, auxquels il envoie ses impressions de voyage, entrecoupées de digressions sur l'histoire et la littérature : en Russie, il y a de quoi écrire. Mais Alexandre veut aussi savourer son séjour et n'envoie guère de lettres à ses proches, attendant d'être à Kazan, sur la Volga, pour prendre la plume.

Il chasse, tue des lièvres, voit des coqs de bruyère, des canards, des bécassines, un paradis pour le chasseur ; pour sa chère Emma, une longue lettre, en octobre : « Mon cher amour, je t'ai écrit deux fois depuis Moscou ; je suis à Kazan ; sans être très civilisés les Tatars me semblent rentrer dans la catégorie des hommes... le 8 août, j'étais sur le champ de bataille de la Moskowa, les pommes de terre avaient gelé le matin... je vais me hâter d'aller à Tiflis, j'espère y trouver une lettre de toi. A part toi, nul ne m'aime au monde, nul ne pense à moi, nul ne s'inquiète de moi. J'ai adopté une espèce de costume circassien qui me va très bien... à Nidjni, j'ai retrouvé le héros et l'héroïne de mon roman du *Maître d'Armes*, graciés par l'Empereur Alexandre après 33 ans de Sibérie... je descends la Mer Caspienne jusqu'à Bakou, où je vais voir les adorateurs du feu... je serai à Paris vers le 25 novembre ; s'il y a moyen, je descendrai du chemin de fer de Strasbourg pour monter dans celui du Havre. »

Dans la ville d'Astrakhan, il fait un résumé du voyage pour son fils : Kalaisine, Ouglitch, Kostroma, Nijni-Novgorod – six mille boutiques et un bordel de quatre mille filles –, Kameschin, le lac Elston ; « j'ai campé là au milieu des steppes et mangé un mouton de pré-salé près duquel ceux de Normandie sont bien peu de chose... j'ai chassé l'oie sauvage, le canard, le pélican et le veau marin... j'ai été invité par le prince Tumaine, roi kalmouk possédant 50 000 chevaux, 30 000 chameaux, 10 millions de moutons, 270 prêtres... et une femme de dix-huit ans qui a des yeux retroussés, des dents comme des perles et qui ne parle que kalmouk ».

Alexandre aligne ses découvertes : un déjeuner de cuisseau de cheval, une course de cent cinquante chevaux... « montés à poil nu par des Kalmouks de 20 à 25 ans, chasse de chevaux sauvages au lasso, chasse aux cygnes avec des faucons » ; il mange du potage de poulain, une tête de cheval en tortue, du cheval cru haché aux petits oignons et boit de l'eau-de-vie de lait de jument – exécrable ; on le revêt d'une pelisse en peau de mouton noir et il prend congé du prince Tumaine en frottant son nez contre le sien, ce qu'il ne peut faire – le protocole ! – avec son épouse.

Voilà de quoi alimenter l'imagination de Dumas fils et lui faire comprendre que son père a apprécié le charme des femmes du pays. D'autres lettres suivent, disant qu'il dort enveloppé dans sa pelisse « avec une sentinelle qui veille sur moi », puis que « nous avons laissé dans un fossé quinze cadavres de Circassiens qui nous ont tué trois Tatars et blessé huit ». On se familiarise avec le danger, affirme-t-il. Au fait, Dumas fils devrait faire en son absence « deux ou trois articles pour *Monte-Cristo* » !

Emma reçoit des nouvelles plus bucoliques et des fleurs de géranium, cueillies à Derbent, malgré le danger. Dumas ajoute simplement : « Je t'aime ! »

C'est le retour : après le jour de l'an passé à Tiflis – où il achève le roman *Ammalat-Beg* –, Alexandre quitte la Russie pour Constantinople, franchit le Bosphore puis la mer de Marmara et fait escale à Syros pour acheter un clipper de 62 pieds de long, au prix de 17 000 francs. Alexandre ne passe pas inaperçu : il ramène avec lui Vassili, le Géorgien, un véritable athlète.

A Paris, un repas de quarante couverts est organisé par Méry au restaurant de France, place de la Madeleine, pour fêter son retour ; le cuisinier est son vieil ami originaire de Villers-Cotterêts, Denis-Joseph Vuillemot. Dans le *Grand Dictionnaire de cuisine*, Dumas donnera le menu de ce repas gargantuesque :

Hors-d'œuvre divers.

Potages : A la Buckingham, aux Mohicans.

Relevés : truite à la Henri III, homard à la Porthos, filet de bœuf à la Monte-Cristo, bouchées à la reine Margot.

Rôts : Faisans, perdreaux, cailles, bécasses.

Entremets : Aux mousquetaires, petits pois aux Frères Corses, écrevisses à la d'Artagnan, bombe à la Dame de Montsoreau, crème à la reine Christine, salade à la Dumas, vase d'Aramis, gâteau à la Gorenflot, corbeille de fruits de Mlle de Belle-Isle, dessert assorti.

Quant aux vins, ce sont des Xérès Amontillado, Pakaret, Château-Lafite, Clos-Vougeot, Jurançon, au premier service. Champagne, Pommery et Greno et Moët frappé. Chypre, Constance, Setaval, au dessert.

Ce banquet en compagnie d'amis du bon vieux temps honore celui qui fait rêver le monde... et sait excellemment cuisiner ; c'est un des pôles de sa vie personnelle : Dumas père adore cuisiner et en parle avec gourmandise. Il est de ces géants du siècle qui « feront de fréquents allers et retours entre leur fourchette et leur plume, qu'il s'agisse de Balzac, Flaubert, Maupassant, Zola, les Goncourt ou les Daudet ».

(*On mange bien quand on travaille bien*, Jérôme Effel, in *Le Grand Livre de Dumas, op. cité*).

Dumas note, amusé, qu'un pâtissier du faubourg Saint-Germain a donné le nom de Gorenflot à un gâteau apprécié sur les tables élégantes de Paris, car Gorenflot est un personnage de *La Dame de Montsoreau*. La cuisine met de bonne humeur et Dumas crée la recette des Anchois à la sauce Monte-Cristo, donnée pour le clin d'œil : « Remplacer dans une olive de bonne taille le noyau par une tranche d'anchois. Placer alors l'olive dans une mauviette, celle-ci dans une caille, la caille dans un faisan, ce dernier dans une dinde, puis l'ensemble dans un cochon de lait que l'on fera rôtir durant trois heures. Extraire l'anchois et jeter le reste. »

42 – L'AMI DE GARIBALDI.

Ida est décédée à Gênes, en mars 1859, le prince de Villafranca à son côté. Lorsque Alexandre apprend la nouvelle, il lâche laconiquement à Alphonse Karr : « Mme Dumas était venue à Paris il y a un an et s'était fait payer sa dot cent vingt mille francs. J'ai son reçu. » Derrière le propos abrupt, le ressentiment.

Dumas père ne veut pas baisser pavillon, mais doit s'occuper d'une faible Isabelle et d'une Emma dont la santé s'enfuit. Il a retrouvé sa fille Marie, inquiète à Châteauroux, car Olinde Petel donne des signes de dérangement mental.

Alors, il faut encore, et toujours, écrire : avec Cherville, *Le Père la Ruine, La Marquise d'Escoman, Le Médecin de Java* ; avec Benedict Revoil, *La Vie au désert* ; avec Félix Maynard, *Voyage aux terres antipodiques* ; quant à Victor Perceval – alias Marie de Fernand – elle traduit *Les Mémoires d'un policeman*... et donne naissance à une petite Alexandrine – un gage d'admiration ? Il n'a plus d'enfant à « élever » – Dumas fils mène sa vie à sa guise –, mais il rêve toujours à la Méditerranée et à son bateau. L'aura-t-il un jour ?

Oui ! Le bateau – 80 tonneaux, un capitaine grec, cinq hommes – est parti de Syros début juin et arrive à Marseille. Déjà, Alexandre ne parle plus que du *Monte-Cristo*, nom de baptême qu'il lui a réservé et accourt dans le port – malgré ses douleurs au genou. Bientôt, le clipper *Monte-Cristo* emmène Dumas et ses hommes au château d'If – va-t-on chercher un nouvel Edmond Dantès ? – mais la navigation montre un tirant d'eau trop important ; pour venir à Paris, il faudra emprunter le canal du Midi et remonter par la Seine.

Mais *Monte-Cristo* ne passe pas l'écluse de Pont-d'Agde, on le ramène à Marseille où auront lieu les travaux et où l'on parle des derniers événements : la guerre contre l'Autriche, menée par le Piémont, soutenu par Napoléon III qui gagne à Turbigo et à Magenta avant de vaciller à Solferino. A la paix de Villafranca – quel nom pour Dumas ! – la France offre au roi de Sardaigne la Lombardie qu'elle vient de gagner, moyennant Nice et la Savoie.

Dumas est dans l'événement, donnant dans *Monte-Cristo* du 30 juin 1859 ce portrait de Garibaldi : « Sa voix, d'une douceur infinie, ressemble à un chant. Dans l'état ordinaire de la vie, il est plutôt distrait qu'attentif, et semble plutôt un homme de calcul que d'imagination mais prononcez devant lui les mots d'indépendance et d'Italie, alors il se réveille comme un volcan, jette sa flamme et répand sa lave. »

Alexandre veut solutionner le problème du bateau ; il lui faudrait un bon intendant ! En août, les condamnés politiques sont amnistiés et Parfait, disponible, va négocier l'affaire Lévy : en trois mois, le traité est signé et fin décembre, 120 000 francs sont attribués à Alexandre en règlements fractionnés, ce qui est une épargne pour un tel dépensier.

La bonne affaire se double d'un deuxième traité signé avec Raphaël Félix, pour l'exploitation théâtrale de ses œuvres. On part, le cœur d'autant plus léger qu'au Gymnase, fin novembre, *Le Père Prodigue*, de Dumas fils, a été un bon succès et que Victor Hugo – attendant pour rentrer que « la liberté rentre » – lui écrit : « C'est vous, cher Dumas, que je veux féliciter du succès et de tous les succès de votre fils. Quelle admirable et douce chose ! Le père mêlé au rayonnement du fils, le fils mêlé à l'auréole du père. Oui, vous êtes un père prodigue. »

Alexandre va de nouveau à Marseille s'occuper des travaux sur le *Monte-Cristo*, mais un problème surgit : le bâtiment est sous pavillon grec et Alexandre a refusé de payer des indemnités non justifiées au consul : il faudra donc naviguer sous pavillon de Jérusalem, que l'on n'obtient qu'à Florence ; Alexandre s'y rend mais doit attendre une quinzaine de jours pour sa patente provisoire.

Qu'à cela ne tienne, il rend visite – accompagné non pas d'Isabelle, mais d'Émilie Cordier, une jeunesse – à Garibaldi, pour rédiger les *Mémoires* du grand homme, modestement logé à l'hôtel de l'Europe. Dumas est bien accueilli et vit l'histoire en direct, sur les pas de Garibaldi, qui va déclencher la guerre. Aussitôt, Alexandre souscrit pour douze carabines ; l'odeur de la poudre s'est encore manifestée. Les *Mémoires* attendront.

Dumas retrouve Garibaldi en janvier 1860, pour entamer le travail : Garibaldi dicte, mais l'ennui le prend et Dumas s'arrête. On continuera plus tard. Dumas est d'accord ; il se sent bien ; n'est-il pas dans les lieux où, jadis, le général Dumas a vécu ? Sans doute s'identifie-t-il à ce dernier...

Après l'arrivée de la patente du *Monte-Cristo*, un autre problème surgit : le capitaine est grec orthodoxe et ne peut aller à Jérusalem ; il faut un catholique. Très déçu, Alexandre et Émilie se promènent sur la Via Appia puis sont les invités de l'ambassadeur de France... dont le yacht est à vendre : affaire à suivre.

Sans hésiter, Alexandre retourne à Marseille, vend le *Monte-Cristo* et revient acheter *Emma* – il faut bien changer et Emma est son réel amour – pour 13 000 francs. Deux allers-retours Paris-Marseille règlent le dossier du bateau et Alexandre a son capitaine : un Breton prêt à amarrer. Il n'a plus qu'à s'arrêter chez maître Charpillon, son ami notaire de Saint-Bris, pour lui remettre des papiers destinés à Dumas fils.

A Marseille, l'*Emma* est recouvert de cadeaux d'admirateurs et Alexandre est invité à dîner par le maire qui lui remet des lettres de bourgeoisie plus une concession de terre aux Catalans – acte symbolique renvoyant au *Comte de Monte-Cristo*.

Appareillage le 9 mai 1860. Tout Marseille salue le maître, le capitaine et l'équipage ; parmi les passagers, un peintre, Lockroy fils, un photographe, Legray, Paul Parfait, Albanel, un médecin, plus un aspirant de fantaisie aux frêles allures : Émilie, surnommée « l'Amiral ».

C'est un nouveau vrai départ pour Alexandre, qui vient de cesser sa collaboration avec Cherville. Des amis montent sur le pont, accompagnant le bateau un moment et flânant par Hyères, Brégançon, Nice – où Alphonse Karr organise une superbe réception. Le 18 mai, l'*Emma* est à Gênes à l'heure où l'on parle d'un débarquement de Garibaldi. Instant pour écrire à l'aimée : « Mon amour chéri... Je reçois ta lettre... il est impossible d'avoir un meilleur bâtiment que l'*Emma*... Non seulement je t'enverrai des fleurs mais toutes sortes de photographies à mettre en stéréoscope... on m'a fait de grandes fêtes... mon enfant chérie... je t'aime. Écris-moi à Malte. »

Emma supporte comme elle peut le temps qui passe et son mal d'enfant à jamais évanoui. Elle écrit un second recueil,

Les Asphodèles, que Dumas essayera de valoriser, mais elle sent sa fin approcher.

Alexandre piaffe : il part pour Palerme, la rage au cœur, car il parcourt le terrain où l'on a fait souffrir, jadis, le général Dumas. Peut-il réécrire l'Histoire ? En tout cas, il essaie d'y participer ; en juin, il est au nord de la Sardaigne puis en Sicile et pointe sur Palerme, dont Garibaldi s'est rendu maître le jour de la Pentecôte : les dégâts sont visibles. Il rencontre Menotti, le fils de Garibaldi, puis approche ce dernier – « chemise rouge, pantalon gris et foulard noué autour du cou » – devant la cathédrale.

On installe Dumas dans le logement du gouverneur, il monte à son balcon, on l'ovationne ; le 20 juin, la tête de la statue du roi Ferdinand – celui qui a fait empoisonner le général Dumas – roule au sol : Dumas tient sa revanche sur l'Histoire ! Il pense aux Davy de la Pailleterie, à l'île de Monte-Cristo et aux aventures de Saint-Domingue : le marquis de Monte-Cristo, à nouveau, se venge !

Alexandre se rend à Agrigente, poursuit vers Malte et Corfou, semblant quitter Garibaldi. Et s'il allait lui chercher des armes en France ? N'a-t-il pas été fait citoyen d'honneur de Palerme, de Caltanizetta et de Girgenti ? Cela vaut bien un soutien de sa part, comme il l'écrit à Dumas fils.

A Malte, Dumas laisse partir Legray, Locroy et Albanel qui continuent leur voyage en Orient. Pas de révolution pour eux ! A Catane, il est fait citoyen d'honneur, accompagné par Émilie Cordier dont le ventre s'arrondit, ce qui ravit Dumas : il recommence une vie. Et comme Garibaldi l'attend pour les fusils, il est en pleine forme...

L'*Emma* évite le combat au large de Milazzo et Dumas débarque de nuit, car on tire encore ici ou là ; il retrouve Garibaldi se restaurant frugalement sous le porche d'une église et ayant besoin de poudre, de balles et de fusils. Dumas confirme sa proposition de rapporter 2 000 carabines et

2 000 mousquetons : « Aussitôt le crédit ouvert, je pars pour la France et serai aussitôt que vous en Calabre. » Une combinaison « à la Davy de la Pailleterie ». L'histoire se répète.

Attendant les ordres de Garibaldi, Dumas père écrit à Dumas fils, se félicitant de voir joué *L'envers d'une conspiration* au Vaudeville et *Le Gentilhomme de la Montagne* à la Porte-Saint-Martin. Mais il bout d'impatience : s'il créait un nouveau journal pour la cause garibaldienne ? *L'Indépendant*, par exemple ? Il avise Hugo et Michelet : « Je fonde à Palerme un journal que vous recevrez » ; ici, se joue un drame « dont le dénouement sera la chute du roi de Naples, du pape, de l'empereur d'Autriche ».

Le 29 juillet, il embarque pour Marseille avec Émilie, qui se rend à Paris pour accoucher. Sur place, il achète 1 000 fusils rayés et 150 carabines pour 91 000 francs qu'il expédie séparément, reprend le bateau de ligne et livre sa marchandise. Récupérant *Emma*, il stoppe dans le golfe de Salerne, fête l'avancée de Garibaldi qui débarque en Calabre et transforme son bateau en officine de recrutement : un ministre prend les devants en affirmant qu'il se réfugiera en cas de besoin sur l'*Emma* : on ne peut pas dire que Dumas manque de courage. Il est digne de son père.

Il annonce à Garibaldi la réception de 100 fusils de chasse, 150 revolvers et 600 chemises rouges, s'impliquant dans les événements, ce qui lui vaut des sanctions officielles : l'*Emma* doit quitter la baie, mais en fait... continue la distribution de chemises. Enfin Garibaldi et Dumas se retrouvent à Naples où Dumas est nommé directeur des musées et des fouilles, installé dans un « charmant petit palais au bord de la mer ». Là, est sa véritable satisfaction en pensant au général Alexandre Dumas.

Sa nomination n'est pas du goût de tout le monde et des intrigues se font jour. On le dénigre auprès du nouveau maître qui pourtant le tutoie. Maintenant que l'action militaire est passée, il veut jouer un rôle de journaliste, mais désargenté, fait appel à Garibaldi pour imprimer *L'Indépendant* à l'Imprimerie Nationale.

Il souhaite également réaliser un ouvrage, *Naples et ses provinces*, pour lequel il a besoin de 4 000 francs (frais de voyage, deux dessinateurs, deux graveurs). Garibaldi fait la sourde oreille – il a d'autres chats à fouetter – et Dumas le relance : « Vous n'avez pas cru m'accorder » les 6 000 francs d'impression mensuelle, « votre journal paraîtra, avec mes seules ressources ».

Le vent tourne, Napoléon III cède aux instances et son armée occupe les États pontificaux : Garibaldi renonce et un plébiscite ratifie le rattachement de l'Italie du Sud au royaume du Piémont. Garibaldi part, tel Cincinnatus, sans honneurs et sans argent. Qu'importe pour Dumas, *L'Indépendant* continuera ! Mais fin 1860, tout change.

Emma est décédée le 26 novembre à Caen ; une fois encore, une page déterminante pour Alexandre se joue en Normandie. Son cœur saigne ; huit ans plus tard, dans une autre feuille – le *Dartagnan* – il écrira : « Je crois bien, quoique je ne l'affirme pas, que les trois quarts de mon cœur, sinon mon cœur tout entier, moururent avec elle. »

Ces propos, il les reprendra en 1868, dans ses *Causeries avec les lecteurs du Dartagnan*, y racontant « son » amour pour Edmée de Chamblay – nom attribué à Emma –, après avoir narré leur rencontre dans *Dernières amours*, où Emma se nomme cette fois Clothilde de Monts. Alexandre se rappelle : « de 1856 à 1857, je reçus cinq ou six télégrammes qui ne portaient que ces seules paroles : Je suis au Havre. Viens. Ces télégrammes étaient signés Edmée. L'hôtel d'Angleterre peut seul dire si j'étais exact au rendez-vous ».

Son cœur est partagé entre la vie et la mort ; la mort d'Emma, la naissance de Micaëlla-Josépha Cordier, le 24 décembre, dont il dit : « tout l'amour que je pouvais avoir pour Marie se reportera donc sur ma chère Micaëlla ». Il devient également grand-père, Dumas fils ayant une descendante.

Les deux Dumas se croisent, Dumas fils venant voir son père à Naples, ce dernier annonçant : « Si je puis, j'irai embrasser Garibaldi avec toi. » Parlent-ils de franc-maçonnerie ? Le fait est qu'Alexandre père est signalé comme appartenant à la loge *Fede Italica*, de l'Orient de Naples.

Un rapide voyage à Paris lui permet d'embrasser Micaëlla la puce et de repartir suffisamment à temps pour retrouver son fils, à qui il fait visiter les rues de Naples ; le plus âgé n'est pas celui qu'on pense, car Dumas fils tousse et traîne lorsque son père a une nouvelle idée : par exemple, investir dans une fabrique d'impressions sur verre, juste 12 000 francs qui peuvent rapporter gros !

Évidemment, il ne peut plus payer l'impression du journal et son beau-frère Letellier étant décédé, il met les pouces avec l'*Indépendant*. Pourtant, il n'est pas encore décidé à quitter la région, retournant à Paris juste pour confier Micaëlla à une famille nourricière et revenant avec Émilie ; chemin faisant, ils rencontrent Marie dont le mari est de plus en plus fou ; elle-même est malade de la poitrine.

Dumas fils est dans l'intervalle reparti de Naples pour rejoindre Nohant et rendre une visite à George Sand, « cornaqué » par son père qui lui écrit : « Je suis plus inquiet que toi de ta santé... il y a de la fatigue cachée derrière cette toux de trente ans. » Il ajoute qu'il a effectivement investi dans l'affaire d'impressions sur verre et que « comme d'habitude, je suis sans le sou ». Mais s'il doit revenir à Paris, « ce sera pour y nourrir la haine des plumes, du papier, et de l'encre ». Comment le croire ?

Pourtant, tout en embrassant Micaëlla, il « rumine » à l'encontre de Maquet, « pour moi un voleur... avec lequel je ne veux plus avoir aucun rapport », quitte Naples en janvier

1862, ayant appris que Marie veut se retirer dans un couvent et entame un procès en séparation, dont elle sera déboutée. Pauvre Marie ! Alexandre est triste de la voir ainsi. Il reprend l'écriture et cause à ses lecteurs du *Monte-Cristo*, seul recueil des œuvres inédites d'Alexandre Dumas, nouvelle entreprise.

Monte-Cristo paraît ? Et pourquoi pas l'*Indépendant* ? Aussitôt dit... le journal reprend sa parution et Alexandre repart à forte cadence : il publie un roman *Ainsi soit-il*, prépare une histoire des *Bourbons de Naples*, « finalise » *Une odyssée en 1860*, fait imprimer le début d'un *Volontaire de quatre-vingt-douze*, avant de tomber amoureux d'une chanteuse, Fanny Gordosa et de vouloir participer à l'insurrection de l'Albanie, le prince Skanderberg l'ayant contacté.

Il est tellement plein de fougue qu'il convainc Girardin de le payer soixante-quinze francs par article racontant cette nouvelle « opération humanitaire ». Avec cet argent, il s'occupe de Marie, retirée au couvent des Dames de l'Assomption d'Auteuil et continue d'écrire, mais dans *La Presse* car le nouveau *Monte-Cristo* a dû s'arrêter au numéro 82, le 10 octobre 1862. Puis il repart à Naples.

« J'abandonne tout ce que je gagne et tous mes droits, vivant de ce que me donne le journal », écrit-il, victime d'escrocs puis d'une déconfiture dans l'affaire de l'indépendance albanaise : on lui a proposé un grade de général – pour 10 000 francs – et lui-même a sollicité Dumas fils – qui a la sagesse de ne pas suivre – pour un poste d'aide de camp ! Lui est fait « surintendant des dépôts militaires de l'armée chrétienne d'Orient »... avant d'être convoqué par la police car Skanderberg n'est qu'un vulgaire escroc, parti avec la caisse !

A Paris, Dumas fils essaie de défendre les intérêts de son père et de sa sœur : on veut adapter *Quarante-Cinq, Joseph Balsamo* et *Le Page du duc de Savoie* alors que Marie a besoin de fonds pour son procès en séparation. La famille a fort à faire : on réclame de l'argent de partout ; Charpillon, une dette de 6 000 francs ; un créancier, 250 francs par mois ; Noël Parfait, 86 francs de loyer ; plus quelques Napolitains qui tentent leur chance. « Boutonne ton gousset et ferme ton tiroir », conseille Dumas père à son fils, en mars 1863.

Dumas veut revenir à Paris ; il passe par Turin pour payer *L'Indépendant*, visite la Suisse en compagnie d'Émilie (redevenue Émile) et de Micaëlla : on lui donne du *papa* tout au long du voyage ; Quatre-Cantons, Lucerne, Interlaken, Berne, les lacs, Schaffhouse et des indigènes sont stupéfaits par son allant : « âgé de soixante et un ans, on ne lui donnerait pas plus de cinquante ». D'ailleurs, Alexandre rêve à un roman en six volumes, *La San Felice* – « à un centime la lettre, 10 000 francs le million de lettres », comme George Sand. Vite, il retourne dans son pays d'enfance, revoit sa fille Marie retournée au couvent et qui l'a peint dans un tableau religieux avec un capuchon monastique, avant de revenir à Naples.

Il est seul, sans Émilie ni Bébé. Émilie a demandé le mariage, mais Alexandre n'a accordé que la reconnaissance de paternité, s'adressant « entre hommes », au père d'Émilie, le 2 juillet : « Tant qu'Émilie vivra à Paris, Bébé passera six mois avec sa mère, six mois avec moi. Si Émilie quitte Paris et va à l'étranger, Bébé me sera remise avant son départ. Si Émilie vivait avec une autre personne que moi – je reprendrais Bébé que sa mère aurait toujours le droit de voir... Si ces conditions sont acceptées, nous irons à la mairie faire en marge de l'extrait de naissance de Bébé l'acte de reconnaissance. »

Il fête donc seul ses soixante et un ans, écrivant avec ardeur, et, le 17 septembre, envoie à Dumas fils le premier volume de *La San Felice*. Mais il a « forcé » et une infection microbienne l'oblige à subir deux interventions chirurgicales pour anthrax ; il passe sa convalescence dans une chambre où des artistes viennent lui donner l'aubade, dont Fanny Gordosa, *Castafiore* aux ardeurs physiques énormes.

Alexandre voudrait savoir si *La San Felice* plaît et il relance Dumas fils : « Tu comprends qu'il faut que j'aie un succès. » A la mi-décembre, on annonce que le roman va paraître dans *La Presse* et en janvier, il questionne : « Entends-tu dire que *La San Felice* aille bien ? » C'est Joseph Méry qui répond : « tu as pris un stylet de bronze pour sonner le glas d'agonie de ce siècle qui s'éteint à Naples » : voilà Dumas père rassuré pour un temps.

C'est décidé ! Dumas revient à Paris en conquérant, comme il a toujours été ; la petite Micaëlla l'attend, Marie est débarrassée d'Olinde Petel, définitivement fou, et Dumas fils va épouser sa princesse : il reste des dettes énormes pour lesquelles Alexandre a cette formule : « trouver la somme qui permette de racheter à moitié prix ou abandonner à la condition que toutes les oppositions seront levées sur la moitié de mon revenu ». Parfait, qui a repris du service, n'a plus qu'à suivre.

Une collaboration se faisant jour avec *Le Petit Journal*, Alexandre quitte l'*Indépendant* à jamais et embarque avec Fanny Gordosa, en mars 1865. Destination Paris.

43 – LES TEMPS SONT DIFFICILES.

Gare de Lyon. Dix heures du soir. Dumas père descend du train, accueilli par son fils auquel tout de go il propose d'aller rendre visite à Théophile Gautier, qui habite Neuilly. Le fils est obligé de suivre. Gautier dort, bien entendu, mais Dumas père fait un vacarme tel qu'il ouvre... et reçoit son ami qui lui parle de son pari : un troisième retour d'exil – après Florence en 1840, Bruxelles en 1851, Naples en 1860 – un troisième rebondissement ? Les deux Dumas rentrent à pied, à quatre heures du matin.

A peine arrivé chez son fils, Dumas père demande une lampe. Pourquoi ? Pour travailler, parbleu ! Et il se met à écrire des pages de *La San Felice*. Qui pourrait suivre un tel phénomène ?

Il emménage 112, rue Richelieu, un appartement retenu par le responsable du *Petit Journal* et du *Journal Illustré*. Bureaux en étages et Dumas au quatrième ; ainsi il sera plus facilement sous la main. Un Dumas qui essaie de trouver des contrats pour sa chanteuse et l'emmène au Havre pour un concert de charité, logeant à l'Hôtel de l'Europe. Le 27 avril, on l'acclame.

Le Havre. Il n'a certes pas oublié Emma et peut-être pense-t-il à Antoine Davy de la Pailleterie revenu de Saint-Domingue pour se venger... et déterminer sa propre vie ?

Au retour, il se rend à Saint-Gratien, à la Villa Catinat, afin de travailler à son roman et à une adaptation des *Mohicans de Paris*, transformant la salle de billard en bureau-bibliothèque, ayant à ses côtés un nouveau secrétaire, Benjamin Pifteau ; il écrit sur fond de salves de notes lancées par Fanny Gordosa ou de ses *Doumasse* dérangeants et de visites de parasites qui, comme à Monte-Cristo, ont vite trouvé l'adresse.

En juin, il retourne à Villers-Cotterêts pour le comice agricole, Fanny Gordosa donnant un concert improvisé qui se termine par une quête en faveur des pauvres, avant de se rendre chez un ami – au moulin de Wallu – et d'y rédiger *Le Pays natal* pour *Le Journal littéraire*.

Les Mohicans de Paris sont sur le point d'être joués lorsque la censure l'interdit pour allusion politique. Dumas explose et en août écrit directement à Bonaparte : « Sire, il y avait en 1830 et il y a encore aujourd'hui, trois hommes à la tête de la littérature française. Ces trois hommes sont : Victor Hugo, Lamartine et moi. Victor Hugo est proscrit, Lamartine est ruiné... Je ne sais quelle malveillance anime la censure contre moi, qui a successivement arrêté depuis douze ans : *Isaac Laquedem, La Tour de Nesle, Angèle, Antony, La Jeunesse de Louis XIV, La Jeunesse de Louis XV*, aujourd'hui *Les Mohicans de Paris*, demain sans doute *Olympe de Clèves* et *Joseph Balsamo*... J'en appelle donc, pour la première fois et probablement pour la dernière, au prince dont j'ai eu l'honneur de serrer la main à Arenenberg, à Ham et à l'Élysée... »

La lettre est publiée dans les journaux et la princesse Mathilde intercède, mais la pièce sera tout de même amputée de trois tableaux. Dumas est furieux et « compense » : un soir, au théâtre, la Gordosa entre dans la loge et le trouve en tendre conversation avec une comédienne : orage ! Dumas éructe : « Emportez-moi cette folle ! Il paraît qu'elle est à jeun depuis hier et que de voir les autres à table lui fait mal. »

Cherville vient à son tour à Saint-Gratien, afin de préparer *Les Bourgeois de Paris* devenus *Parisiens et Provinciaux*, d'autres projets peut-être, pour un public qui semble se lasser. Un avocat américain, von Nordhausen, propose justement à Alexandre de publier un ouvrage sur New York : « ma sympathie est telle... que je ne demande point à faire une affaire, mais à ne point perdre d'argent », répond-il, envisageant de prendre le bateau sous peu et demandant si le théâtre de New York ne recherche pas une soprano. Le temps d'achever les œuvres en cours, *La San Felice, Olympe de Clèves, Joseph Balsamo* et il apportera un roman *Les Mémoires d'une favorite*, donnera des conférences sur Garibaldi, entamera une histoire de la présidence de Lincoln.

Le 26 octobre 1865, il rejoint Marseille pour monter *Les Mohicans* et assister à un concert de Fanny Gordosa donné lors d'un banquet : tous deux sont choyés par les journaux, l'accueil est excellent. En fait, il s'agit d'un nouveau départ.

Dorénavant, Dumas – installé 70, rue Saint-Lazare – va faire des causeries pour rester présent dans l'actualité, évoquant avec sa faconde habituelle la vie qu'il a menée et les personnages qu'il a rencontrés, à la manière de ce qu'il a écrit dans *Le Mousquetaire* et *Le Monte-Cristo* : des confidences narrées avec verve, puisque Dumas est avant tout un conteur.

Après avoir « marié » Dumas fils à Neuilly-sur-Seine avec Nadejda Narychkine le 31 décembre 1864 – Victor Hugo lui a écrit : « A vous de cœur et pour toujours » –, Dumas père entame sa tournée – le projet américain est en attente – et répond aux invitations, libéré de la Gordosa « casée » à l'Opéra.

Il commence salle Cadet par une causerie d'une demi-heure : cinq cents francs, qu'il offre à une œuvre. Et il montre son grand cœur, participant aux causeries et faisant des dons aux familles défavorisées : mineurs belges écrasés à Anvers, naufragés maritimes, bateau de sauvetage au Havre, ouvriers sans travail à Lyon et à Saint-Étienne, méritant cette création d'un horticulteur baptisant trois tulipes : *Alexandre Dumas père, Alexandre Dumas fils, Marie Dumas*.

Il habite maintenant un petit appartement rue Saint-Honoré, où Micaëlla vient certains jours ; les temps sont difficiles : faisant le point avec son éditeur Michel Lévy, il a besoin de 36 000 francs, pour lesquels il espère désengager une belle bague, sinon aller en Amérique écrire l'histoire de Lincoln.

On le relance pour une causerie, il fait jouer *Les Gardes forestiers* par des comédiens sans emploi ; ce n'est plus la splendeur d'antan, mais Dumas est encore présent. Hélas, il est victime d'un nouvel incident : on l'interdit de conférence à Paris. Pourquoi ? Dans une causerie, il a dit d'Hugo : « Je continue de donner la main à ceux que le changement d'opinion conduit au malheur et à l'exil, mais je la retire à ceux que leur changement d'opinion conduit à la fortune et aux honneurs. »

Cela lui fait perdre de l'argent – mais ce sont surtout les pauvres à qui il le destinait, 30 000 francs en tout, qui sont lésés. Hugo lui écrit : « De vous, rien ne m'étonne en fait de vaillance ; l'Empire vous hait, c'est tout simple. »

Il se rend à Cherbourg où il donne sa conférence pour une œuvre de bienfaisance, se promène à Omonville, à La Hague et poursuit à Bordeaux, où l'on trouve que « Dumas lisant n'est plus que la centième partie de Dumas causant ». Mais il fait œuvre de solidarité, envisageant de revenir avec *Les Gardes forestiers*; hélas, son secrétaire dérobe la caisse et Alexandre – les comédiens étant impayés – sert de cocher à la troupe : à l'étage, les comédiens jouent, Dumas cause et au besoin fait la cuisine, qu'il pratique avec art.

Sa tournée : Rouen, Limoges, Cognac, Villers-Cotterêts – où une affiche vante une « grande solennité dramatique » – grandeur et décadence –, Laon, Beauvais, Tours, Orléans. C'est de plus en plus dur et Dumas père sollicite son fils pour qu'il écrive avec lui un ouvrage en cinq actes. Le ton est pathétique : « Voulez-vous y consentir ? »

Il s'humilie dans une lettre qui, par ailleurs, révèle son choix sur ses propres œuvres : *Monte-Cristo, Les Trois Mousquetaires, Le Chevalier d'Harmental, Joseph Balsamo* et *La Dame de Montsoreau* pour les romans; *Henri III et sa cour, Antony, Un mariage sous Louis XV, L'Orestie, Le mari de la veuve, Richard Darlington, Kean, Térésa,* pour le théâtre. *Monte-Cristo* est en tête : le nom l'a porté sa vie durant...

Mais Dumas fils refuse sa collaboration et le 17 novembre 1865, Dumas père rédige un testament faisant de son ami Charpillon, ex-notaire à Saint-Bris, son légataire universel. Est-il déçu ?

Il publie *Le Comte de Moret*, donne des conférences à Liège puis se rend à Vienne, avec Marie et son neveu Letellier à une soirée à laquelle participe le prince Wasa. Dumas visite le palais de Schoenbrunn, continue sur Presbourg et Pest, où il assiste à la représentation de son *Capitaine Paul*, puis Prague, avant de revenir à Paris.

A Vienne, début janvier 1866, il a envoyé ce mot « à son Bébé » : « Mon cher petit Bébé, je t'embrasserai, je l'espère, dans trois ou quatre jours. Je suis bien content de te revoir, mais il ne faut dire à personne que j'arrive pour que j'aie tout le temps de te caresser à mon aise. Nous t'apporterons, Marie et moi, deux belles poupées et des joujoux. Ton père. »

Il dîne en février chez la princesse Mathilde, où les frères Goncourt le voient entrer « cravaté de blanc, gileté de blanc, énorme, suant, soufflant, largement hilare... Un moi énorme, un moi à l'instar de l'homme, mais débordant de bonne enfance, mais pétillant d'esprit ».

Il vit maintenant avec Marie au 107 boulevard Malesherbes : Pendant que Marie peint des sujets un peu macabres, Alexandre travaille à une adaptation de *Gabriel Lambert*, proposée par Amédée de Jallais. Il a toujours des idées démesurées et veut une salle « moitié théâtre-moitié cirque, contenant trois mille personnes », que l'on aura avec 500 000 francs de souscription. Personne ne suit...

Gabriel Lambert est joué en mars et Dumas fanfaronne : « Ce soir, je me moque des critiques. » Il ne faut pas... On le lui fait savoir. Son comportement indispose et Dumas fils ne lui rend même plus visite ; amer, Alexandre dit de son fils : « Je ne le rencontre plus qu'aux enterrements ; la prochaine fois, ce sera peut-être le mien. »

On lui demande pourtant des conférences, à Valenciennes, à Saint-Tropez, à Cambrai, où il veut aller pour soutenir des personnes en difficulté. Mais une laryngite contrarie ses prestations, qui seront les dernières. Et s'il retournait à Florence et Naples ? Il embarque à Marseille en mai et pérégrine, heureux : Marseille, c'est le lieu magique qui ramène aux heures de gloire et surtout à *Monte-Cristo*. Du coup, il affirme en juin : « Santé excellente, bonheur parfait – auquel tu manques seule. Je serai à Paris le 25 – Tout va bien. »

La guerre commence avec l'Autriche, l'armée italienne est battue, il rentre. C'est pour apprendre la mort de Méry, le fidèle, juste avant son soixante-quatrième anniversaire qu'il fête avec une comédienne, Marie Garnier, préparant *Les Blancs et les Bleus*, puis donnant la main à divers travaux d'écriture ; au moulin de Wallu qui l'inspire, il écrit *Marie Capelle. Souvenirs intimes* et tente encore le lancement d'un journal, *Le Mousquetaire*.

« C'est une affaire de trente mille francs, écrit-il, et je viens de réunir Athos, Porthos et Aramis », qui « donnent leur accord », le journal devant paraître en septembre 1866. Il réclame des participants et sollicite Dumas fils : « écris-nous ce que tu voudras, mais écris-nous quelque chose ». A nouvelle entreprise, nouvelle maîtresse, il semble que Marie Garnier soit supplantée par Olympe Audouard.

Dumas père peine à préparer les *Blancs et les Bleus*, faute de documentation disponible à la Bibliothèque et Dumas fils s'adresse directement à Napoléon III en « illustre confrère », auteur de *La Vie de César*. Cela peut servir, sait-on jamais ?

Le Mousquetaire, selon sa formule, « va à merveille mais ne me rapporte encore rien », avec ses trois cents abonnés nouveaux ; il réclame 1 000 francs à l'éditeur Lévy pour arranger son affaire, qui périclite ; le rédacteur en chef démissionne et tous les artifices n'y font rien ; pour Marie « Tout va mal... Le loyer, pas payé ! » et les dettes s'accumulent. Dumas père s'arc-boute et fait la connaissance de Sarah Bernhardt, vingt-deux ans, qu'il appelle « ma belle princesse ». Une actrice chasse l'autre, puisque Mlle George est inhumée en janvier 1867 ; Dumas est du convoi, avec le baron Taylor.

Il fallait s'y attendre : *Le Mousquetaire* cesse. Les succès, dorénavant, sont pour Dumas fils : ainsi pour *Les Idées de Mme Aubray* où, discrètement, Dumas fils s'éclipse pour laisser son père recueillir les ovations. Mais c'est toujours « Alexandre Dumas » qui est vainqueur.

Dumas père a parfois des idées malheureuses, comme celle de poser chez le photographe Liebert dans une tenue et une pose qui font scandale : le vieux Dumas en manche de chemise a sur ses genoux une jeune écuyère américaine, Adah Menken. Voilà un cliché qui fait mouche ! Et Alexandre envisage d'en faire autant avec Sarah Bernhardt ! Le cliché est vendu dans le public qui se moque du vieil homme, ce qui indispose Dumas fils – dont la femme va donner naissance à Jeannine, le premier enfant légitime de la famille depuis... la naissance de Dumas père soi-même. « Comme vous avez dû être embêté », lui écrit George Sand.

Dumas père préfère aller se documenter pour son roman à Francfort mais à son retour, constate le brouhaha, dont il mesure mal les conséquences ; Dumas fils et Marie le poussent à demander par voie de justice le retrait de la photographie à la vente. Un compromis est trouvé, pendant qu'Alexandre et Adah continuent de s'exhiber.

Fin juin, il assiste à la « première » de la reprise d'*Hernani* – c'est comme si l'on recommençait... – et en rend compte dans *Le Figaro*, ce dont Victor Hugo le remercie chaleureusement. La machine fonctionne encore : *La Petite Presse* reprend *Les Blancs et les Bleus* – glorifiant « les grandes journées de la république et de l'empire » –, en alternance avec *Rocambole*, de Ponson du Terrail. Passage de témoin...

Les Blancs et les Bleus sont hélas annonciateurs : les Prussiens sont venus sur le Rhin en 1793, ne vont-ils pas revenir aujourd'hui ? Dans son périple vers Francfort, Dumas a visité Gotha, Hanovre, Berlin et ressenti cette force prête à conquérir : son article *La Terreur prussienne à Francfort. Épisode de la guerre de 1866*, est publié par *La Situation*.

Pour l'heure, il rejoint Trouville – où se trouve Marie – et fait une entrée remarquée – « tout habillé de blanc » – à la représentation d'une pièce de Musset ; il loge avec Marie près de l'église, dans une modeste maison où il travaille quinze ou seize heures par jour, sans interruption. Après *La Terreur prussienne*, il continue *Le Treize vendémiaire*, s'acharnant à écrire, alors que le médecin lui a prescrit la promenade et la détente à l'air de la mer.

Il visite Cabourg avant de rentrer à Paris pour voir *Antony*, rejoué au Théâtre Cluny et malgré la censure ; il en est si heureux qu'il écrit à l'acteur – Laferrière : « aujourd'hui de tous mes rôles tu viens de jouer le plus difficile, je dirai presque le plus impossible ».

C'est l'occasion de travailler à un nouveau journal, *La Gazette du grand monde* ; joie précoce ? Il commet une grossière erreur en rapportant un « mot » paru dans *Le Figaro*, sur « l'exil écrémé » d'Hugo, qui accuse le coup ; des étudiants chahuteront Dumas à l'occasion de la reprise de *Kean*, en février 1868.

La misère le guette ; il loue ses meubles et sa dernière amie en date, « la petite bruyère » Mathilde Schoebel, le retrouve malade sur le canapé, sans tisane... et sans plastron pour aller en soirée. Mathilde court chercher les médicaments et rapporte en guise de plastron un tissu blanc semé de diables rouges. Effet garanti lors de la soirée.

Toujours d'attaque, Alexandre écrit : « il faudrait fonder un journal littéraire... qui pût devenir politique... et arriver à 2 000 abonnés. C'est ce qu'a fait *Le Figaro*. L'exemple est bon à suivre. » Il le suit, avec un journal paraissant les mardi, jeudi, samedi et qu'il baptise *Dartagnan*, en février 1868. Tout est fourni par Alexandre qui reprend *Le Volontaire de 92, Nouvelles Mémoires* et *Mme de Chamblay*, ex-*Dernières amours* ; quant à Marie, elle publie un roman, *Mme Benoît*, très autobiographique.

44 – LA MER COMME ULTIME HORIZON.

Sa main s'est mise à trembler et l'empêche d'écrire comme il voudrait. Pourtant, on « reprend » à la Porte-Saint-Martin et à la Gaîté ses *Mousquetaires* et *La Reine Margot*. Lui, voudrait faire la biographie de *Caroline de Brunswick, reine d'Angleterre*, à l'heure où il retrouve Mélanie Waldor, « la femme que j'ai le plus aimée » et se réconcilie – mollement – avec Auguste Maquet : « Ne parlons plus du passé ; ne vous souvenez que d'une chose, c'est que vous êtes très riche et que je suis très pauvre. »

Marie cherche continuellement de l'argent, pour vivre au quotidien. Alexandre demande aussi à Dumas fils « quelques louis que je te rendrai sur les premières recettes de *Madame de Chamblay* », qu'on joue au théâtre. Mais l'avance d'argent s'épuise vite puisque la pièce s'arrête à la neuvième représentation ; le *Dartagnan*, lui, s'interrompt en juillet.

Peu avant, il s'est rendu au Havre – retrouvant la Normandie avec plaisir – à l'occasion d'une exposition maritime, où il reçoit un chaleureux accueil, assiste à des corridas de taureaux espagnols, se rend à Harfleur, alors qu'une seconde tournée vient y jouer *Madame de Chamblay*. Les temps sont durs, mais l'émotion est au rendez-vous : Le Havre, outre l'histoire de l'ancêtre Davy de la Pailleterie, c'est Virginie Bourbier, c'est Belle Kreilssammer, c'est Emma surtout. Là, des femmes l'entourent.

Fin juillet, il expédie à Dalloz, du *Moniteur du Soir*, vingt *Causeries sur la mer* et se promène tranquillement sur les quais du Havre, tenant par la main sa petite Micaëlla qui vit ici avec sa mère. Marie est restée boulevard Malesherbes, où elle peint. Parfois, elle reçoit une lettre de son père : « ... mais entre nos cœurs rien qu'un télégraphe électrique qui à chaque battement dit Je t'aime. »

Son voyage normand lui a fait visiter Cherbourg, Lisieux, Dives-sur-Mer, Yport, Saint-Jouen et Étretat, qui constituent ses *Causeries sur la mer* ; ces dernières, annoncées en octobre dans *Le Journal du Havre*, ne paraîtront qu'en 1995, grâce aux Amis d'Alexandre Dumas, à Christiane Neave et Claude Schopp.

Alexandre Dumas écrit sur l'Exposition Maritime et les courses de taureaux du Havre, la pêche à la baleine, à la morue et au hareng, sur les huîtres de Régneville, la cuisine et les environs de Fécamp – il y rencontre le propriétaire de la Bénédictine –, les pêcheurs de poulpe à Saint-Martin-aux-Buneaux, Trouville-sur-Mer – autre rendez-vous du souvenir qu'il honore, avant Jacques Brel, d'un « Trouville, c'est mon Amérique à moi » –, Bonneville-sur-Touques, le château de Lassay ; la pêche à Montreuil, Houlgate, Beuzeval, Dives-sur-Mer, Étretat et ses environs, l'auberge de la mère Aubourg à Saint-Jouin, les œufs brouillés aux queues de crevettes, l'album de la Belle Ernestine, Sainte-Adresse et la côte d'Ingouville, les sirènes, les pigeons, coqs et pinsons belges, le cabaret des Arbres-Verts et le pont sur la Manche... La plupart de ces textes concernent des lieux proches de la Pailleterie de ses ancêtres.

La rédaction a été entrecoupée de voyages à Paris – une reprise à l'Odéon de *La Conscience* – et d'une nouvelle « campagne » en faveur cette fois du peintre Delacroix, plus pauvre que lui : en octobre, il récolte 1 330 francs, qui ne couvrent pas les 1 871 engagés : on ne le changera pas.

Et puis, le 22 octobre, c'est la mort de Laure Labay, la mère de Dumas fils, qui aurait pu être la véritable « Madame Dumas », mais n'a pu accepter le caractère de celui qui trace son autoportrait en répondant aux questions de la poétesse Amélie Stern :

Votre vertu favorite : *la charité.*

Vos qualités favorites chez l'homme : *l'indulgence.*

Vos qualités favorites chez la femme : *l'amour.*

Votre occupation favorite : *le travail.*

Le trait principal de votre caractère : *l'insouciance.*

Si vous n'étiez pas vous, qui voudriez-vous être ? : *Hugo.*

Où préféreriez-vous vivre ? : *partout, pourvu que j'aie une femme, du papier, une plume et de l'encre.*

Vos héros favoris, dans la vie réelle (l'Histoire) : *Jésus-Christ, Jules César.*

Vos héroïnes favorites : *Madeleine, Jeanne d'Arc, Charlotte Corday.*

L'objet de votre plus grande aversion : *je ne hais rien, ni personne.*

Quelle est votre situation d'esprit actuelle ? : *l'attente de la mort.*

Pour quelle faute avez-vous le plus d'indulgence ? : *je les pardonne toutes, excepté la calomnie, le vol et le faux.*

Quelle est votre devise favorite ? : *La Liberté. Dieu a donné. Dieu donnera.*

Une nouvelle reprise de *Madame de Chamblay* procure quelque gain, mais le moral fait défaut : Dumas père se déplace pesamment, est sujet à l'endormissement et ne peut écrire : son secrétaire – Victor Leclère – prend sous la dictée *Les Blancs et les Bleus, Hector de Sainte-Hermine, Les Compagnons de Jéhu* – dont le mot de la fin est « vive la République ! ». Dumas ne peut même pas aller à la Porte-Saint-Martin, en mars, pour assister à la reprise de *La Dame de Montsoreau*, ne parvenant qu'avec beaucoup de difficultés à suivre les obsèques de Lamartine, à Saint-Point.

Il se défend d'être handicapé et affirme à Olympe Audouard : « C'est vrai, ma main tremble... c'est au contraire le repos qui l'a rendue tremblante. Que veux-tu ? Elle est tellement habituée à travailler... »

Il a maigri de quinze kilos et le docteur lui recommande l'air de la mer : un séjour à Roscoff sera salutaire et il pourra préparer son *Grand Dictionnaire de cuisine*. Son confrère Corbière lui a réservé un logement chez un boulanger, ce qui entraîne de savoureuses remarques entre Dumas et sa cuisinière, qui refuse l'afflux des « cadeaux alimentaires » que l'on apporte et préfère quitter son maître. Dumas repartira de

Roscoff – via Saint-Malo – avec des recettes du cru, car estivants et indigènes ont égayé son séjour avec diverses participations.

Il avoue à sa petite-fille Colette qu'il n'écrit plus en raison de sa main tremblante et qu'il n'a guère d'appétit – mais tout est relatif avec lui, même si la maladie de cœur l'empêche de marcher et progresse. Pourtant, il veut de la copie pour publier *Hector de Sainte-Hermine*, consacrée à Surcouf.

Le 16 octobre 1869, il enterre Sainte-Beuve, Dumas fils à ses côtés et paraît « à peu près gâteux » à George Sand, geignant parfois. S'il le faut, Marie cherche l'argent et Vassili va au Mont-de-Piété engager quelque objet...

Il réussit à faire encore illusion lors d'une soirée à l'ambassade d'Autriche, met en chantier *Création et Rédemption* et répond à l'ex-député d'Haïti Desmervar Delorme : « Vous honorez l'Amérique et cette terre d'Haïti qui fut le berceau de mes aïeux et que j'aime pour cela autant que pour les faits si intéressants qui se rattachent à sa jeune histoire. »

Monte-Cristo pas mort ! Pourtant, il dit du *Comte* : « Ça ne vaut pas les *Mousquetaires* », premier avis inversant sa préférence habituelle. Il se relit et Dumas fils le rassure : « Sois en paix, le monument est bien bâti, et la base est solide. »

Il s'installe au lit et évoque sa mort prochaine ; l'abbé Moret, pour lequel il a fait jouer la solidarité, se récrie, mais Alexandre est formel : « Non, non, je le sens bien, la mort n'est pas loin. – Ne parlons pas de cela, dit l'abbé. – Non, non, au contraire, parlons-en, il faut s'y préparer. »

Un abcès buccal le condamne au silence : on annule une conférence à Saint-Jean-de-Luz, où il se repose ; il tente d'écrire à Marie ou à d'autres, mais n'a plus de forces ; au théâtre, il s'endort et ronfle ; honteux, il s'esquive. Pourtant, il se rend à Madrid où on le reçoit avec tous les honneurs : ministre de l'Intérieur, maire, députés ; il envoie même de Bagnères-de-Luchon ses *Causeries sur la Marseillaise* et revient à Paris « sans un sou », Marie étant à Trouville ; il ne trouve même plus « d'amis à cent francs ».

C'est la guerre. Les défaites françaises s'accumulent jusqu'à la capitulation de Sedan et la proclamation de la République. Dumas pleure, une larme coule sur sa joue. La paralysie, peu à peu, le gagne. Vite, on l'installe dans le train pour Dieppe ; à Puys, Dumas fils possède une villa. « Je viens mourir chez toi », dit-il en arrivant.

La plus belle chambre lui est réservée, dont la vue donne sur la mer. A l'heure où le soleil est moins chaud, on le descend sur la plage, assis sur son fauteuil ; il regarde jouer ses petites-filles, Colette et Jeannine, peut-être pour la première fois, dans une atmosphère familiale.

Il a encore la force de faire des mots ; voyant deux louis d'or sur une table : « Alexandre, tout le monde a dit que j'étais prodigue ; toi-même, tu as fait une pièce là-dessus. Eh bien ! tu vois comme on se trompe ? Quand j'ai débarqué de Paris, j'avais deux louis dans ma poche. Regarde... Je les ai encore. »

Le 22 novembre, Dumas fils répond à Micaëlla Cordier, à Marseille : « Mademoiselle, c'est moi qui ai reçu les trois lettres que vous avez écrites à mon père et que je n'ai pu lui communiquer, puisque vous lui parlez de sa maladie et que nous lui cachons le plus possible qu'il est malade. Le nom affectueux que vous lui donnez prouve que vous l'aimez autant qu'on peut aimer à votre âge, et qu'il avait de son côté de l'affection pour vous. Je crois, du reste, vous avoir vue quelquefois chez lui, quand vous étiez petite... »

Les Prussiens approchent de la capitale et sont bientôt aux portes de Dieppe. Sans doute ne veut-il pas subir cet affront : Alexandre demande qu'on le couche. Début décembre, il se fait silencieux. Dans la nuit du 4 au 5 décembre 1870, une attaque d'apoplexie a raison de l'Hercule des lettres, constamment veillé par Marie. Le curé de la paroisse Saint-Jacques de Dieppe est présent, à genoux en compagnie de

Marie et de Nadedja. Prière des agonisants. Derniers sacrements. Il est dix heures du soir.

Les diagnostics des médecins actuels, se fondant sur l'examen des photographies et des témoignages, vont dans le sens d'un diabète gras pléthorique avec hypertension déclenchant des accidents vasculaires (on pense à la maladie de sa mère, Marie-Louise Labouret) ou d'une hypothyroïdie – c'est la thèse du médecin-écrivain Martin Winckler.

Dumas fils fait déposer la dépouille dans le cimetière de Neuville-lès-Polet, le 8 décembre. On attendra que les Prussiens repartent pour le transférer à Villers-Cotterêts.

Charpillon, le légataire universel, procède à une vente des objets de la succession : triste événement où il n'y a plus rien qui vaille : pas même un livre d'Alexandre Dumas ! La vente produit 16 000 francs, dont 13 000 francs viennent de Dumas fils, qui sauve un peu du patrimoine de son père.

Dernière formalité : ramener le corps auprès de celui de ses parents ; la cérémonie a lieu le 15 avril 1872, avec quelques amis venus honorer le père et le fils, le baron Taylor, Edmond About, les sœurs Brohan, Meissonier et Maquet, qui a pardonné. Pour Dumas fils, la journée est « moins un deuil qu'une fête, moins un ensevelissement qu'une résurrection », après la cérémonie en l'église paroissiale Saint-Nicolas.

Le *Monde Illustré* relate la translation du corps d'Alexandre Dumas de Dieppe à Villers-Cotterêts, le 16 avril 1872 : « Bien que la journée n'eût rien d'officiel, toute la population de la ville et des environs était là, recueillie et se pressant aux abords de l'enceinte trop étroite pour la contenir. Le Paris intellectuel n'était pas moins largement représenté à cette touchante solennité... Cinq discours ont été prononcés par MM. Alexandre Dumas fils, Emmanuel Gonzalès, Perrin, Maquet et Ch. Blanc. »

L'*Argus Soissonnais* relate la cérémonie en titrant : « Villers-Cotterêts vient enfin de recevoir, après seize mois d'attente, la dépouille mortelle du plus illustre de ses enfants : Alexandre Dumas repose maintenant entre son père et sa mère, à l'ombre des beaux sapins qui, dans le bruit de leur feuillage sans cesse remué par le vent, apporte à ces tombes comme un écho de la forêt de Retz qui découpe au loin sur le bleu du ciel ses sombres contours et balance la cime murmurante de ses vieux chênes. »

Victor Hugo, « retenu près d'un enfant malade », ne pouvant assister aux funérailles, a écrit : « Aucune popularité en ce siècle n'a dépassé celle d'Alexandre Dumas, ses succès sont mieux que des succès, ce sont des triomphes, ils ont l'éclat de la fanfare. Le nom d'Alexandre Dumas est plus que français, il est européen ; il est plus qu'européen, il est universel. Son théâtre a été affiché dans le monde entier ; ses romans ont été traduits dans toutes les langues... Ce qu'il sème, c'est l'idée française. L'idée française contient une quantité d'humanité telle que partout où elle pénètre, elle produit le progrès... De tous ses ouvrages, si multiples, si variés, si vivants, si charmants, si puissants, sort l'espèce de lumière propre à la France. »

Le 24 mai 1885, on inaugure à Villers-Cotterêts la statue réalisée par Carrier-Belleuse puis la ville fête, le 6 juillet 1902, le centenaire de son célèbre enfant : « François Ier, Henri II, les Valois, Henri IV, le Régent, Louis XV se sont donné rendez-vous sous les ombrages de la belle forêt de Retz et, lorsque les rois ont fait défaut, la Providence a fait surgir le roi des lettres : Alexandre Dumas ! »

Cette fête est merveilleuse, digne d'Alexandre Dumas : les maisons sont pavoisées, l'air est empli de joyeuses fanfares, tous les habitants ont vingt ans, pour un peu ils arrêteraient le soleil en attendant que Dumas, comme autrefois, les rejoigne...

SIXIÈME PARTIE

DUMAS FILS ET LE DERNIER DES DUMAS

45 – LE FILS DE SON PÈRE.

« Quand tu auras à ton tour un fils, aime-le comme je t'aime, mais ne l'élève pas comme je t'ai élevé », écrit un jour Dumas père, guidé par la sagesse.

Il n'y a plus qu'un seul Dumas : la succession est lourde. Déjà, dans son caractère, sont forgées des certitudes provenant des situations vécues durant l'enfance. Dumas fils, hanté par le problème de l'enfant naturel, attribue la défaite de 1870 à la décadence des mœurs et se veut « prédicateur laïque et national » (*Les trois Dumas*, André Maurois) ; c'est pourquoi ses œuvres proposent des remèdes, dans un style bien différent de celui de son père !

En juin 1871, il écrit dans *La Sarthe* : « Il faut que la France fasse un effort unanime, donne le coup de collier de toutes les volontés, de toutes les énergies et n'ait qu'une pensée unique, incessante, maniaque : s'acquitter au-dehors, se régénérer au-dedans. Il faut que la France vive de privations ; qu'elle soit recueillie, modeste et patiente ; que le père travaille, que la mère travaille, que les enfants travaillent, que les serviteurs travaillent jusqu'à ce qu'ils aient reconquis l'honneur de la maison. »

Est-ce du « Dumas » ? Oui, mais du « Dumas fils », que la vie a beaucoup marqué moralement.

Le fils de Catherine Labay a vécu dans plusieurs établissements avant de rejoindre la pension Saint-Victor, tenue par Prosper Goubaux, un « ami-collaborateur » de son père et destinée à une clientèle huppée. Il y découvre la méchanceté d'autrui ; les mères de certains enfants de la pension sont clientes de la lingère Catherine Labay et l'on sait très vite qu'Alexandre est un bâtard : on le met en quarantaine.

Alexandre l'avoue : « Ces enfants m'insultaient du matin au soir, enchantés probablement d'abaisser en moi, parce que ma mère avait le chagrin de ne pas porter le nom retentissant que se faisait mon père. » Quand il comprend le sens du mot « bâtard » – né hors du mariage –, il pleure dans son coin, seul. Là, naissent ses obsessions des filles séduites puis abandonnées et des enfants naturels. De cela, son âme « ne s'est jamais tout à fait remise... même aux jours les plus heureux ».

Adulte, Dumas fils présente la même carrure géante que son père et possède un tempérament de vengeur : rencontrant un de ses anciens de pension prêt à le saluer, il le menace de lui casser les reins si ce dernier lui adresse la parole. Dès lors, il sera redresseur de torts, moraliste, souvent pessimiste.

Après la pension Goubaux, la pension Hénon ; le jeune Alexandre préfère l'école de natation du Palais-Royal et le gymnase de la rue Saint-Lazare aux leçons de latin et de mathématiques ; son assiduité s'en ressent, assez semblable à celle montrée jadis par son père ; mais il n'a pas auprès de lui une mère assidue et il refuse autant Ida Ferrier que Belle Kreilssammer.

Après le mariage de son père, en 1840 (année du transfert des cendres de Napoléon aux Invalides), Alexandre fils, manœuvré par Mélanie Waldor, adresse à son père une lettre de récrimination, faisant connaître son opposition au mariage. Mélanie lui écrit : « On croit que ta mère devrait aller avec toi chez les témoins et les détromper sur ton compte, puisqu'on leur a dit que tu consentais avec joie... ! »

A quoi, on l'a vu, Dumas père déclare à son fils : « Ce n'est point ma faute, mais la tienne, si les relations de père à fils ont cessé entre nous ; cet état cessera le jour où tu le voudras. » Si les rapports demeurent difficiles, l'amour du père envers le fils reste constant – même s'il paraît un peu superficiel, en raison du mode de vie – et l'affection du fils envers son géniteur connaît de fréquentes sautes d'humeur.

Le père écrit : « Mon fils, quand on a l'honneur de porter le nom de Dumas, on mène la grande vie ; on dîne au café de Paris et on ne se refuse aucun plaisir. » Le fils mène cette vie « par laisser-aller, par imitation, par oisiveté, plutôt que par goût » et les témoins se moquent de cette camaraderie « assez scabreuse d'un père et d'un fils, courant ensemble les aventures ». De fait, à dix-huit ans, Alexandre fils est « lancé à fond de train dans ce que j'appellerai le paganisme de la vie moderne », fréquente les filles de joie et connaît sa première femme mariée, la belle Mme Pradier, peu farouche et remarquablement belle.

Alexandre fils connaît alors la garçonnière et les élégantes maîtresses, une vie qui exige un porte-monnaie bien garni. Les dettes sont inévitables et Alexandre fils en fait. Lorsqu'il demande une aide à son père, ce dernier rétorque : « Pourquoi ne veux-tu pas collaborer avec moi ? Je t'assure que c'est très facile. » Mais le fils a sa fierté et veut réussir par ses propres moyens. Il ignore s'il écrira lui aussi, mais il a de l'esprit et son père, d'ailleurs, aime à citer ses reparties. Mais lorsque les rapports s'améliorent, survient une querelle qui efface tout pour des semaines...

Malgré les conseils du père pour que le fils « travaille un an, deux ans », ce dernier, ne pouvant plus supporter Mme Dumas, demande des subsides pour faire un voyage. Une lettre moralisatrice lui est envoyée, puis Alexandre père facilite un séjour de son fils à Marseille, où il a de bons amis, comme le bibliothécaire Méry, mais aussi une certaine Lady Suzannah Greig. Sur place, un poète chante :

Un chaleureux accueil salua ta venue.
Nous admirions, charmés d'une image connue,
Combien le jeune ami qui nous était donné
Au moule paternel s'était bien façonné.

Dumas fils se met à composer des vers, commence un roman, refuse une offre de collaboration de son père pour un ouvrage sur Versailles, s'amourache d'une actrice qu'il suit à Paris et dont il fait rapport à Méry : « Elle m'a laissé comprendre que, quoiqu'elle fût avec un autre homme qu'elle considérait comme un mari, ne lui servant que pour l'argent, elle serait enchantée de continuer à coucher avec ses amis de Marseille. »

Le départ d'Ida pour Florence permet au père et au fils de retrouver des rapports plus affectueux : « Mon père, c'est un grand enfant que j'ai eu quand j'étais tout petit », dira Dumas fils ; un sentiment partagé par Catherine Labay, gérant dorénavant un cabinet de lecture, rue de la Michodière. C'est l'époque où le public commence à parler – ce qui ne plaît guère à l'« ancien » – d'un *Alexandre Dumas père* et d'un *Alexandre Dumas fils*, beau garçon, très grand, aux cheveux châtain clair légèrement crêpelés, s'habillant en « lion », « habit de drap à large collet et cravate blanche, gilet de piqué de Londres, jonc à pommeau d'or ».

On retrouve toutefois les deux Dumas à la « villa Médicis » de Saint-Germain-en-Laye, le jeune étant accompagné d'Eugène Dejazet, le fils de la comédienne, avec lequel il lorgne les belles filles qui vont aux Variétés et qui ressemblent aux « femmes du monde », tout en restant des courtisanes entretenues par de riches protecteurs.

Un soir, Dumas fils remarque une femme superbe, Marie Duplessis – une Normande, dont le véritable nom est Alphonsine Plessis – « grande, mince, noire de cheveux, rose et blanche de visage... une figurine de Saxe » : le jeune homme est ébloui.

Élevée à la campagne, Alphonsine – même âge qu'Alexandre – a, dit-on, été vendue à des bohémiens qui l'ont placée à Paris chez une modiste, où elle a tôt fait de devenir la maîtresse du duc de Guiche, un véritable « lion », avant de connaître Fernand de Montguyon, Henri de Contades, Édouard Delessert, d'autres encore.

Marie s'est néanmoins instruite ; elle est l'une des femmes les plus élégantes de Paris, rivalisant avec Lola Montès, accoutumée à dépenser cent mille francs-or par an. Mais elle est malade, ce qui explique le besoin de s'étourdir. Elle est pour l'heure la maîtresse d'un ancien ambassadeur de Russie, qui la loge boulevard de la Madeleine et la fleurit continuellement de camélias.

Dumas fils « veut » Marie, la rejoint, découvre son horrible maladie, mais devient néanmoins son amant. Il n'a pas d'argent, mais ses déclarations sont si passionnées qu'un jour elle lui souffle : « Si vous me promettez de faire toutes mes volontés sans dire un mot, sans me faire une observation, sans me questionner, je vous aimerai peut-être... »

Pour un temps, Marie redevient Alphonsine et aime Alexandre – qui racontera l'histoire à son père ; Dumas aussi aime Marie, la dame aux camélias, qui l'appelle son « cher Adet » à partir de ses initiales. Dumas fils aime avec passion, Marie joue la pécheresse repentante et ce bonheur va durer onze mois : c'est lui qui rompra le 30 août 1845, à minuit : « Ma chère Marie, – je ne suis ni assez riche pour vous aimer comme je voudrais, ni assez pauvre pour être aimé comme vous le voudriez. Oublions donc... »

Dès lors, Dumas père et Dumas fils vivent ensemble : c'est assez dire le désordre et leur complicité ; lorsque le procès, à propos du duel Dujarier-Beauvalon, est renvoyé devant le tribunal de Rouen, les deux Dumas s'affichent avec leur maîtresse respective et font scandale.

En 1846, ils font ensemble le long voyage en Algérie; là, Dumas père dit du fils qu'il est « gourmand et sobre, prodigue et économe, blasé et candide; il se moque de moi de tout son esprit et m'aime de tout son cœur. Enfin, il se tient toujours prêt à me voler ma cassette... » Et à vivre des aventures, que ce soit avec Conchita ou Anna-Maria, pour lesquelles il écrit des *Péchés de Jeunesse*, qui ne lui font pas oublier Marie Duplessis, atteinte de phtisie galopante et devenue – plus ou moins légalement – comtesse de Perregaux. Pourtant, elle vend ses bijoux pour survivre, s'étiole et meurt le 3 février 1847, en plein Carnaval.

Dumas fils apprend la nouvelle de cette disparition lors de son séjour à Marseille; de retour à Paris, il apprend l'annonce de la vente des objets de Marie, se précipite, écrit : « Nous nous étions brouillés; et pourquoi? Je l'ignore », et rachète une chaîne d'or ayant appartenu à Marie. Elle était tant pour lui!

Tellement qu'elle va déterminer son avenir. En mai 1847, Dumas fils commence un roman, *La Dame aux camélias*, qui obtient un vif succès : « la tuberculose et la pâleur exercèrent leur morbide attrait », tout en rappelant ce qu'a été la vie de Marie Duplessis. Aussitôt, on suggère à Dumas fils d'en tirer un drame, on pense au père qui refuse et le fils décide d'écrire lui-même, soutenu par son père qui, bientôt, lui annonce : « Ta pièce est reçue au Théâtre-Historique. » Mais il faudra encore attendre pour la jouer...

Attendre, oui, mais avec quoi gagner sa vie? « Dumafice » n'hésite pas à demander des avances au directeur du Théâtre-Historique, moyennant quelques travaux pour son père.

En 1850, à l'heure de la loi Falloux sur l'enseignement, le prestige de Dumas fils est grand et ses yeux, d'un bleu très clair, fascinent les dames, dont une certaine Davin ; il est reçu dans un monde brillant et pourrait continuer, mais à vingt-cinq ans, il est temps de frapper un coup.

L'heure est aux femmes russes qui subjuguent Paris. Dumas fils est présenté à Lydie Zakrefsky, fille du gouverneur de Moscou, épouse du comte Nesselrode, fils du ministre des Affaires étrangères russe, de dix-sept ans plus âgé qu'elle ; le mariage est un échec et Lydie soigne ses nerfs dans les villes de cure de l'Europe entière, préférant Paris, où elle forme avec la princesse Nadejda Naryschkine et Marie Kalergis, un trio de beautés.

Lydie veut connaître l'auteur de *La Dame aux camélias* et en devenir la maîtresse : Dumas fils ne résiste guère à l'attaque de la belle Slave de vingt ans, belle-fille du Premier ministre russe, surnommée « la Dame aux Perles », parce qu'elle en porte partout. Mais la vie de débauche menée par les femmes russes amène Dimitri Nesselrode à « enlever » sa femme en mars 1851... Dumas fils les poursuit jusqu'à la frontière polonaise, à Myslowitz, mais la frontière russe lui reste fermée.

C'est là qu'Alexandre fils retrouve la correspondance échangée entre George Sand et Chopin, avant de revenir, barbu, à Monte-Cristo, en juin 1851. Jamais il ne reverra Lydie ; outre la déception, il en ressentira un dégoût de l'adultère, surtout après qu'un mot de rupture de Lydie lui eut été apporté par Nadejda Naryschkine, confidente et complice.

Lorsque son père est obligé de quitter Paris en raison du jugement de faillite, le fils assure les liaisons et la responsabilité financière ; le père écrit de Bruxelles : « La maison est meublée sans un sou de dettes. Toutes les quittances sont à ton nom. Et le bail... » Lorsque le père pourra revenir à Paris, les deux hommes iront déjeuner chez le prince Napoléon, mais longtemps, les lettres du père au fils concerneront seulement des problèmes d'argent.

Alexandre fils travaille un peu, publie des vers, *Péchés de Jeunesse*, un roman historique et *Le Régent Mutel*, sans grand succès. C'est seulement en février 1852 que les événements changent, avec *La Dame aux Camélias*, jouée au Vaudeville, d'abord interdite par la censure, puis autorisée par le duc de Morny. En décembre, le succès est considérable : les femmes arrachent de leur poitrine une pluie de bouquets tout baignés de larmes !

Le soir de ce grand succès, Dumas fils ne soupe pas avec ses amis mais en tête-à-tête avec une autre femme : sa mère, Catherine Labay, « dégustant » une tranche de jambon, des lentilles à l'huile, du gruyère et des pruneaux. « De ma vie, je n'ai si bien soupé ! » déclare-t-il. La pièce n'est encore que l'évocation de souvenirs, ce n'est que plus tard que Dumas fils deviendra un moraliste impitoyable.

Le succès de sa pièce ne l'a pas enrichi mais Dumas fils – horreur pour son père ! – règle ses dettes. En 1853, à nouveau peu aisé, il revient au château de Monte-Cristo, y installe des meubles loués et est rejoint par trois de ses amis : « Nous partagions la dépense ; nous n'avions que des couverts de fer ; le jardinier nous faisait la cuisine. C'est là que j'ai écrit *Diane de Lys* », à l'arraché, car le fils ne possède pas la facilité de son père.

Ce qu'il recherche, c'est une famille qui soit le contraire de la sienne, qui soit honnête et droite comme sa mère, Catherine Labay ; peu à peu, « la femme mal mariée et la fille séduite ; la fille séduite et la femme mal mariée, il ne sortira plus de là », dit Henry Becque.

Il va donc devenir un « brave homme », un « redresseur de torts, l'ami des femmes », qu'il continue néanmoins à juger. Il veut « sauver les jeunes hommes naïfs des maîtresses redoutables, les lingères des viveurs et les jeunes filles candides des maris corrompus ».

Il commence avec *La Dame aux Perles*, manière de raconter sa liaison avec Lydie Nesselrode, puis c'est *Diane de Lys*, nouvelle transformée en drame de cinq actes, menacé lui aussi par la censure. Lors des répétitions, une amitié se noue entre le directeur Montigny, l'interprète féminine Rose Chéri et Dumas fils : le Gymnase deviendra ainsi *son* théâtre.

Puis ce sera *Le Demi-Monde*, peinture d'un milieu intermédiaire entre la femme du monde et la courtisane ; pour Dumas fils, le demi-monde, « n'est pas la cohue des courtisanes, mais la classe des déclassées » et cela créera, à son corps défendant, le terme *demi-mondaine*. Quoi qu'il pense, Dumas fils est dorénavant cruel envers les malheureuses créatures et se conduit envers elles comme « un animal venimeux ».

A trente ans, il est écœuré des amours faciles, excédé des amours difficiles et veut imposer un mode de pensée aux femmes, condamnant l'adultère à la peine capitale... à l'heure où il se lie avec une femme mariée, Nadejda Knorring, la « sirène aux yeux verts », femme du vieux prince Naryschkine. « Ce que j'aime en elle, c'est qu'elle est absolument femme, depuis les ongles des pieds jusqu'au fin fond de l'âme... Avec sa peau ambrée, ses griffes de tigresse, ses longs cheveux couleur de renard et ses yeux vert de mer, elle me va... » avoue-t-il sans ambages à George Sand.

Mais la belle a un mari et il faut un médecin complaisant pour lui prescrire la cure de Plombières, même si le tsar russe refuse toute rupture d'un mariage : Dumas fils est donc amoureux d'une femme mariée, mère de famille dont il fait sa maîtresse... Pendant quelques années, à Luchon, la « Villa Santa-Maria » sera surtout la « villa Naryschkine » qu'elle deviendra plus tard et Dumas fils y sera présent.

En 1859, Dumas père et fils sont aussi célèbres l'un que l'autre et, s'ils se ressemblent par le physique, ils sont différents de tempérament. « Moi, je prends mes sujets dans mes rêves, mon fils les prend dans la réalité », dit le père ajoutant : « Je travaille les yeux fermés ; il travaille les yeux ouverts. Je dessine, il photographie. »

Les deux hommes ont des querelles, le fils reprochant à son père de l'avoir mal élevé et le soir, le père apporte des pommes pour se faire pardonner. Ces rapports nés dans le conflit et se poursuivant avec une complicité parfois houleuse, permettent à Dumas fils d'écrire des pièces autobiographiques.

C'est d'abord *Le Fils naturel* (1858) dont la préface est un hommage aux Davy de la Pailleterie et à Saint-Domingue : « C'est sous le soleil de l'Amérique, avec du sang africain, dans le flanc d'une vierge noire que la nature a pétri celui dont tu devais naître et qui... défendit à lui tout seul le pont de Brixen contre une avant-garde de vingt hommes. Rome lui eût décerné les honneurs du triomphe et l'eût nommé consul. La France, plus calme et plus économe, refusa le collège à son fils, et ce fils, élevé en pleine forêt, en plein air, à plein ciel, poussé par le besoin et par son génie, s'abattit un beau jour sur la grande ville et entra dans la littérature comme son père entrait dans l'ennemi... »

Puis c'est *Un Père prodigue* (1859) évidemment autobiographique et qui lui permet d'écrire à son géniteur : « Tu es devenu Dumas père pour les respectueux, le père Dumas pour les insolents... Comme tu as dû rire ! »

Mais que Dumas fils soit avant tout « un homme de devoir, désenchanté », il est comme son père un éblouissant causeur et tient le monde littéraire – théâtre et roman –, malgré les différends qui opposent, par exemple, Dumas père à Maquet puis à d'autres. C'est alors que le père quémandeur d'argent finit par écœurer son fils qui s'en plaint à Sand, laquelle répond : « C'est un peu dur et difficile d'être forcé parfois de devenir le père de son père... » Mais le fils ajoute : « Il est comme il est, sans le savoir. C'est à quoi on reconnaît les hommes d'un génie véritable et naturel. »

En 1859, la princesse Naryschkine vend la villa de Luchon et loue le château de Villeroy (dans la région parisienne, près de Cléry), grande bâtisse de quarante-quatre chambres, où

Nadejda partage la sienne avec Olga. Elle craint un enlèvement de la part du prince, revenu en Suisse pour raisons de santé. A la même époque, Lydie devient princesse Droutzkoï-Sokolnikoff, bravant l'empereur et ses interdits. Les femmes slaves amies mènent une vie semblable mais se comportent différemment avec les hommes qu'elles aiment. Laquelle a raison ?

La question prend un tour crucial, lorsque Nadejda tombe enceinte de Dumas fils et donne naissance le 20 novembre 1860 à une petite fille qui reçoit les trois prénoms réservés aux bâtards et le surnom de Colette. La mère ? Nadejda s'est déclarée « Nathalie Lefébure, rentière ». Voilà Dumas fils, auteur du *Fils naturel*, père d'une fille naturelle ! Mais du vivant du prince Naryschkine, que faire ?

George Sand devient sa confidente et il lui confie sereinement ses états d'âme : elle est là, « très chère maman », pour le consoler et le conseiller. Ne lui a-t-elle pas récemment écrit : « Je vous adopte pour un fils de moâ » ? Leur collaboration s'élargit et Dumas fils travaille à tirer une comédie d'un roman de Sand, *Le Marquis de Villemer*, nécessitant sa venue à Nohant, en juillet-août 1861 ; il y paraît très abattu par sa situation, désirant épouser Nadejda.

En septembre 1861, Dumas fils et la princesse Naryschkine se rendent à Nohant, accompagnés de Marchal, un ami peintre, qui va rester chez George Sand après le départ du couple. Sand va s'attacher à lui et même demander à Dumas fils ce qu'il est devenu, lorsque Marchal aura filé à l'anglaise. En 1862, la correspondance est active entre le « cher fils » et « la chère maman » ; Dumas achève *Le Marquis de Villemer* et abandonne ses droits à Sand. Finalement, la force de cette dernière est d'imposer sa sagesse aux hommes faibles et Dumas fils, malgré les apparences, en est un.

Les longues discussions échangées entre Dumas et Sand donnent un sujet de livre, *L'Ami des Femmes*, venu d'une réflexion de la romancière à propos des jeunes filles : « Nous les élevons comme des saintes, et nous les livrons comme des pouliches. » Dumas fils, dans sa préface, n'hésite pas à écrire, reflet de son époque : « Il faut maintenir les femmes en esclavage », ajoutant : « La Femme est un être circonscrit, passif, instrumentaire, disponible, en expectative continuelle. C'est la seule œuvre inachevée que Dieu ait permis à l'Homme de prendre et de finir. C'est un ange de rebut. »

Qu'en pense-t-il pour lui-même et sa princesse ? Le prince Naryschkine meurt en mai 1864 et Dumas peut épouser sa princesse, le 31 décembre suivant, en présence d'Alexandre son père et de Catherine Labay sa mère. Pas de public, car l'acte comporte un paragraphe où les futurs époux reconnaissent la petite Marie-Alexandrine-Henriette, dite Colette, née quatre ans auparavant. La « petite Lefébure », depuis quatre ans, passe pour une orpheline élevée par la princesse...

La correspondance entre Sand et Dumas montre l'attachement pour la petite Colette qui, à cinq ans, connaît le français, le russe et l'allemand, faisant chaque soir sa prière dans les trois langues.

Puis Nadejda – Nadine pour Alexandre fils – tombe à nouveau enceinte, dans la légalité cette fois, et l'espoir est grand d'avoir un « Dumas petit-fils », qui continuera la fameuse lignée. Le médecin prescrit le repos à l'air pur et Leuven – le vieil ami des Dumas – prête sa maison de Marly.

En février 1866, c'est George Sand qui vient rendre la visite; elle note sur son agenda : « C'est le père Dumas qui a fait tout le dîner, depuis la soupe jusqu'à la salade ! Huit ou dix plats merveilleux. On s'en lèche les doigts. »

Le lendemain, Alexandre fils écoute *Jean* – futur *Don Juan de Village* – et se révèle « content sur toute la ligne », au grand plaisir de George. Hélas, la joie est de courte durée, car Mme Dumas craint pour l'enfant, mais « est calme et courageuse ; elle ne souffre pas... L'enfant est vivant et prêt à s'en aller... » Le 11 février, « Mme Dumas a fait sa fausse couche ; elle a beaucoup souffert. Elle est pour un mois au lit ».

Au mois d'août suivant, George Sand se rend chez Dumas fils, qui possède une maison au bord de la mer, à Puys, petit village de pêcheurs aux portes de Dieppe ; c'est pour elle « un pays adorable », avec « un temps superbe. On dîne très bien ». Dumas fils, satisfait, achètera une deuxième propriété, au bord de la mer.

L'Ami des Femmes n'ayant pas connu le succès, Dumas fils reste éloigné du théâtre. Ami des femmes, il ne l'est plus guère, s'enfonçant dans une misogynie prononcée, due pour une part au caractère de son épouse, alternativement, nonchalante, véhémente, dépressive. Elle a les nerfs détraqués... Aussi Dumas fils s'épanche-t-il : « La vérité est dans le travail et dans la solidarité avec l'humanité. » Il est très pessimiste et comme il ne pense plus au théâtre, il entreprend de rédiger *L'Affaire Clemenceau*, l'histoire d'un sculpteur, né enfant naturel d'une mère lingère (!) devenu meurtrier de sa femme, Polonaise.

Alexandre fils s'épanche auprès de George Sand de la difficulté de travailler son roman : « Jusque-là son meurtrier, qui a l'honneur d'être votre fils, a travaillé comme un des nègres dont il descend dans la lignée paternelle. » On ne peut pas être plus autobiographique. L'ouvrage sera considéré comme un exemple de réalisme très fort et « relance » la machine.

Il revient alors au théâtre, bien que se sentant épuisé par son roman – pourtant court – et loue un petit chalet près de Saint-Valery-en-Caux, à Etennemare, pour y travailler à l'air de la mer, créant *Les Idées de madame Aubray*, qui portent sur la condition féminine ; à la lecture effectuée chez George Sand, le succès est immédiat. En mars 1867, la pièce reçoit un chaud accueil ; cela réconforte Alexandre fils qui attend – enfin – la naissance d'un garçon : « Le petit frappe tant qu'il peut à la porte de ce monde... le petit Dumas arrivera probablement dans le monde au moment où cette lettre vous arrivera à Nohant. »

Le 3 mai 1867, naît une fille, prénommée Jeannine, en raison de l'héroïne des *Idées de Madame Aubray*. C'est une déception mais qu'y faire ? Pendant ce temps, Dumas père poursuit sa trajectoire, « plus bruyant que jamais », mais apprécie que son fils puisse acheter un bel hôtel particulier, 98, avenue de Villiers. Un fils peu satisfait de voir auprès de son père la petite Micaëlla, « fille d'une gourgandine ».

Qu'importe ! Dumas père a décoré ses murs d'armes anciennes et de deux tableaux : le général Dumas et Alexandre fils – par Horace Vernet. La filiation n'est pas rien, pour lui, malgré tout. Cela amène Dumas fils à se demander s'il ne serait pas possible, maintenant, de marier ses parents ; il en parle à Catherine Labay qui répond sagement : « M. Dumas ferait éclater mon petit logement... C'est quarante ans trop tard. »

Catherine Labay s'éteint, âgée de soixante-quatorze ans, en octobre 1868. Son fils, plein de chagrin, écrit à Sand : « Ma mère est morte hier au soir, sans aucune souffrance. Elle ne m'a pas reconnu. Elle n'a donc pas su qu'elle me quittait. Et puis, se quitte-t-on ? » Le fils unique, Alexandre Dumas Davy de la Pailleterie, déclare le décès à la mairie de Neuilly.

Le père ne va pas survivre longtemps : le colosse Dumas, foudroyé par une attaque, se rend chez son fils à Puys, où il s'éteint tranquillement. « Mon père est mort lundi soir à dix heures, ou plutôt il s'est endormi, car il n'a aucunement souffert... On nous annonce les Prussiens pour aujourd'hui à Dieppe ! » Dumas père ne les aura pas vus.

Le fils s'épanche à nouveau auprès de George Sand : « Je dirai peut-être, moi aussi, ce que je pense de cet homme extraordinaire, exceptionnel, hors de mesure pour ses contemporains, espèce de Prométhée bon enfant... Il y avait là, au point de vue du mélange des races, l'étude la plus intéressante à faire et le document le plus curieux... Je suis écrasé par cette verve, cette érudition, cette faconde, cette bonne humeur, cet esprit, cette grâce, cette puissance, cette passion, ce tempérament et cette assimilation originale des choses et même des gens, sans imitation ni plagiat. Il est toujours clair, précis, lumineux, sain, naïf et bon. »

Dumas fils, impressionné par la disparition, reçoit ces mots de Mélanie Waldor, en avril 1871 : « Je pense à toi, mon cher Alexandre, en pensant à ton père que je n'oublierai jamais... S'il est un homme ayant toujours été bon et charitable, c'est bien certainement ton père. »

46 – COMMENT SUCCÉDER A UN GÉANT ?

Le problème de Dumas fils est d'accorder ses prises de position à son propre comportement. Il aime ses filles, mais s'éloigne de Nadejda, nerveuse, jalouse, irritable et qui n'est guère plus sa compagne. Il est sollicité par de nombreuses femmes, qui le tiennent pour un connaisseur du cœur féminin, puisqu'il en parle si bien sur scène. Ainsi d'Aimée Desclée.

Cette femme, cantatrice et musicienne, a voulu devenir comédienne, parvenant à doubler Rose Chéri dans *Le Demi-Monde*. Puis elle décide de vivre de ses admirateurs, passant d'amant en amant. La mort de Chéri lui offre l'occasion de revenir au théâtre. Prête à entrer au couvent, elle est aidée en Italie par Dumas père avant de reprendre *Diane de Lys* au théâtre. Dumas fils voudrait la revoir jouer à Paris, mais elle se trouve trop vieille ; Dumas fils la convainc du contraire, lui parle de métamorphose... et ses nouveaux débuts se transforment en triomphe.

Dumas fils, dès lors, est le directeur de conscience à qui l'on peut tout dire : « Il me semble que vous êtes ce que j'aime le mieux et le plus au monde... » A quoi Dumas réplique : « La femme est née pour la subordination et l'obéissance : aux parents d'abord, à l'époux ensuite, à l'enfant plus tard ; profitez de votre indépendance pour ne jamais vous vendre, et tâchez de ne plus vous donner ; le véritable couvent, c'est le respect de soi-même. »

Dumas fils lui écrit une pièce *Une visite de noces*, dans laquelle il est dit : « Voilà tout ce qui reste de l'adultère : la haine de la femme et le mépris de l'homme. Eh bien, alors, à quoi bon ? »

Dès lors, comme Francisque Sarcey, on s'interroge : « Ce qui lui manque, c'est de ne pas aimer les femmes ou, comme on voudra, la femme. Elle n'est pour lui qu'un sujet de dissection... » En fait, il plaint les unes et juge les autres : il est un directeur de conscience et en ce sens, peut demander le maximum à une comédienne, pour qu'elle aille au fond d'elle-même. Dans le cas d'Aimée Desclée, cela entraîne le succès, applaudi par le public.

Dumas fils connaît les femmes et en 1871, il est considéré comme infaillible. C'est ainsi qu'il devient le censeur de telle ou telle, lançant par exemple cette question à une peintre : « Que vous reste-t-il donc comme point d'appui ? Beaucoup d'intelligence et un peu de cœur... Voilà pourquoi je vous ai conseillé de vous occuper de vos tableaux et de votre fille... »

Dumas fils « rumine » la défaite militaire causée, à son sens, par la prostitution. Dès lors, il imagine une pièce dans laquelle un savant patriote et pur serait trahi par une femme de débauche et dont le titre sera *La Femme de Claude*. Pour tuer la « bête », l'homme doit tuer la femme. Mais en l'écrivant, Dumas sent le renversement des rôles : c'est la femme qui est sans reproche et l'homme qui trahit. Pièce contre l'adultère de l'homme, terminée en trois semaines, selon ses propos : « Je n'ai plus qu'un acte à écrire. C'est l'affaire de vingt-quatre heures. » Cette fois, il est digne de son père !

Les actrices : Desclée et Blanche Pierson, créole de l'île Bourbon, sorte de Joséphine Baker avant l'heure. Le résultat : un succès pour *La Princesse Georges*, un échec pour *La Femme de Claude*. Pourquoi ? Peut-être a-t-il mêlé ses émotions et souvenirs personnels en décalage avec la réalité. Pourtant, *La Femme de Claude* révèle un aspect méconnu : Dumas fils campe un sympathique personnage juif, Daniel, et va passer pour sioniste, même si les Israélites protestent au sujet du patriotisme qui leur est prêté.

D'autres interpellent Dumas sur sa morale : de quel droit se pose-t-il en moraliste ? La pratique-t-il lui-même ? Sa réponse est simple : « Né d'une erreur, j'avais les erreurs à combattre. » Et il se remémore les « femmes dévoyées » qu'il a rencontrées grâce à son père et lui ont permis d'entrer dans une catégorie fondamentale d'hommes : ceux qui savent ce qu'est la femme ; au bout de chemin, l'homme doit choisir une femme croyante, laborieuse, réservée mais gaie sans excès. Si ce n'est pas le cas, comme dans *L'Homme-Femme*, il faut la tuer, ni plus ni moins !

Dumas fils écrit alors *Monsieur Alphonse*, qu'il destine à Aimée Desclée, gravement malade, qui s'épuise rapidement et meurt début 1874 : son enterrement est presque aussi important que celui de Rachel et Alexandre prononce le discours : « Elle nous a émus et elle en est morte ; voilà toute son histoire... »

La France est à l'heure des notables, Thiers est président, l'aristocratie se maintient aisément avec les classes qui manient l'argent ; les classes moyennes commencent à apparaître. Dumas fils joue son rôle : austère et autoritaire. Son hôtel de l'avenue de Villiers est un modèle d'ordre et de goût : cuir de Cordoue, pendule de Boulle, plantes exotiques, grande galerie où se trouvent deux bustes exécutés par Carpeaux, représentant Alexandre et Nadine Dumas ; pour le reste, quatre cents tableaux ! Sur le bureau, encombré de papiers, une main de bronze parmi quantité d'autres – collection originale : celle d'Alexandre Dumas père.

Le mode de vie de Dumas fils est également strict : lever et coucher de bonne heure. Le matin, une soupe chauffée sur un feu qu'il allume lui-même, puis travail à la plume d'oie jusqu'à midi. Le repas – avec de l'eau comme boisson – est partagé en compagnie de sa femme et de ses deux filles, Colette et Jeannine, puis l'après-midi, visite aux marchands de tableaux ou à des ventes aux enchères, où se voit son aisance financière.

Ses idées sont simples : défendre les filles honnêtes contre les vauriens et revendiquer pour elles la recherche de paternité, ainsi que les droits de succession des enfants naturels. Par un jeu de balance, il défend les hommes honnêtes contre les aventurières, repoussant la prostitution des femmes mariées et prônant le divorce. Rapports évolutifs entre l'homme et la femme, entre les parents et l'enfant.

Il définit lui-même son travail : « Chez moi l'invention est très difficile et très lente. Je n'ai aucune ingéniosité dans mon art. Elle ne me vient qu'à force de chercher et seulement comme résultante de mes observations. »

Quant à ses sentiments : « Aucune superstition ; un très grand besoin d'aimer, d'estimer, de vénérer ; aucun besoin qu'on m'aime. Je ne demande pas à mes enfants de m'aimer ; je ne leur demande que de se faire aimer et de me croire, c'est-à-dire que je leur demande le plus difficile ; il m'est impossible de pardonner parce que je ne condamne que dans certains cas déterminés. »

Quant à *Monsieur Alphonse*, il s'agit d'un nouveau plaidoyer en faveur de la femme séduite par un vil séducteur, prônant l'égalité de la femme et de l'homme sur le plan civil ; la pièce est un succès ; surtout, elle permet à Dumas de créer un mot du vocabulaire français : dorénavant, un *Alphonse* sera un individu qui vit aux dépens des femmes. Ce qui ne l'empêche pas d'être contesté, car des opposants lui reprochent de vouloir la femme égale de l'homme sur le plan politique, alors qu'il la veut soumise dans le ménage.

Dans son élan prévisionnel, il voit l'avenir avec de grands conflits entre l'Occident et l'Orient, générateurs d'enfants naturels et de désastres familiaux. Ses thèses finissent par convaincre Monseigneur Dupanloup – lui-même fils naturel –, membre de l'Académie française et prélat apprécié au plus haut niveau (il est catéchiste des fils de Louis-Philippe). Bientôt les deux hommes se retrouvent à mener campagne pour l'introduction de la recherche de paternité dans le Code civil.

Monseigneur Dupanloup ne s'arrête pas là dans son soutien à Dumas : il lui suggère de se présenter à l'Académie française : enfin, un Alexandre Dumas siégerait dans l'illustre assemblée ! Même Hugo se déplace afin de voter pour ce candidat dont il connaît si bien le père et qu'il veut honorer en sa personne. C'est donc normalement que Dumas répond à quelqu'un lui demandant à qui il succédera : « A mon père. »

Le 11 février 1875, *Alexandre Dumas* pénètre sous la coupole de l'Académie. Dans le parterre, la princesse Mathilde et Goncourt, qui regardent « se tasser des fesses nobiliaires, doctrinaires, millionnaires, héroïques ». Dumas fils n'est pas dupe : s'il entre à l'Académie, c'est pour honorer son père et il ne se fait pas faute de le dire dans son discours, avant de parler de son prédécesseur, Lebrun, poète de l'Empire, qu'il égratigne quelque peu, selon l'usage.

Surtout, il précise : « Je me suis mis sous le patronage d'un nom que vous auriez voulu, depuis longtemps, avoir l'occasion d'honorer et que vous ne pouviez plus honorer qu'en moi. Aussi est-ce le plus modestement du monde, croyez-le, que je viens aujourd'hui recevoir une récompense qui ne m'a été si spontanément accordée que parce qu'elle était réservée à un autre. Je ne puis cependant, je ne dois l'accepter que comme un dépôt ; souffrez donc que j'en fasse tout de suite et publiquement la restitution à celui qui ne peut malheureusement plus la recevoir lui-même. En permettant que cette chère mémoire tienne aujourd'hui une telle gloire de mes mains, vous m'accordez le plus insigne honneur que je puisse ambitionner, et le seul auquel j'aie vraiment droit. »

La réponse est donnée par d'Haussonville, rompu à toutes les roueries intellectuelles et qui va le montrer en « exécutant » Dumas fils, toujours au nom de l'habitude, mais qu'importe, Dumas est académicien !

Ne voudrait-il pas un fils, également, pour perpétuer la lignée des Davy de la Pailleterie ? Sa correspondance avec ses filles est révélatrice, particulièrement celle avec Jeannine qu'il transforme en *Janot*. Sa préférence est nette et il écrit dans une lettre expédiée de Salneuve (Loiret) : « Bonjour, mon grand Janot, il paraît que tu ne prends plus de bains, que cela te rendait nerveux comme une demoiselle. Méfie-toi, si tu allais vraiment devenir une fille ! Quel chagrin pour moi qui suis heureux d'avoir un garçon. C'est bon pour cette folle de Colette d'être une femme, mais toi, garde-t'en bien... Ton piche. »

Trois ans plus tard, en octobre 1878, il écrit, toujours de Salneuve : « Mon cher petit Janot, tu as bien raison quand tu m'écris de signer " ton fils ", car tu es bien véritablement le garçon de la famille. Quand Colette est venue dans ce monde, j'avais dit au bon Dieu de faire comme il voudrait et de me donner un garçon ou une fille à son choix ; il m'a envoyé une fille mais quand j'ai vu que cette fille était une vraie toquée, alors j'ai demandé un garçon. Il n'y en avait plus cette année-là... Voilà pourquoi tu peux te dire à la fois mon fils et ma fille. »

Enfin, cette lettre encore plus révélatrice : « Monsieur mon fils Janot, faites-moi le plaisir de dire à votre sœur Colette qui est restée malheureusement pour elle dans ce sexe inférieur dont votre grand bon sens vous a fait sortir depuis longtemps... Sur quoi, monsieur mon fils, je vous serre la main comme cela se fait entre hommes, tandis que j'embrasse les faibles femmes qui vous servent de mère et de sœur. »

Janot va pourtant redevenir Jeannine et, au sortir de l'adolescence, connaîtra sa première déception sentimentale ; alors, Dumas fils écrira : « Je t'embrasse bien tendrement, mon vieux Janot, encore plus fort que du temps que tu étais un garçon. »

Dumas fils refuse d'élever ses filles dans une quelconque religion, considérant qu'elles choisiront le jour venu. Lui est libre penseur, mais non athée et la presse catholique le surnomme le « chrétien du dehors ». Jeannine lui échappera pourtant un jour, épousant devant un cardinal Ernest d'Hauterive, officier noble avant de devenir Tertiaire de Saint-Domingue (l'appel des ancêtres ?) et de s'éteindre à Toulouse en 1943.

Un dernier aspect des intérêts intellectuels de Dumas fils se trouve dans les sciences occultes ; il est l'élève du chiromancien Desbarolles et l'ami de « Madame de Thèbes » dont il fait la renommée, écrivant un article sur la chiromancie dans *Les Lettres et les Arts*. Peut-être d'ailleurs Dumas facilitera-t-il la liaison de Jeannine avec d'Hauterive, car ce dernier pratique la graphologie, impressionnant beaucoup Dumas.

La Comédie-Française voudrait bien une pièce de lui, mais curieusement Dumas fils craint ce théâtre, celui qui joue Molière, Corneille, Racine ou Beaumarchais, tout en ayant l'envie d'être servi par lui. C'est Perrin, administrateur général, qui fait le premier pas, proposant à Dumas de reprendre *Le Demi-Monde*, puis – devant le succès obtenu – d'écrire une pièce nouvelle. Ce sera *L'Étrangère*, un texte déroutant, qui suscite une forte réaction de la part de la presse, mais éveille l'attention du public et offre un succès à l'auteur... et à l'interprète féminine, Sophie Croizette.

Dumas fils est alors au sommet. Paul Bourget, jeune critique qui prépare sa biographie, lui rend visite et rencontre un homme aux épaules d'athlète, au regard froid accentué par les yeux bleus et d'une « maturité admirable ». Percé à jour par Bourget, l'académicien deviendra son ami et les Dumas recevront les Bourget à Marly.

Dumas apprécie également Maupassant, alors que la griffe moralisatrice de Flaubert – on s'en doute – l'exaspère. Et pourtant, si l'on savait ! L'adversaire de l'adultère a une maîtresse : la belle Ottilie Flahaut, qui deviendra sa « belle voisine » ; elle habite également avenue de Villiers et possède la propriété de Salneuve, dans le Loiret, d'où Dumas écrit à *Janot*. Dumas fils aime à « paresser avec sa belle copiste ».

Bien entendu, ses pourfendeurs ne se font pas faute de décrier « le plus immoral des moralistes » et le qualifient de « Tartuffe du Danube ». Peut-il s'excuser en invoquant une femme dépressive et jalouse ainsi qu'une belle-fille malheureuse : Petite-Russie, comme on l'appelle, a épousé un vaurien coureur de dot qui lui a donné deux enfants. Si bien que Dumas – hormis le dîner de chaque mardi à son domicile – se rend seul « dans le monde », décochant ses flèches moralisatrices qui déclenchent les réactions effarouchées des belles convives.

Car les femmes sont attirées par Dumas fils, qui les séduit avec ses cheveux bouclés et ses tempes grisonnantes ; lui, par contre, ne veut guère succomber, affirmant : « la meilleure des femmes, la plus dévouée vous fera, tôt ou tard, tout le mal possible ». D'où cette aspiration profonde à écrire une pièce intitulée *L'Homme vierge*, obligé de fuir la *Tentatrice*.

47 – LA RETRAITE À CHAMPFLOUR.

Alexandre Dumas père n'a guère ressenti les atteintes de la vieillesse que durant sa dernière année. A l'opposé, Dumas fils parle de la « retraite » avant même d'avoir atteint ses soixante ans ; ainsi dans la préface de *L'Étrangère* écrit-il : « L'auteur dramatique, lorsqu'il avance en âge, perd en don de mouvement, de clarté, de vie, ce qu'il gagne en connaissance du cœur humain... Arrivé à un certain âge, hélas ! celui que j'ai justement, l'auteur dramatique n'a rien de mieux à faire que mourir, comme Molière, ou de se retirer de la lutte, comme Shakespeare et Racine. »

On ressent cette lassitude dans les lettres qu'Alexandre fait, au lieu des préfaces précédemment : signe de vieillissement psychologique. Pourtant, il retourne au théâtre, écrivant en 1881 *La Princesse de Bagdad*, dédiée à *sa chère fille, Mme Colette Lippmann*, mais mal reçue par le public et la presse : il est resté trop distant de la réalité, fût-elle « théâtrale ». On y sent également une admiration pour le pouvoir de l'argent et une adoration pour le pouvoir des femmes, dans un ensemble plus imaginé que constaté : la pièce, manquant de vie, se solde par un échec.

La période qui suit est faite de silence : quatre années sans pièce ni roman. Dumas fils vit simplement, l'hiver en son hôtel de l'avenue de Villiers, l'été dans la propriété de Marly, Champflour, qu'Adolphe de Leuven – le plus ancien ami des Dumas – lui prête et va bientôt lui léguer.

Champflour, c'est le nom d'une ancienne famille auvergnate, dont un membre, devenu officier de la reine-mère et procureur du roi, s'est fait construire une maison à Marly, vers 1650. Vaste demeure dotée d'un parc de plusieurs hectares qui va, au milieu du XVIIIe siècle, connaître un grave incendie ravageant les ailes et ne laissant que les communs.

Le comte Adolphe de Leuven achète la maison en 1851, mais n'ayant pas d'enfant, choisit de la transmettre à Dumas fils. Ce dernier fera surélever une partie de la maison, afin d'y aménager un cabinet de travail et – merveille ! – une petite scène de théâtre.

Maintenant, il passe son temps à acheter des tableaux, donner des dîners, écrire des lettres, nombreuses, sur un ton très individualiste, bien qu'il s'en défende – « quand je vais deux jours à la chasse, je vous assure que je l'ai bien gagné... Nous vivons dans un temps où personne ne peut dire la vérité sans courir le risque de blesser les convictions d'un groupe ».

Vient le temps où la Chambre des députés vote une loi sur le divorce ; agacé par le comportement de Dumas fils – qui a tant demandé ce texte – un sénateur lui demande dans une lettre publiée dans la presse, de se rallier à la République. Le fils n'est pas le père et Dumas, tenant à son indépendance, réplique : « Je n'ai pris d'engagement avec personne, avec rien. Je n'appartiens ni à un parti, ni à une école, ni à une secte, ni à une ambition, ni à une haine, ni même à une espérance... monsieur, soyez heureux et fier ; je l'ai cette liberté, complète, définitive, inattaquable. »

Et il ajoute : « Quant au gouvernement qui régira notre pays, peu m'importent son nom et sa forme... Si c'est la république qui nous donne ce résultat, je serai avec la république. »

Cette indépendance d'esprit contribue finalement à la renommée de Dumas fils, qui continue d'attirer des personnages féminins susceptibles de le faire écrire une nouvelle pièce. Ainsi, Adèle Cassin, une riche collectionneuse, installée par les barons Rothschild – entre autres – dans un des plus beaux hôtels des maréchaux, rue de Tilsit, où elle expose ses collections de peinture tout en se désignant elle-même du nom de « la mère Goriot », pour se rappeler son passé. Elle, au moins, possède une dose d'humour.

Ayant rencontré Dumas fils vers 1880, Adèle Cassin fait remettre à cet amateur d'art un tableau de Tassaert, dont il possède déjà plusieurs toiles, disant : « Il vous appartient de droit. » En échange, elle ne demande qu'un peu d'amitié pour oublier les moments soucieux qu'elle a vécus elle aussi : elle a une fille naturelle, Gabrielle, qu'elle a « fait » marier en Italie, mais s'apparente encore à la femme entretenue.

Dumas fils reste tel qu'en lui-même et lui répond qu'elle est seule responsable de l'éducation de sa fille. Sans concession ! Pourtant, Adèle se soumet, avouant : « J'ai besoin de vous. Je sais que dans nos relations, il n'y a pas de sexe, mais pourtant je suis femme et j'ai besoin de votre protection – toute morale. »

Elle écrit en toute confiance à Dumas qu'un comte anglais veut l'épouser, mais se montre néanmoins jalouse de Mme Flahaut, « la fille de Vénus et de Polichinelle » et va jusqu'à interpeller Dumas : « Comment, vous n'avez jamais connu les peines de cœur ? »

Une sorte de cache-cache s'instaure entre Alexandre et Adèle, qui connaît l'état des relations conjugales de Dumas et de *La Personne* – sa femme, dorénavant très instable psychologiquement –, envisageant peut-être de la remplacer un jour ; mais Dumas fils demeure immuable et Adèle s'écrie : « Ah ! Vous êtes dur ! » D'autant qu'il lui intime presque de ne pas épouser le duc de Montfort – et elle l'écoute.

Adèle aura tout de même une sorte de revanche, car Alexandre va composer une pièce à partir de leurs souvenirs, intitulée *Denise*, variante des *Idées de madame Aubray*, jouée par la Comédie-Française et si bien accueillie par le public qu'on fête son « succès, le plus grand depuis trente ans » : chaque soir, Dumas fils – réticent – est présenté sur la scène et acclamé ; même le président de la République, Jules Grévy, vient l'applaudir. Le soir de la première, on a laissé le bureau du télégraphe ouvert, pour permettre l'envoi des félicitations. Dumas fils a rejoint son père dans le succès populaire !

Il est temps d'honorer officiellement ce dernier : un comité – présidé par Adolphe de Leuven – décide de faire ériger une statue à Dumas père, place Malhesherbes ; malheureusement, la souscription publique est maigre, aussi Gustave Doré donne-t-il son œuvre, qui sera inaugurée le 3 novembre 1883.

Le monument ? Doré s'est inspiré d'un songe que Dumas père avait raconté : « J'ai rêvé que j'étais debout au sommet d'une montagne de pierre, dont chaque bloc avait la forme d'un de mes livres. » Sur le piédestal de pierre, la statue de bronze de Dumas, souriant, ayant à ses pieds un étudiant, un ouvrier, une jeune fille : ses lecteurs. Sur l'autre côté, d'Artagnan monte la garde, à jamais.

Assis près de son épouse et de ses deux filles, Dumas fils entend l'hommage à son père, les yeux embués, avant de déclarer : « On a dit que Dumas a amusé trois ou quatre générations. Il a fait mieux : il les a consolées. S'il a montré l'humanité plus généreuse qu'elle n'est peut-être, ne lui en faites pas un reproche ; c'est qu'il la peignit à sa propre image... »

Edmond About ajoute : « Dumas père m'a dit un jour : " Tu as bien raison d'aimer Alexandre, c'est un être profondément humain ; il a le cœur aussi grand que la tête. Laisse faire ; si tout va bien, ce garçon-là sera Dieu le fils. " » Peut-on rêver meilleur hommage ?

Les journaux, après la mort d'Alexandre père, ont supprimé le terme *fils*, ce qui fait réagir ce dernier : « Ce mot fait partie de mon nom ; il est comme un second nom de famille qui a sauté par-dessus le nom de famille. »

Le soir – autre hommage au père – un repas est offert chez Brébant et le menu est digne de ce grand cuisinier :

Huîtres de Marennes, potage à la reine, bisque de poularde, turbot à la purée d'huîtres, reins de sangliers à la Saint-Hubert.

Pâtés chauds de pluviers dorés, matelote de lotte à la bourguignonne.

Canetons à la bigarade, sorbet au xérès.

Chapons truffés, cuisson de cailles, engoulevents, tourteaux.

Salade romaine, tomates, artichauts, asperges sauce Pompadour, pois nouveaux à la bonne femme.

Glaces, profiteroles au chocolat, fanchonnettes à la gelée de pommes de Rouen, fromages et fruits.

Le tout arrosé de : sauternes, chablis, château-lafite, mercurey conti, ay de Moët frappé, malvoisie de Chypre, lacrima-christi, Mirobolant de Mme Amphoux.

Désormais, Dumas fils peut passer devant son père en le suivant du regard et prononcer affectueusement un « Bonjour, Papa », du meilleur aloi. Alexandre Dumas « fils » est au zénith de la renommée, « tenant » le théâtre et pratiquement l'Académie ; ainsi, il dispense Pasteur de la visite de rigueur avant son élection et ensuite, tous deux, mutuellement attirés, siègent à des places voisines.

Les « on-dit » laissent entendre que Dumas est un « fils peu prodigue », mais il sait que cela n'est pas exact : instruit par la prodigalité paternelle, il gère « bourgeoisement » son avoir, ce qui ne l'empêche pas d'avoir des gestes pour ses amis (Sand, Pasteur).

Mais il est aussi réputé pour avoir parfois la dent dure : à un dîner chez le baron de Rothschild, il lance : « Est-ce parce que j'ai écrit *Le Demi-Monde* que vous me faites dîner avec mes héroïnes ? » Ou encore, au maréchal Canrobert lui disant qu'il est sourd, mais malgré tout sénateur, Dumas répond : « Comme sénateur, c'est ce qui pouvait vous arriver de plus heureux. » Et au prince Napoléon qui a dénigré sa pièce devant des tiers et l'en félicite personnellement, il répond : « Monseigneur, vous feriez mieux de dire du bien de ma pièce aux autres et de m'en dire, à moi, du mal. »

Il se laisse vivre, heureux de voir ses pièces reprises au répertoire ou de suivre Sarah Bernhardt dans son interprétation de *La Dame aux Camélias*. « Régent » de la Comédie-Française, il se préoccupe de la santé de Perrin, l'administrateur, qui meurt en juin 1885, après avoir salué Dumas et l'avoir remercié pour lui avoir donné une dernière grande joie : avoir vu *Denise*.

L'année précédente, il a perdu Leuven, l'ami de la famille ; atteint d'un cancer de l'estomac, Leuven s'est laissé mourir de faim, au milieu de ses oiseaux et de ses chiens, désignant Dumas fils comme légataire universel, lui laissant la propriété de Marly et lui demandant de garder ses chevaux sans qu'ils soient jamais attelés. Il s'est éteint sur ces mots : « Pourvu qu'il fasse beau, ce jour-là ! »

Leuven est inhumé au Pecq et Dumas fils fait un discours, lisant un passage des *Mémoires* de Dumas père racontant comment il a rencontré Leuven. Puis le rouleau compresseur de la vie passe : après Taylor et Leuven, le dernier témoin du « règne Dumas », Victor Hugo, s'éteint en 1885. Cette fois, l'amitié n'est pas au rendez-vous : si Dumas père tenait Hugo en haute estime, Dumas fils n'a pas les mêmes choix politiques et la pompe des funérailles réservées au grand poète l'irrite.

Dumas fils semble désormais seul sur les tréteaux parisiens : le nouvel administrateur de la Comédie, Clarétie, lui demande une autre pièce ; il prépare *La Route de Thèbes*, mais peine au travail et ne sera pas prêt à temps. Alors, il ressort un acte écrit jadis, qui va devenir *Francillon*, qui décrit encore la relation homme-femme et l'adultère. C'est un succès, dont Louis Ganderax, co-auteur, écrit dans la *Revue Dramatique* : « Alexandre Dumas, troisième du nom, a maintenant soixante-deux ans passés ; l'énergie de la race n'est pas encore épuisée en lui. Quel homme ! Quel admirable nègre ! Il nous traite comme des Blancs... »

Pièce audacieuse également : on y voit un *téléphone* – une « première » ! – et si le public apprécie les « mots » de l'auteur, il n'est pas dupe du message délivré, se résumant à un « œil pour œil, dent pour dent » entre homme et femme. Toujours d'actualité, Dumas, du moins dans celle de son époque.

Et Ganderax d'ajouter : « Tous, tant que nous sommes, nous admirons M. Dumas ; nous l'aimons, et, si nous avons quelque chose à lui pardonner, nous lui pardonnons avec joie parce que le petit-fils du héros de Brixen, quarante ans – ou presque – après son début dans la vie littéraire, nous montre encore, avec le tempérament d'un nègre, la raison la plus acérée, l'esprit le plus brillant, le plus dur et le plus net que puisse montrer un Parisien. »

Nègre ! Nègre ! N'ont-ils que ce mot à la bouche ? Cent ans auparavant, Alexandre Dumas Ier n'était encore qu'un dragon de la reine qui aspirait à on ne sait quel avenir mais portait en lui la mémoire de sa naissance à Jérémie et l'existence d'une île de Monte-Cristo, à Saint-Domingue...

48 – ENFIN LIBRE.

Soixante ans passés, du succès au théâtre, il ne reste plus à Dumas fils qu'à être amoureux, s'il veut ressembler à son père... Depuis longtemps, il est l'ami du doyen honoraire de la Comédie-Française, Régnier de la Brière, dont il a vu grandir la fille Henriette, mariée au peintre Félix Escalier.

Henriette n'est pas heureuse en ménage et se sépare de son mari, rejoignant le toit de ses parents. Elle admire Dumas, l'auteur dramatique qu'elle trouve « beau comme un dieu », se sentant « devant lui comme une petite fille ».

Dumas, après avoir donné quelque argent pour les œuvres d'Henriette, s'enhardit : « Si vous avez une photographie de vous qui vous ressemble, donnez-m'en une épreuve. Je vous la rendrai, dans un livre racontant l'histoire d'une déesse à qui je trouve que vous ressemblez. »

La photographie revient dans un ouvrage relié en maroquin bleu, un exemplaire de *Psyché*, de La Fontaine. Dumas, qui refuse habituellement par écrit des jeunes filles qui s'offrent à lui en raison de sa renommée, est brusquement dérouté par l'amour authentique d'Henriette et par son propre sentiment. Son ménage avec « la princesse » n'existe plus, ses échanges avec Ottilie Flahaut sont amicaux : Henriette veut Dumas ; lorsque son père décède en 1885, elle passe à l'action.

« Le 13 juillet 1887, j'ai arrêté mon destin sur tes lèvres... » Trois mois après, Dumas en est à s'interroger : « Où allons-nous ainsi ? A quelle conclusion ? A quelle catastrophe ? Je n'en sais rien. Voilà maintenant six mois que tu t'es jetée dans mes bras, avec le secret pressentiment que ton bonheur et ton malheur étaient en moi. »

L'épopée amoureuse n'est perturbée que par des événements mineurs, hormis cette lettre reçue de Micaëlla Cordier, en janvier 1888 : « Ne vous êtes-vous jamais dit que vous aviez une petite sœur qui aurait pu vous aimer tendrement ? Eh bien ! Si vous ne vous l'êtes pas dit, cette petite sœur qui a grandi a pensé à vous bien souvent. Oui, bien souvent, mon cœur s'est rappelé avec un doux plaisir les caresses que vous me donniez, que vous me preniez sur vos genoux quand toute enfant je demeurais avec mon bien-aimé Petit-Père si bon pour son bébé, qu'il couvrait de baisers et qu'il aimait tant ! Je me souviens aussi, qu'en 1870, pendant que j'étais enfermée à Marseille, loin de lui, vous avez bien voulu me donner de ses nouvelles. J'ai gardé un religieux souvenir de tout cela et c'est ce souvenir qui fait que j'ose venir vers vous vous demander, si ce père si bon et si aimant, qui fut aussi le vôtre, n'a rien fait pour moi, s'il a réellement oublié son bébé ?... »

Mais Dumas fils a l'esprit ailleurs. Dumas fils est amoureux. D'un si grand amour physique, que c'est un renouveau. Henriette se libère en divorçant en 1890, mais Dumas, toujours marié, garde sa femme gravement malade : abandonne-t-on une sexagénaire qui a partagé votre vie ? Il est donc amené à vivre l'adultère, lui qui l'a toujours dénoncé et même, tel un collégien, à envoyer des télégrammes en cachette, en les signant *Denise*.

En 1893, il écrit à Henriette : « Voilà sept ans, qu'il ne s'est jamais passé une heure sans que je pense à toi… je passe ma vie entière à reconstituer la tienne… »

Mme Régnier loue-t-elle un chalet à Lion-sur-Mer, près de Caen, sa fille l'y suit et retrouve une certaine Gyp – arrière-petite-fille de Mirabeau, auteur du *Mariage de Chiffon*. Alexandre n'ose aller la retrouver, craignant son entourage estival ; pourtant, Henriette lui expédie régulièrement des cahiers où elle lui parle : « Tu as tort de ne pas aimer la mer. C'est là que tu m'as aperçue pour la première fois, en 1864… »

Mais l'homme d'expérience craint tout : « Tes lettres ont bien l'accent de la première fois, mais Mercure est si malin et tu es si complètement femme… » D'autres qu'Henriette s'offusqueraient de ces mots ; tout au plus lui rétorque-t-elle un manque de confiance « si injuste ». Est-ce sa faute ? Dumas n'a jamais vu autour de lui « que le vice, le mensonge, la corruption sous toutes ses formes… j'en suis resté très en défiance ».

Mme Régnier s'éteint lentement et fait promettre à Dumas d'épouser Henriette s'il se trouve libre, ce qui n'est plus loin d'être le cas car, en 1891, Nadine « folle de jalousie » et atteinte d'une maladie mentale incurable, quitte l'avenue de Villiers pour s'installer chez sa fille Colette. Dumas fils a la gorge nouée : « Il y a vingt-huit ans, quand j'ai eu le tort de faire mon devoir, j'ai failli y laisser ma vie et, plus encore, ma raison. Mais enfin j'avais la conscience de m'être dévoué à quelque chose, et je croyais au travail, à la gloire... » Terrible aveu.

Après *Francillon*, Dumas ne fera jouer aucune pièce ; huit ans de silence témoignent de son découragement, qu'André Maurois assimile aux crises de « brusque abattement, en Italie et en Égypte, de son grand-père, le général », soulignant l'importance créole de l'histoire familiale...

49 – LA PETITE FLEUR DE LA GUINAUDÉE.

O combien ! Il y a quelques mois, Dumas fils a reçu la visite de Frédérick Febvre, un de ses comédiens-fétiches, qui lui avait antérieurement annoncé : « Quand mon engagement avec la Comédie-Française sera terminé, je quitterai le théâtre pour aller aux Antilles, rendre visite à mes amis d'Haïti. »

L'heure est venue et Dumas dit à Febvre : « Je voudrais bien être à votre place, allez ! Vous serez bien reçu là-bas ; c'est un des rares pays où l'on aime encore la France. Un jour que vous n'aurez rien à faire et qu'il ne fera pas trop chaud, descendez au sud de l'île jusqu'à Jérémie, sur le golfe de Léogane. C'est un véritable pèlerinage que je vous demande de faire. C'est là qu'au printemps de 1762, une petite esclave noire mettait au monde un petit mulâtre, lequel devait être un jour le général Dumas et se continuer en deux auteurs dramatiques qui vous ont fait quelques-uns des rôles que vous avez si bien joués. »

Oui, Febvre va dans cette île qui a connu tant d'aventures et tant de personnages ; non des moindres, avec ces Davy de la Pailleterie – dont le marquis Alexandre Antoine ! – venus du Pays de Caux pour travailler le sucre, l'indigo et le bois d'ébène sur une île qui s'appelle Monte-Cristo. Pendant un siècle et demi, ils ont été, avec leurs descendants, un peu les maîtres du monde, en action et en imagination. Quelle famille ! Dumas fils, par Febvre interposé, va rendre hommage à ses aïeux, blancs et de couleur...

Febvre se rend à Santiago de Cuba, prend le navire *Manuela*, débarque à Port-au-Prince et s'informe sur le moyen de se rendre à Jérémie. « Il faut une occasion », lui répond-on. Elle survient avec le décès d'une femme devant être inhumée à Jérémie. Le bateau transportant la dépouille mortelle prend à son bord Febvre, sa femme et leurs amis, qui assistent à l'office puis se rendent chez l'agent consulaire français avant de se mettre en route pour Jérémie – « Mais on ne va pas à la Guinaudée, comme en France on va à Saint-Cloud ! Il faut retrouver un vieux Noir du nom de Pamphile qui, seul, connaît exactement l'emplacement de l'ancienne plantation du marquis de la Pailleterie, sur laquelle se trouvait la case de Tiennette Dumas. Il faut, en outre, reconnaître les sentes à travers les mornes pour que vos montures puissent y accéder ; il faut envoyer là-haut, à dos de mulet, des provisions de bouche. »

Huit jours sont nécessaires, mais le mardi 9 avril 1895, les voyageurs sont attendus place de la cathédrale, à Jérémie. Febvre monte à cheval dès le lever du jour, Mme Febvre s'installe dans une victoria et, à l'arrivée, une cinquantaine de cavaliers attendent, se découvrant respectueusement. Le soir même, Febvre écrit à Dumas fils :

« Mon cher Dumas, ce matin, un peu avant le lever du soleil, après avoir traversé la Grande-Rivière, gravi les mornes, passé à gué la source Madère, franchi bien des obstacles, plus de cinquante cavaliers sont arrivés enfin à la Haute Guinaudée, sur l'emplacement de la grande case.

« C'est bien là, au côté ouest de la partie française, qu'au mois de mai de l'année 1762, Tiennette Dumas mettait au monde celui qui devait être un jour le général Dumas. Venus de Port-au-Prince à Jérémie pour tenir la promesse faite à l'auteur du Père Prodigue de nous rendre à la Guinaudée, j'ai trouvé pour accomplir ce pèlerinage le concours le plus empressé, le plus fraternel.

« Hélas ! De ce qui fut autrefois une grande habitation, il ne reste plus que les débris d'un vieux moulin ! Là où la petite esclave devait donner la vie à cette lignée de géants qui ont illustré leur pays avec tant d'honneur et tant de gloire, soit par la plume soit par l'épée, je n'ai trouvé que quelques pierres noircies, quelques fleurettes et une modeste cabane. Mais quels horizons ! Aussi vastes, aussi profonds, que profondément demeurera dans l'avenir, ce glorieux nom de Dumas !

« Deux heures après, toute la petite troupe s'est remise en marche sous un soleil brillant, pour venir déjeuner à la case d'Antoine. Le bon Pamphile nous servait de guide au milieu de ce labyrinthe tout en fleurs. Déjeuner charmant, plein d'entrain, les provisions avaient été expédiées dans la nuit, à dos de mulets...

« Après ce petit repas si cordial, si pittoresque, plusieurs de nous ont pris la parole pour chanter Tiennette et ses illustres descendants. On a bien parlé du général, de votre illustre père et de vous, mon cher Dumas ; aussi je vous adresse de suite ce souvenir encore tiède d'une naïve et sincère émotion.

« Puis nous sommes descendus à la cascade où se baignait votre glorieux grand-père, quand il était enfant. Si aujourd'hui, celui qui se plonge dans cette belle eau claire et limpide ne risque plus d'y rencontrer le légendaire caïman qui faillit dévorer le brave général dans ses ébats nautiques, en revanche l'endroit est resté merveilleux, plein d'ombre, de fraîcheur et de mystères !

« Je vous mets à la poste ce procès-verbal d'une journée qui restera inoubliable et mes aimables compagnes et compagnons de route y joignent, avec l'expression de leur admiration, celle de leurs plus affectueux sentiments. Et pendant qu'on sellait nos montures, j'ai cueilli ces petites fleurs qui vous parviendront desséchées... elles ont poussé là-haut, sur le sommet des mornes, que nous avons redescendu lentement, pendant que la lune éclairait de sa discrète lumière ce lieu si bruyant, tout encore et maintenant si calme, si religieusement silencieux. Votre bien affectueux, Frédérik Febvre. »

La lettre est signée par la plupart des participants, comme autant de témoins : Villedrouin, Laraque, général Kerlegand, Pamphile, Blanchet, Fouchard-Martineau, etc.

Fin novembre, M. et Mme Febvre rentrent en Bretagne puis rejoignent Paris. Hélas ! Dumas fils ne va guère goûter leur narration du voyage en terre haïtienne, le pays des origines. Il se languit...

En effet, ses pièces ont été rejouées au théâtre : *La Visite de Noces, L'Ami des Femmes,* Sarah Bernhardt a repris *La Femme de Claude*, il a entrepris les *Nouvelles Couches*, il a essayé de continuer *La Route de Thèbes*, mais s'est senti en plein désarroi : d'autres jeunes auteurs veulent la place, tel Henri Becque qui se moque de lui.

L'Académie française a attendu impatiemment *La Route de Thèbes*, mais « l'enthousiasme, l'emballement n'y sont plus. Je sais bien ce que je veux dire, mais je me répète sans cesse... la finirai-je jamais ? J'en doute de plus en plus. J'assiste au déclin de mes formes d'art. Mon théâtre, tout mon théâtre périra... »

Pourtant, il a toujours « le métal glacé de l'œil bleu clair qui ne s'est pas émoussé », mais c'est le moral qui est bas. Dumas fils dit lui-même : « On dirait que je suis tombé en religion sous l'influence des prêtres et des femmes. » Le valet de chambre entre-t-il pour signaler qu'un quidam demande un louis, Dumas répond : « Ah ! Le pauvre ! Donnez-lui-en cinq ; ça lui épargnera quatre voyages ! »

Sa pièce n'est toujours pas terminée ; il bute sur les derniers mots du manuscrit : « Partez donc, partez et trouvez l'homme jeune, favori des dieux, qui devra être votre époux et que j'aimerai comme un fils... »

Mme Dumas s'est éteinte chez sa fille Colette, avenue Niel, à l'âge de soixante-huit ans, le 2 avril 1895, suivie quelques jours plus tard par Mme Régnier (décédée chez sa fille Henriette). Dumas fait enterrer sa « princesse aux yeux verts » auprès de Catherine Labay, sa mère et le 26 juin, libre, épouse Henriette, à Marly-le-Roi. Pourtant, toujours déchiré, hanté par sa vision du couple, il se demande s'il fait bien.

Aussi, un mois plus tard, rédige-t-il son testament, déposé chez maître Delapalme, en entrant dans sa soixante-douzième année ; il désire être enterré au cimetière du Père-Lachaise, dans un caveau où doit le rejoindre Mme Dumas, « le plus tard possible ». Il ajoute, « après ma mort, je serai revêtu d'une de mes chemises de toile à bordure rouge et d'un de mes costumes habituels de travail, faits d'une seule pièce, les pieds nus... » Quant à ses *papiers*, « correspondances, manuscrits, Mme Henriette Alexandre-Dumas saura ce qu'il faut en faire... »

Une dernière lettre à Janot, devenue une très sérieuse Mme d'Hauterive : « Tu sais qu'on va élever une statue à ton aïeul, le général Alexandre Dumas, en face de celle de ton grand-père. Demande donc à ton mari s'il n'a pas trouvé au ministère de la Guerre, dans les archives, une lettre du général Hoche écrivant à la Convention quand il a quitté le commandement de l'armée de l'Ouest, que son remplaçant devait être Alexandre Dumas, le seul assez humain et assez énergique à la fois pour pacifier ces provinces... Il a dû en prendre copie... Il m'a dit jadis avoir trouvé au Ministère des documents très intéressants sur mon grand-père. »

Effectivement, Ernest d'Hauterive publiera une biographie du général et l'on mesure combien, jusqu'au bout de sa vie, l'origine et le sort des Davy de la Pailleterie passionneront Dumas fils, comme ils ont passionné Dumas père.

Et sa pièce ? Un cinquième acte aurait – enfin – été lu à la Comédie-Française, mais le saura-t-on jamais ? Le 1er octobre, Dumas fils tombe malade et déclare à Clarétie, le directeur : « Ne comptez pas sur moi. »

Brusquement, il confie à sa fille Colette : « Je ne sais pas ce que j'ai ; j'entends un grillon qui chante, tout au long du jour, dans mes oreilles. » Douleurs de tête, puis absences se multiplient : congestion, tumeur au cerveau ? Fin novembre, les médecins le considèrent comme perdu : il passe ses journées « en de confuses rêveries », comme jadis son vieux père.

Il y a quelques mois, on a demandé à Dumas fils une préface pour une édition de luxe des *Trois Mousquetaires* et il a écrit ce témoignage en forme d'adieu : « Ah ! le bon temps ! Nous avions le même âge : tu avais quarante-deux ans, j'en avais vingt. Les joyeux entretiens ! Les doux épanchements ! Et tu dors, depuis près d'un quart de siècle, sous les grands arbres du cimetière de Villers-Cotterêts, entre ta mère qui t'a servi de modèle pour toutes les honnêtes femmes que tu as peintes, et ton père qui t'a servi de preuve pour tous les héros à qui tu as donné la vie. Et moi que tu considérais toujours, et qui me considérais aussi, comme un enfant à côté de toi, j'ai les cheveux plus blancs que tu ne les as jamais eus. La terre va vite. A bientôt. »

Après un mieux, il s'éteint doucement, ayant demandé à ses filles d'aller déjeuner et de le laisser tranquille. Le 28 novembre 1895.

Les journaux s'emparent de la nouvelle et dans l'*Écho de Paris*, Henry Bauer, demi-frère de Dumas fils, écrit : « Il portait en soi cette force impérieuse : la volonté... Dans cent ans, des jeunes gens pauvres, le cœur frémissant d'amour, pleureront sur Marguerite Gautier... »

Le chantre des victimes, parce que victime lui-même de ce que sa mère a souffert, a voulu exorciser le sort ; ses contemporains l'ont compris. Qu'en sera-t-il des générations à venir ? L'évolution de notre société avec la percée de la famille monoparentale n'est pas si éloignée des situations du siècle dernier, avec ses douleurs et ses incertitudes...

Le public vient à Champflour et pénètre avec respect dans la chambre où repose Dumas, sur un lit Empire, vêtu selon sa volonté et pieds nus. Au mur, un grand portrait de Dumas père et un croquis représentant Catherine Labay sur son lit de mort. Au mur, est figurée la fière devise des Davy de la Pailleterie : « Au vent la flamme ! Au seigneur l'âme ! »

On ramène son corps par la porte Maillot et le corbillard est suivi, outre sa fille, par Sully Prudhomme, Paul Meurice, Georges Ohnet, Zola, des ministres et des célébrités. On se rend, non au cimetière du Père-Lachaise, mais en celui de Montmartre et l'on passe, moment d'émotion intense, devant la statue de bronze d'Alexandre Dumas père.

Mme Dumas s'éteindra en 1934 et sera inhumée aux côtés de son mari, Dumas fils, dans le mausolée familial, sous un dais de pierre réalisé par le sculpteur Saint-Marceaux, situé – est-ce un hasard ? – à quelques pas de celui de Marie Duplessis. L'épopée des Dumas s'arrête là...

Lors du centenaire de la naissance de Dumas père, on a lu un de ses textes : « Une des grandes joies de ce monde est d'être né dans une petite ville dont on connaît tous les habitants et dont chaque maison garde pour vous un souvenir. Je sais que c'est toujours une grande émotion pour moi que de retourner dans ce pauvre petit bourg... ce jour-là, c'est fête dans mon cœur. »

Là, se trouve une part de l'attrait de Dumas père : il connaît les gens simples qui constituent la France profonde, exaltant une force tranquille; le chroniqueur ajoute : « Les oiseaux chantent sous la feuillée, les fleurs s'épanouissent de toute part, les roses embaument l'air, le soleil verse à flots une chaude clarté et, si notre cher Dumas n'est pas là, on sent sa grande ombre planer au-dessus de nos têtes. » Tout autour, les mâts pavoisés portent les titres universellement connus : *Les Trois Mousquetaires – Vingt ans après – La Reine Margot – La Dame de Montsoreau – Le Collier de la Reine* – et surtout *Monte-Cristo,* le roman qui contient le secret de la famille...

50 – JE NE VOUDRAIS PAS EXAGÉRER, MAIS JE CROIS BIEN QUE J'AI, DE PAR LE MONDE, PLUS DE CINQ CENTS ENFANTS.

Un jour de 1862, alors qu'il était en compagnie de Mathilde Schoebel, qu'il avait connue enfant et appelait « ma petite bruyère », Dumas père dit : « C'est par humanité que j'ai des maîtresses. Si je n'en avais qu'une, elle serait morte avant huit jours !... Je ne voudrais pas exagérer, mais je crois bien que j'ai, de par le monde, plus de cinq cents enfants. »

Sans relater par le menu l'histoire de descendants plus ou moins connus – divers ouvrages sont référencés dans la bibliographie –, arrêtons-nous sur celui avec lequel se termine définitivement la saga des Dumas.

En 1975, le dernier des petits-fils d'Alexandre Dumas fils, Serge Lippmann, entre à l'hôpital de Saint-Germain-en-Laye et remet des objets personnels à la secrétaire générale de l'Association des Amis de Dumas, présidée par Alain Decaux (actuellement, Didier Decoin). Dans ce lot, une montre que lui avait donnée son grand-père, portant les initiales : AR. On crut un temps qu'il fallait lire : AD, pour Alexandre

Dumas, mais non, c'était bien : AR qui était gravé, pour Adolphe Ribbing de Leuven, l'indéfectible ami des Dumas.

Grâce à la générosité des descendants de la famille Leuven de Ribbing, le prix de la montre a servi à payer l'enterrement, au cimetière de Neuilly, de Serge Lippmann, « le dernier descendant d'Alexandre Dumas ».

Ce touchant témoignage *(Anniversaire : Adolphe de Leuven (1802-1884)* in *Bulletin des Amis de Dumas)* symbolise la fidélité « dumasienne » ; il est rapporté par Christiane Neave qui, avec son mari, Digby Neave, est dépositaire de la mémoire des Dumas à Champflour. Avec eux perdure le souvenir des Dumas.

Ce souvenir, existe-t-il également en Haïti aujourd'hui ? Car Césette Dumas a eu quatre enfants et si l'on connaît la descendance de Thomas Alexandre, le futur général, qu'est devenue celle de ses sœurs, Jeannette et Marie-Rose et celle de son frère Adolphe ?

Il semble que ce dernier, né à Jérémie, ait eu deux enfants, Luséa et Déidamie Claire, mariée à un certain Valès Salès ; un fils leur est né, nommé Dumas Salès (1860-1929), qui sera suivi par Paul Salès puis par Jean P. et Jacques P. Salès, qui tenaient ensemble un cabinet d'affaires à Port-au-Prince en 1975...

Entre le départ « aux Isles » des Davy de la Pailleterie et la fin de leur lignée, deux siècles et demi se sont écoulés, permettant l'essor de trois aigles authentiques, inoubliables mousquetaires : un général, un conteur, un moraliste, qui ont enflammé leur époque et suscité nombre de vocations.

Afin de conserver le fil de leur enthousiasme, il convient sans conteste de préparer dès aujourd'hui la célébration du deuxième centenaire de la naissance d'Alexandre Dumas père, auquel le monde est redevable de « 646 titres analysés... 4 056 personnages principaux, 8 872 personnages secondaires, 24 339 figurants... une ville peuplée de 37 267 héros » (*Alexandre Dumas le Grand, op. cité*).

Avec ces êtres foisonnants et multicolores, il faut organiser une énorme fête, à la fois à Villers-Cotterêts, à Bielleville, à Monte-Cristo et pourquoi pas, en compagnie des descendants haïtiens des Davy, à Jérémie et à Monte-Cristo. Là-bas se trouve réellement l'esprit des Dumas.

Mais faisons vite : l'an 2002 est maintenant tout proche...

ANNEXES

ARBRE SIMPLIFIÉ DE LA FAMILLE DUMAS-DAVY DE LA PAILLETERIE

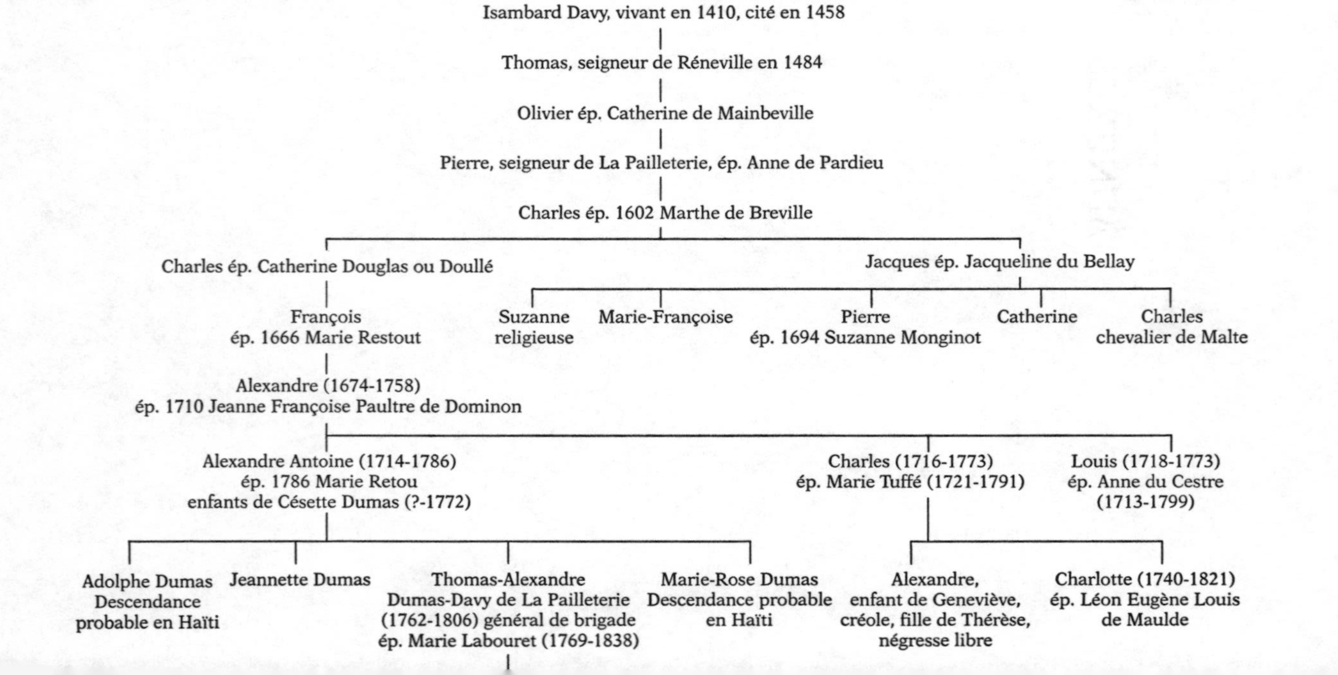
Isambard Davy, vivant en 1410, cité en 1458
Thomas, seigneur de Réneville en 1484
Olivier ép. Catherine de Mainbeville
Pierre, seigneur de La Pailleterie, ép. Anne de Pardieu
Charles ép. 1602 Marthe de Breville
Charles ép. Catherine Douglas ou Doullé
Jacques ép. Jacqueline du Bellay
François ép. 1666 Marie Restout
Suzanne religieuse
Marie-Françoise
Pierre ép. 1694 Suzanne Monginot
Catherine
Charles chevalier de Malte
Alexandre (1674-1758) ép. 1710 Jeanne Françoise Paultre de Dominon
Alexandre Antoine (1714-1786) ép. 1786 Marie Retou enfants de Césette Dumas (?-1772)
Charles (1716-1773) ép. Marie Tuffé (1721-1791)
Louis (1718-1773) ép. Anne du Cestre (1713-1799)
Adolphe Dumas Descendance probable en Haïti
Jeannette Dumas
Thomas-Alexandre Dumas-Davy de La Pailleterie (1762-1806) général de brigade ép. Marie Labouret (1769-1838)
Marie-Rose Dumas Descendance probable en Haïti
Alexandre, enfant de Geneviève, créole, fille de Thérèse, négresse libre
Charlotte (1740-1821) ép. Léon Eugène Louis de Maulde

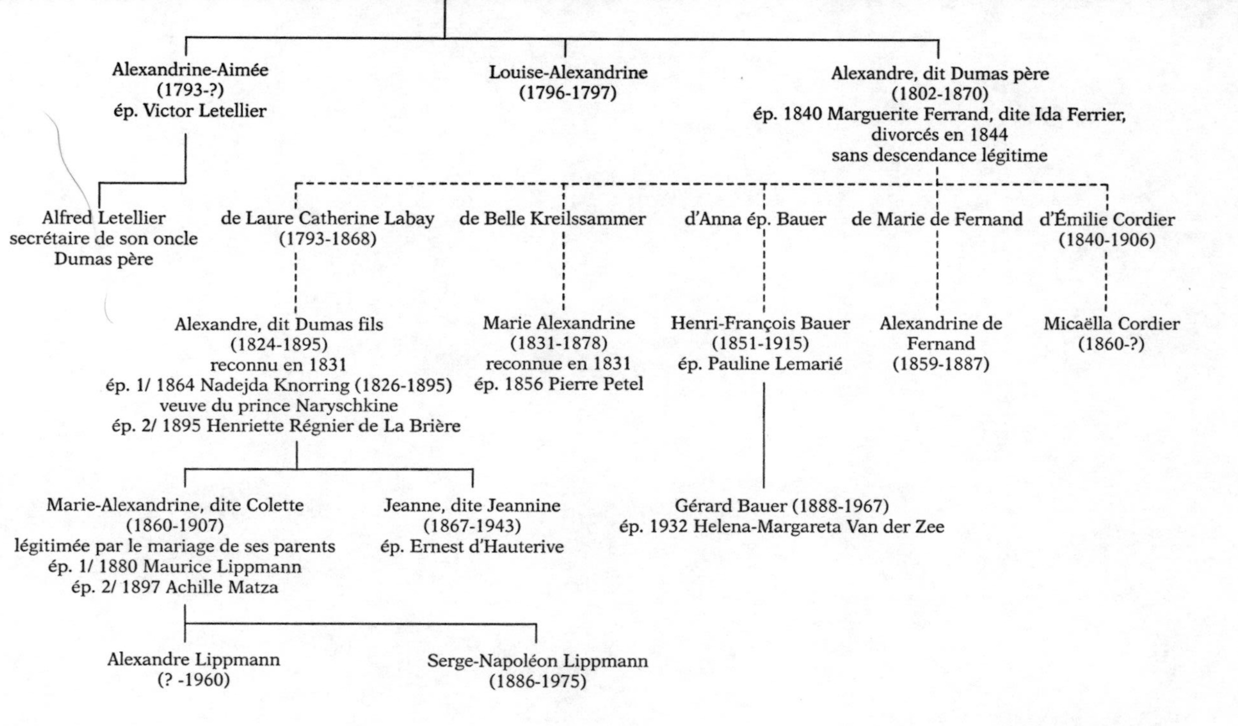

Gé-Magazine n° 175

SOUVENIR DUMASIEN

Le souvenir d'Alexandre Dumas est perpétué par les lieux et groupements suivants :

– Société des Amis de Dumas. Château de Monte-Cristo, Maison d'Alexandre Dumas. 1, avenue Kennedy 78560 Port-Marly. Tél. : 01.39.16.55.50. Président d'honneur : Alain Decaux. Président : Didier Decoin. Secrétaire général : Michel Fesseau.

– Musée des Trois Dumas, Villers-Cotterêts.

– Association des Trois Dumas. Secrétariat : 8, rue Léveillé 02600 Villers-Cotterêts. Tél. : 03.23.72.74.95.

– Société des Gens de Lettres, Hôtel de Massa, « salle Dumas ».

– Château de la Pailleterie, Bielleville-en-Caux. 76210 Rouville. Propriété de M. Daubeuf.

– A Paris, place du Général-Catroux, statue d'Alexandre Dumas père par Gustave Doré, d'Alexandre Dumas fils, par René de Saint-Marceaux et socle de la statue du général Dumas, disparue sous l'occupation. Cette place devait s'appeler *Place des Trois Dumas*.

– A Villers-Cotterêts, statue d'Alexandre Dumas.

– A la Comédie-Française, buste d'Alexandre Dumas, par Chapu, dans la galerie des bustes.

– Dans le XXe arrondissement de Paris, une rue Alexandre-Dumas et une station de métro, ainsi qu'une rue Monte-Cristo.

– 1, place Boieldieu (IIe), plaque commémorative . « Alexandre Dumas fils, auteur dramatique, est né dans cette maison le 27 juillet 1824. »

– Cimetière de Villers-Cotterêts, tombes d'Alexandre Dumas père et de ses parents.

– Cimetière de Montmartre, tombe d'Alexandre Dumas fils et de son épouse.

ORIENTATION BIBLIOGRAPHIQUE

Alexandre Dumas, le génie de la vie, Claude Schopp, Fayard, 1997.

Mémoires d'Alexandre Dumas, annotés par Pierre Josserand, Gallimard, 1964-70.

La dame aux asphodèles, Marianne Lioust, Mercure de France, 1989.

Les Trois Dumas, André Maurois, Hachette, 1957.

Alexandre Dumas. Causeries sur la mer, Claude Schopp, Champflour, 1995.

Grand Dictionnaire de la cuisine, Alexandre Dumas, Henry Veyrier, 1978.

Ombre et Lumière, Alexandre Dumas fils, Christiane Neave, La Société des Amis de Dumas, 1995.

Alexandre Dumas le Grand, Daniel Zimmermann, Julliard, 1993.

Georges, présenté par Calixthe Beyala, Éditions N° 1, 1998.

Souvenez-vous de Monte-Cristo, René Réouven, Denoël, 1996.

Alexandre Dumas romancier, Isabelle Jan, Les Éditions Ouvrières, 1973.

Mémoires de Monte-Cristo, François Taillandier, De Fallois, 1994.

Le véritable d'Artagnan, Jean-Christian Petitfils, Tallandier, 1981.
Le château d'If, François Di Roma, Éditions Jeanne Laffitte, 1990.
Monte-Cristo, un château de roman, Georges Poisson, éditions Champflour, 1987.
Dumas en Normandie, Gilles Henry, Corlet, 1994.
Monte-Cristo ou l'extraordinaire aventure des ancêtres d'Alexandre Dumas (Préface d'Alain Decaux), Gilles Henry, Perrin, 1976.
Le grand livre de Dumas, Les Belles Lettres, 1997.
Alexandre Dumas, ses filles et leurs mères, Claude Schopp, Cahiers Alexandre Dumas, 1997.
Dumas fils inconnu, Maurice d'Hartoy, Lambert éditeur, 1964.
Alexandre Dumas, Collection Les Géants, Jean de Lamaze, Éditions Pierre Charron, 1972.
Mes Mémoires, Alexandre Dumas, Collection Bouquins, Robert Laffont, 1989.
Description de la partie française de Saint-Domingue, Moreau de Saint-Méry, nouvelle édition, Blanche Maurel et Étienne Taillemitte, Société d'Histoire des Colonies et Librairie Larose, 1958.
Dumas père et fils, Yves Marie Lucot, La Vague verte, 1997.

TABLE DES MATIÈRES

TROISIÈME PARTIE : DUMAS PÈRE, UN ÉCRIVAIN FOISONNANT

QUATRIÈME PARTIE : HISTOIRE D'UN CHEF-D'ŒUVRE

CINQUIÈME PARTIE : C'EST UN GÉANT

SIXIÈME PARTIE : DUMAS FILS ET LE DERNIER DES DUMAS

ANNEXES

DICTIONNAIRE DES PHRASES QUI ONT FAIT L'HISTOIRE, Tallandier, 1991.
Grand Livre du Mois 1995.
DÉTECTIVE DE L'HISTOIRE, Éditions In-Fine, 1992.
DICTIONNAIRE DES EXPRESSIONS NÉES DE L'HISTOIRE, Tallandier, 1992.
Club France-Loisirs 1993.
Grand Livre du Mois 1995.
DICTIONNAIRE DES LIEUX QUI RACONTENT L'HISTOIRE, Tallandier, 1993.
Club Grand Livre du Mois 1994.
Présentation en coffret spécial cartonné des quatre Dictionnaires sous le titre LES MOTS DE L'HISTOIRE, 1993.
ALEXANDRE DUMAS EN NORMANDIE, Corlet, 1994.
PROMENADES LITTÉRAIRES EN NORMANDIE, Corlet, 1996.
CES MOTS D'AMOUR QUI ONT FAIT L'HISTOIRE, Tallandier, 1996.
GUILLAUME LE CONQUÉRANT, France-Empire, 1996.
Club Bibliotheca 1996.
Prix de Saint-Valéry 1996.
LES MOUSSES, Glénat, 1996.
Prix Robert-de-La-Croix 1996.
« Prix Michel-de-Saint-Pierre 1997 pour l'ensemble de son œuvre. »
RETROUVER SES ANCÊTRES, C'EST FACILE, Albin Michel, 1997.
Club Grand Livre du Mois 1997. « Sélectionné à l'unanimité ».
Club d'Histoire, 1998.
CONTES ET LÉGENDES DE NORMANDIE, France-Empire, 1997.
Prix des Libraires de Normandie 1997.
DICTIONNAIRE INSOLITE, Corlet, 1997.
LOUIS XIII, France-Empire, 1998.
Club Bibliotheca 1998.
Sélection Prix Hugues-Capet 1998.
GUIDE DE GÉNÉALOGIE, Solar, 1998.
LA CUISINE DE RABELAIS, Corlet, 1999.
BRETAGNE ET BRETONS, France-Empire, 2000.

PARTICIPATION A DES OUVRAGES COLLECTIFS

L'ASCENDANCE D'ARTHUR RIMBAUD EN LIGNE DIRECTE,
Études Rimbaldiennes, Lettres Modernes Minard, 1972.
COMMENT NAQUIT LE COMMISSAIRE MAIGRET.
Collection Cistre, Essais, L'Age d'Homme, Lausanne, 1980.
FLAUBERT ULTRA-MARIN.
Hommes et destins, Académie Sciences d'Outre-Mer, 1981.
CAEN, TERRE NORMANDE.
Association Amis Bibliothèque de Caen, 1984.
RAOUL DE CAEN.
Hommes et destins, Académie Sciences d'Outre-Mer, 1986.
MICHELET ET LA NORMANDIE, Corlet, 1989.
LES PLUS BELLES VILLES DE FRANCE.
Sélection du Reader's Digest, 1994.
BATAILLE DE NORMANDIE.
Guides Gallimard, 1994.

CHRONIQUES ET ARTICLES DANS

HISTORIA/HISTORIA SPÉCIAL
LES CHRONIQUES DE L'HISTOIRE
DÉTOURS EN FRANCE
NORMANDIE-MAGAZINE
TÉLÉRAMA
GE-MAGAZINE
ALMANACH OUEST-FRANCE

Cet ouvrage a été réalisé par la
SOCIÉTÉ NOUVELLE FIRMIN-DIDOT
Mesnil-sur-l'Estrée
pour le compte des Éditions France-Empire
en juillet 2002

Imprimé en France
Dépôt légal : juillet 2002
N° d'impression : 60400